訳者略歴／大地　舜
青山学院大学卒。米国のオピニオン誌『新展望』東京特派員。世界最大の政治コラム「グローバル　ビューポイント」（ロサンゼルス・タイムス・シンジケート）東京特派員。訳書に『大統領の戦争』（実業之日本社）、『右脳開発法』（実業之日本社）、『インナーセックス』（実業之日本社）、『人生のささやかな真理』（実務教育出版）などがある。

神々の指紋　下

1996年 2月29日　初版第1刷発行
1996年10月10日　初版第13刷発行

著　者　グラハム・ハンコック
訳　者　大地　舜
発行人　速水浩二
発行所　株式会社　翔泳社
　　　　〒150　東京都渋谷区神宮前3-14-12
　　　　出版局編集部　03-5411-3032
　　　　出版局営業部　03-5411-3020
組　版　株式会社　キャナルコンピュータプリント
印刷・製本　大日本印刷株式会社

ISBN4-88135-349-7　C0022

索引

●記号

●タ行

●ナ行

●ハ行

参考文献

Aldred, Cyril, *Akhenaton*, Abacus, London, 1968.

—— *Egypt to the End of the Old Kingdom*, Thames & Hudson, London, 1988.

Ancient America, Time-Life International, 1970.

Ancient Egyptian Book of the Dead (trans. R.O. Faulkner), British Museum Publications, 1989.

Ancient Egyptian Pyramid Texts (trans. R.O. Faulkner), Oxford University Press, 1969.

Antoniadi, E.M., *L'Astronomie egyptienne*, Paris, 1934.

Apocryphal Old Testament (ed. H.F.D. Sparks), Clarendon Press, Oxford, 1989.

Arguelles, José, *The Mayan Factor: Path Beyond Technology*, Bear & Co., Santa Fe, New Mexico, 1987.

Atlas of Mysterious Places (ed. Jennifer Westwood), Guild Publishing, London, 1987.

Aubet, Maria Eugenia, *The Phoenicians and the West*, Cambridge University Press, 1933.

Aveni, Anthony F., *Skywatchers of Ancient Mexico*, University of Texas Press, 1990.

Aztec Calendar: *History and Symbolism*, Garcia y Valades Editores, Mexico City, 1992.

Aztecs: Reign of Blood and Splendour, Time-Life Books, Virginia, 1992.

Bailey, James, *The God-Kings and the Titans*, Hodder & Stoughton, London, 1972.

Baines, John and Malek, Jaromir, *Atlas of Ancient Egypt*, Time-Life Books, Virginia, 1990.

Bauval, Robert and Gilbert, Adrian, *The Orion Mystery*, Wm. Heinemann, London, 1994.

Bellamy, H.S., *Built Before the Flood: The Problem of the Tiahuanaco Ruins*, Faber & Faber, London, 1943.

—— and Allan, P., *The Calendar of Tiahuanaco: The Measuring System of the Oldest Civilization*, Faber & Faber, London, 1956.

Berlitz, Charles, *The Lost Ship of Noah*, W.H. Allen, London, 1989.

Bernal, Martin, *Black Athena: The Afroasiatic Roots of Classical Civilization*, Vintage Books, London, 1991.

Bethon, Simon and Robinson, Andrew, *The Shape of the World: The Mapping and Discovery of the Earth*, Guilt Publishing, London, 1991.

Bhagavata Purana, Motilal Banardess, Delhi, 1986.

el, *Egypt before the Pharoahs*, Michael O'Mara Books, 91.
(Rouse translation).
Earl, *Those Astounding Ice Ages*, Exposition Press, New
.
d M. et al., *The Paleoecology of Beringia*, Academic Press, , 1982.
nd Imbrie, Katherine Palmer, *Ice Ages: Solving the Mystery*, ublishers, New Jersey, 1979.
Coincidence, Hutchinson, London, 1990.
ca, *Egyptian Mythology*, Newnes Books, London, 1986.
ance, *Fair Gods and Stone Faces*, W. H. Allen, London,
, *The Sphinx and the Megaliths*, Abacus, London, 1976.
gyptian Magic, Aris and Phillips, Warminster, 1985.
clopaedia, Funk and Wagnell, New York, 1925.
Donald C. and Eddy, Maitland C., *Lucy: The Beginnings of d*, Paladin, London, 1982.
ablo, *The Extirpation of Idolatry in Peru* (trans. L. Clark Keat- University of Kentucky Press, 1968.
Dileep Kumar, *Vimana in Ancient India*, Sanskrit Pustak Bhan- Calcutta, 1985.
C., *The Gods of the Greeks*, Thames & Hudson, London, 1974.
K. A., *Pharaoh Triumphant: The Life and Times of Ramesses* Aris and Phillips, Warminister, 1982.
ucy, *Egyptian Mysteries*, Thames & Hudson, London, 1986.
Diego de, *Yucatan before and after the Conquest* (trans. William es), Producción Editorial Dante, Merida, Mexico, 1990.
y, C. C. and Hansen, B. Lyle. *The Frozen Future: A Prophetic port from Antarctica*, Quadrangle, New York, 1973.
. S., *The Geology of China*, London, 1939.
urier, Peter, *The Great Pyramid: Your Personal Guide*, Element ooks, Shaftesbury, 1987.
he Great Pyramid Decoded, Element Books, Shaftesbury, 1989.
, Roger, *Human Evolution*, Blackwell Scientific, Oxford, 1984.
heim, Miriam, *Ancient Egyptian Literature*, University of California Press, 1976.
, R. S., *Fossils*, London, 1931.
theo (trans. W. G. Waddell), Wm. Heinemann, London, 1940.
on, J. Alden, *The Ancient Civilizations of Peru*, Penguin Books,

Bierhorst, John, *The Mythology of South America*, Wm. Morrow & Co., New York, 1990.

—— *The Mythology of Mexico and Central America*, Wm. Morrow & Co., New York, 1990.

Black, Jeremy and Green, Anthony, *Gods, Demons and Symbols of Ancient Mesopotamia*, British Museum Press, 1992.

Bloomgarden, Richard, *The Pyramids of Teotihuacan*, Editur S.A., Mexico, 1993.

Blue Guide: Egypt, A & C Black, London, 1988.

Bolivia, Lonely Planet Publications, Hawthorne, Australia, 1992.

Breasted, J. H., *Ancient Records of Egypt: Historical Documents from the Earliest Times to the Persian Conquest*, Histories and Mysteries of Man, London, 1988.

—— *The Dawn of Conscience*, Charles Scribners Sons, New York, 1944.

Butzer, Karl W., *Early Hydraulic Civilization in Egypt: A Study in Cultural Ecology*, University of Chicago Press, 1976.

Cameron, Ian, *Kingdom of the Sun God: A History of the Andes and Their People*, Guild Publishing, London, 1990.

Campbell, Joseph, *The Hero with a Thousand Faces*, Paladin Books, London, 1988.

Canfora, Luciano, *The Vanished Library*, Hutchinson Radius, London, 1989

Casson, Lionel, *Ships and Seafaring in Ancient Times*, University of Texas Press, 1994

Cieza de Leon, Pedro, *Chronicle of Peru*, Hakluyt Society, London, 1864 and 1883.

Coe, Michael D., *The Maya*, Thames & Hudson, 1991.

—— *Breaking the Maya Code*, Thames & London, 1992.

Cole, J.H., *Survey of Egypt*, Cairo, 1925.

Comber, Leon, *The Traditional Mysteries of the Chinese Secret Societies in Malaya*, Eastern Universities Press, Singapore, 1961.

Community Profile: Hopi Indian Reservation, Arizona Department of Commerce.

Complete Works of Josephus, Kriegel Publications, Grand Rapids, Michigan, 1991.

Cooraswamy, Ananda K. and Sister Nivedita, *Myths of the Hindus and Buddhists*, George G. Harrap & Co., London, 1913.

Corteggiani, Jean-Pierre, *The Egypt of the Pharoahs at the Cairo Museum*, Scala Publications, London, 1987.

Cotterell, Arthur, *The Illustrated Encyclopaedia of Myths and Legends*,

Guild Publishing, London, 1989

Cuvier, Georges, *Revolutions and Catastrophes in the History of the Earth*, 1829

Darwin, Charles, *Journal of Researches into the Natural History of Countries Visited during the Voyage of HMS* Beagle *Round the World*.

—— *The Origin of Species*, Penguin, London, 1985.

David, Rosalie, *A Guide to Religious Ritual at Abydos*, Aris and Phillips, Warminster, 1981.

—— and David, Anthony E., *A Biographical Dictionary of Ancient Egypt*, Seaby, London, 1992.

Davidovits, Joseph and Morris, Margie, *The Pyramids: An Enigma Solved*, Dorset Press, New York, 1988.

Davis, Nigel, *The Ancient Kingdoms of Mexico*, Penguin Books, London, 1990.

Desroches-Noblecourt, Christine, *Tutunkhamen*, Penguin Books, London, 1989.

Devereux, Paul, *Secrets of Ancient and Sacred Places*, Blandford Books, London, 1992.

Diodorus Siculus (trans. C. H. Oldfather), Loeb Classical Library, London, 1989; Harvard University Press, 1989.

Donnelly, Ignatius, *Atlantis: The Antediluvian World*, Harper & Brothers, New York, 1882.

Edwards, I. E. S., *The Pyramids of Egypt*, Penguin, London, 1949.

Egypt: Land of the Pharaohs, Time-Life Books, Virginia, 1992.

Egyptian Book of the Dead (trans. E. A. Wallis Budge), British Museum, 1895; Arkana, London and New York, 1986.

Emery, W. B., *Archaic Egypt*, Penguin Books, London, 1987.

Encyclopaedia of Ancient Egypt (ed. Margaret Bunson), Facts on File, New York and Oxford, 1991.

Encyclopaedia Britannica, 1991 edition.

Epic of Gilgamesh, Penguin Classics, London, 1988.

Evolving Earth, Guild Publishing, London, 1989.

Facts on File Encyclopaedia of World Mythology and Legend, New York and Oxford, 1988.

Fakhry, Ahmed, *The Pyramids*, University of Chicago Press, 1969.

Feats and Wisdom of the Ancients, Time-Life Books, Virginia, 1990.

Fernandez, Adela, *Pre-Hispanic Gods of Mexico*, Panorama Editorial, Mexico City, 1992.

Fiedel, Stuart J., *The Prehistory of the Americas*, Cambridge University Press, 1992.

Filby, Frederick A., *The F.* of Geology, Archaeology, ing & Inglis, London, 197

Flem-Ath, Rand and Rose, *W*

Flint, R. F., *Glacial Geology a*

Fowden, Garth, *The Egyptian H*

Frankfort, Henry, *The Cenotaph* Egypt Exploration Society, L

—— *Kingship and the Gods*, Unive

Frazer, J. G., *Folklore in the (Religion, Legend and Law*, Ma

Gardner, A. H., *The Royal Canon*

Geography of Strabo (trans. H. L. 1982.

Gifford, D. and Sibbick, J., *Warrior American Mythology*, Eurobook, L

Gleninnen, Inga, *Aztecs*, Cambridge Ur

Gordon, Cyrus H., *Before Columbus: L Ancient America*, Crown Publishers,

Grey, George, *Polynesian Mythology*, Lon

Grimal, Nicholas, *A History of Ancient* 1992.

Hadigham, Evan, *Lines to the Mountain G*

Hallet, Jean-Pierre, *Pygmy Kitabu*, BCA, L

Hancock, Graham, *The Sign and the Seal*, I

Hapgood, Charles H., *Earth's Shifting Cr Problems of Earth Science*, Pantheon Book

—— *Maps of the Ancient Sea Kings*, Chilton B York, 1966; Turnstone Books, London, 197

—— *The Path of the Pole*, Chilton Books, New

Hart, George, *Egyptian Myths*, British Museum

—— *Pharoahs and Pyramids*, Guild Publishing, Lo

Hawkins, Gerald S., *Beyond Stonehenge*, Arrow

Hemming, John, *The Conquest of the Incas*, Macr

Herm, Gerard, *The Phoenicians*, BCA, London, 1!

Herodotus, *The History* (trans. David Grene), U Press, 1987.

Heyerdahl, Thor, *The Ra Expeditions*, BCA, London

Hodges, Peter and Keable, Julian, *How the Pyramids* Books, Shaftesbury, 1989.

Hoffman, Mich London, 19

Homer, *Odyssey*

Hooker, Dolph York, 195

Hopkins, Dav New York

Imbre, John a Enslow P

Inglis, Brian

Ions, Veroni

Irwin, Const 1964.

Ivimy, John

Jacq, C.,

Jewish Enc

Johanson, *Manki*

Joseph, P ing),

Kanjilal, dar,

Kerenyi,

Kitchen, II,

Lamy L

Landa, Gat

Langwa Re

Lee, J

Lemes B

—— 1

Lewi

Lich

Luss

Ma

Ma

London, 1991.
Maspero, Gaston, *The Passing of Empires*, 1902.
Mendelssohn, Kurt, *The Riddle of the Pyramids*, Thames & Hudson, London, 1986.
Mexico, Lonely Planet Publications, Hawthorne, Australia, 1992.
Mexico: Rough Guide, Harrap-Columbus, London, 1989.
Miller, Mary and Taube, Karl, *The Gods and Symbols of Ancient Mexico and the Maya*, Thames & Hudson, London, 1993.
Milton, Joyce; Orsi, Robert, and Harrison, Norman, *The Feathered Serpent and the Cross: The Pre-Colombian God-Kings and the Papal States*, Cassell, London, 1980.
Moncrieff, A. R. Hope, *The Illustrated Guide to Classical Mythology*, BCA, London, 1992.
Monroe, Jean, Guard and Williamson, Ray A., *They Dance in the Sky: Native American Star Myths*, Houghton Mifflen Company, Boston, 1987.
Montesinos, Fernando, *Memorias Antiguas Historiales del Peru* (trans. and ed. P. A. Means), Hakluyt Society, London, 1920.
Morley, S. G., *An Introduction to the Study of Maya Hieroglyphics*, Dover Publications, New York, 1975.
Morrison, Tony, with Hawkins, Gerald S., *Pathways to the Gods*, BCA, London, 1979.
Moscati, Sabatino, *The World of the Phoenicians*, Cardinal, London, 1973.
Murray, H., Crawford, J. et al., *An Historical and Descriptive Account of China*, London, 1836.
Murray, Margaret A., *The Splendour that was Egypt*. Sidgwick & Jackson, London, 1987.
—— *The Osireion at Abydos*, Bernard Quaritch, London, 1904.
Mystic Places, Time-Life Books, Virginia, 1987.
Mythology of All Races, Cooper Square Publishers, New York, 1964.
Myths from Mesopotamia (trans. and ed. Stephanie Dalley), Oxford University Press, 1990.
Narratives of the Rights and Laws of the Yncas (trans. and ed. Clemens R. Markham), Hakluyt Society, London, 1873.
New Larousse Encyclopaedia of Mythology, Paul Hamlyn, London, 1989.
Okladnikov, A. P., *Yakutia before Its Incorporation into the Russian State*, McGill-Queens University Press, Montreal, 1970.
Osborne, H., *Indians of the Andes: Aymaras and Quechuas*, Routledge and Kegan Paul, London, 1952.

—— *South American Mythology*, Paul Hamlyn, London, 1968.
Oxford Dictionary of the Christian Church, Oxford University Press, 1988.
Patten, Donald W., *The Biblical Flood and the Ice Epoch: A Study in Scientific History*, Pacific Merdian Publishing Co., Seattle, 1966.
Pears Encyclopaedia of Myths and Legends: Oceania, Australia and the Americas (ed. Sheila Savill), Pelham Books, London, 1978.
Penguin Dictionary of Religions, Penguin Books, London, 1988.
Peru, Lonely Planet Publications, Hawthorne, Australia, 1991.
Petrie, W. M. Flinders, *The Pyramids and Temples of Gizeh*, (Revised Edition), Histories and Mysteries of Man, London, 1990.
Plato, *Timaeus and Critias*, Penguin Classics, London, 1977.
Popol Vuh: The Sacred Books of the Ancient Quiche Maya, (English version by Delia Goetz and S. G. Morley from the translation by Adrian Recinos), University of Oklahoma Press, 1991.
Posnansky, Arthur, *Tiahuanacu: The Cradle of American Man*, (4 volumes), J. J. Augustin, New York, 1945.
Prestwich, Joseph, *On Certain Phenomena Belonging to the Close of the Last Geological Period and on their Bearing upon the Tradition of the Flood*, Macmillan, London, 1895.
Quarternary Extinctions: A Prehistoric Revolution (eds. Paul S. Martin and R. G. Kline), University of Arizona Press, 1984.
Reeves, Nicholas, *The Complete Tutankhamun*, Thames & Hudson, London, 1990.
Reiche, Maria, *Mystery on the Desert*, Nazca, Peru, 1989,
Ridpath, Ian and Tirion, Wil, *Collins Guide to Stars and Planets*, London, 1984.
Rig Veda, Penguin Classics, London, 1981.
Roberts, P. W., *River in the Desert: Modern Travels in Ancient Egypt*, Random House, New York and Toronto, 1993.
Romer, John, *Valley of the Kings*, Michael O'Mara Books, London, 1988.
Rundle-Clark, R. T., *Myth and Symbol in Ancient Egypt*, Thames & Hudson, London, 1991.
Sabloff, Jeremy A., *The Cities of Mexico: Reconstructing a Lost World*, Thames & Hudson, London, 1990.
Santillana, Giorgio de and von Dechend, Hertha, *Hamlet's Mill*, David R. Godine, Boston, 1992.
Scheel, B., *Egyptian Metalworking and Tools*, Shire Egyptology, Aylesbury, 1989.
Schlegel, Gustav, *Uranographie chinoise*, 1875.
—— *The Hung League*, Tynron Press, Scotland, 1991.

Schwaller de Lubicz, R. A., *Sacred Science: The King of Pharaonic Theocracy*, Inner Traditions International, Rochester, Vermont, 1988.

Sellers, Jane B., *The Death of Gods in Ancient Egypt*, Penguin, London, 1992.

Seton-Watson, M. V., *Egyptian Legends and Stories*, Rubicon Press, London, 1990.

Sitchin, Zecharia, *The Stairway to Heaven*, Avon Books, New York, 1983.

—— *The Lost Realms*, Avon Books, New York, 1990.

Smyth, Piazzi, *The Great Pyramid: Its Secrets and Mysteries Revealed*, Bell Publishing Co., New York, 1990.

Sollberger, Edmund, *The Babylonian Legend of the Flood*, British Museum Publication, 1984.

Spence, Lewis, *The Magic and Mysteries of Mexico*, Rider, London, 1922.

Spencer, A. J., *The Great Pyramid Fact Sheet*, P. J. Publications, 1989.

Stephens, John L., *Incidents of Travel in Central America, Chiapas and Yucatan*, Harper and Brothers, New York, 1841.

Sykes, E., *Dictionary of Non-Classical Mythology*, London, 1961.

Temple, Robert K. G., *The Sirius Mystery*, Destiny Books, Rochester, Vermont, 1987.

Thompson, J. Eric, *Maya Hieroglyphic Writing*, Carnegie Institution, Washington DC, 1950.

—— *Maya History and Religion*, University of Oklahoma Press, 1990.

—— *The Rise and Fall of Maya Civilization*, Pimlico, London, 1993.

Tilak, Lokamanya Bal Gangadhar, *The Arctic Home in the Vedas*, Tilak Bros., Poona, 1956.

Titchenell, Elsa B., *The Masks of Odin*, Theosophical University Press, Pasadena, 1988.

Tompkins, Peter, *Secrets of the Great Pyramid*, Harper & Row, New York, 1978.

—— *Mysteries of the Mexican Pyramids*, Thames & Hudson, London, 1987.

Upham, Warren, *The Glacial Lake Agassiz*, 1895.

Vega, Garcilaso de la, *The Royal Commentaries of the Incas*, Orion Press, New York, 1961.

Velikovsky, Immanuel, *Earth in Upheaval*, Pocket Books, New York, 1977.

Wallis Budge, E. A., *Egyptian Magic*, Kegan Paul, London, 1901.

—— *A History of Egypt*, 1902.

—— *Gods of the Egyptians*, Methuen & Co., London, 1904.

—— *Osiris and the Egyptian Resurrections*, Medici Society, London, 1911.

—— *An Egyptian Hieroglyphic Dictionary*, (2 volumes), John Murray, London, 1920.
—— *From Fetish to God in Ancient Egypt*, Oxford University Press, 1934.
Ward, John, *Pyramids and Progress*, London, 1990.
Ward, J. S. M., *The Hung Society*, (3 volumes), Baskerville Press, London, 1925.
Warren, William F., *Paradise Found: The Cradle of the Human Race at the North Pole*, Houghton, Mifflin & Co., Boston, 1885.
Waters, Frank, *Mexico Mystique*, Sage Books, Chicago, 1975.
—— *The Book of the Hopi*, Penguin, London, 1977.
Wendorff, Fred and Schild, Romuald, *Prehistory of the Nile Valley*, Academic Press, New York, 1976.
West, John Anthony, *Serpent in the Sky*, Harper & Row, New York, 1979.
—— *The Traveller's Key to Ancient Egypt*, Harrap-Columbus, London, 1989.
Wheeler, Post, *The Sacred Scriptures of the Japanese*, New York, 1952.
White, John, *Pole Shift*, A. R. E. Press, Virginia Beach, 1994.
Wilkins, W. J., *Hindu Mythology: Vedic and Puranic*, Heritage Publishers, New Delhi, 1991.
World Mythology (ed. Roy Willis), BCA, London, 1993.
Wright, Ronald, *Time Among the Maya*, Futura Publications, London, 1991.

翻訳参考文献

マルモンテル著／湟野ゆり子訳『インカ帝国の滅亡』岩波文庫、1992年
青木春夫『マヤ文明の謎』講談社現代新書、1984年
中山義昭『メキシコ』岩波書店、1990年
『地球の歩き方・メキシコ』ダイヤモンド社、1995年
泉　靖一『インカ帝国』岩波新書、1978年
酒井傳六『ピラミッド―その光りと影の謎を追う』学生社、1975年
吉村作治『ピラミッド　新たなる謎』光文社文庫、1992年
M. C. シシャール著／酒井傳六訳『ピラミッドの秘密』（現代教養文庫）社会思想社、1979年
笈川博一『古代エジプト』中公新書、1990年
吉村作治『吉村作治の古代エジプト講義録（上）』講談社、1994年
倉野憲司、武田祐吉共著『古事記祝詞』岩波書店、1977年
尾形禎亮、杉　勇共著『古代オリエント集』（筑摩世界文学大系）筑摩書房、1980年
『地球の歩き方・エジプト』ダイヤモンド社、1995年
『旧約聖書』『新約聖書』　日本聖書協会、日本聖書刊行会

注

■第33章

1 *The Pyramids of Egypt*, p.208.
2 J. H. Cole, *Survey of Egypt*, paper no. 39: 'The Determination of the Exact Size and Orientation of the Great Pyramid of Giza', Cairo, 1925.
3 通説となっている説明が，たとえば，*The Pyramids of Egypt* の中で述べられているが，これはまったく不十分だ．そのことはEdwards本人も認めている．次のページを参照．pp.85-7, 206-41.
4 同書，p.87.
5 Lionel Casson, *Ships and Seafaring in Ancient Times*, University of Texas Press, 1994, p.17; *The Ra Expeditions*, p.15を参照.
6 *The Ra Expeditions*, p.17.
7 *Traveller's Key to Ancient Egypt*, pp.132-3.
8 *The Ra Expeditions*, p.16.
9 たとえば，Christine Desroches-Noblecourt, *Tutankhamen*, Penguin Books, London, 1989, p.89, 108, 113, 283を参照.
10 A. J. Spencer, *The Great Pyramid Fact Sheet*, P. J. Publications, 1989.

■第34章

1 *The Pyramids of Egypt*, p.8.
2 Peter Lemesurier, *The Great Pyramid: Your Personal Guide*, Element Books, Shaftesbury, 1987, p.225.
3 Dr Joseph Davidovits and Margie Morris, *The Pyramids: An Enigma Solved*, Dorset Press, New York, 1988, pp.39-40.
4 同書，p.37.
5 John Baines and Jaromir Malek, *Atlas of Ancient Egypt*, Time-Life Books, Virginia, 1990, p.160; *The Pyramids of Egypt*, pp.229-30.
6 *The Pyramids of Egypt*, p.229.
7 同書，p.85.
8 同書，p.220.
9 *Atlas of Ancient Egypt*, p.139.
10 Peter Hodges and Julian Keable, *How the Pyramids Were Built*, Element Books, Shaftesbury, 1989, p.123.
11 同書，p.11.
12 同書，p.13.
13 同書，p.125-6. 頂上に達することができない理由は，螺施状の傾斜路とそれに付属する足場が重なり合い，頂上に達するはるか前にスペースがなくなってしまうからであろう．

14 同書, p.126.
15 第23章と *The Pyramids of Egypt*, p.219; *Atlas of Ancient Egypt*, p.139 を参照.
16 Piazzi Smyth, *The Great Pyramid: Its Secrets and Mysteries Revealed*, Bell Publishing Company, New York, 1990, p.80.
17 *The Pyramids of Egypt*, p.125.
18 同書, p.87.
19 Gustave Flaubert は 著書 *Letters From Egypt* の中で,「ある者は, そこら中に書かれた愚かな名前の数々にいらだった」と 述べている.「大ピラミッドの頂上には黒い文字でこう書いてあった. Buffard, 79 rue St Martin, 壁紙製造業.」
20 Skyglobe 3.6.
21 *How the Pyramids Were Built*, p.4-5.
22 *Secrets of the Great Pyramid*, pp.232, 244.
23 同書, p.17.
24 *Traveller's Key to Ancient Egypt*, p.90に引用されている.
25 同書, p.40. シャンポリオンはもちろん, ロゼッタ石を解読した人物である.

■第35章

1 Herodotus, *The History* (translated by David Grene), University of Chicago Press, 1987, pp.187-9.
2 *The Riddle of the Pyramids*, p.54.
3 同書, p.55.
4 George Hart, *Pharaohs and Pyramids*, Guild Publishing, London, 1991, p.91.
5 *Atlas of Ancient Egypt*, p.36.
6 *The Pyramids of Egypt*, pp.94-5.
7 I. E. S. Edwards の *The Pyramids of Egypt* は, ピラミッドに関する図書の定番である.
8 W. M. Flinders Petrie, *The Pyramids and Temples of Gizeh* (New and Revised Edition), Histories and Mysteries of Man Ltd., London, 1990, p.21.
9 John Greaves, *Pyramidographia*. *Serpent in the Sky*, p.230に引用されている.
10 *Secrets of the Great Pyramid*, p.11.
11 *The Traveller's Key to Ancient Egypt*, p.120.
12 *Secrets of the Great Pyramid*, p.58.
13 *The Geography of Strabo*, (H. L. Jones 訳), Wm. Heinemann, London, 1982, volume VIII, pp.91-3.
14 *Secrets of the Great Pyramid*, p.58.

15 一般的に，この通路は，登り通路をふさぐ石で上部に閉じこめられた労働者たちが脱出するために使われたと推測されている．

16 なぜならこの通路は，堅固な石造りの中を何百メートルも抜けて，二つの狭い回廊をつないでいるからだ．これは偶然では達成し得ない．

17 *Secrets of the Great Pyramid*, pp.56-8.

18 Nicholas Reeves, *The Complete Tutankhamun*, Thames & Hudson, London, 1990を参照．

19 *Valley of the Kings* を参照．サッカラ（第5および第6王朝）については，*Traveller's Key to Ancient Egypt*, pp.163-7を参照．

20 *The Pyramids of Egypt*, p.211-12; *The Great Pyramid: Your Personal Guide*, p.71.

21 *Pyramids of Egypt*, pp.96.

22 *Secrets of the Great Pyramid*, p.35-6.

23 Zecharia Sitchin, *The Stairway To Heaven*, Avon Books, New York, 1983, pp.253-82.

24 同書．

25 James Henry Breasted, *Ancient Records of Egypt: Historical Documents from the Earliest Times to the Persian Conquest*, reprinted by Histories and Mysteries of Man Ltd., London, 1988, pp.83-5.

26 同書，p.85.

27 同書，p.84.

28 同書および *Traveller's Key to Ancient Egypt*, p.139.

■第36章

1 *Atlas of Ancient Egypt*, p.36.

2 *The Orion Mystery*.

3 Abdul Latif, *The Eastern Key*. *Traveller's Key to Ancient Egypt*, p.126に引用されている．

4 同書．

5 *Blue Guide:* Egypt, A & C Black, London, 1988, p.433.

6 *The Pyramids of Egypt*, p.127.

7 この部屋でVyseは，侵入を受けた墓（いくつかの骨と木製の棺の蓋）を発見した．このことは第35章ですでに述べた．Vyseは他にも玄武岩の棺を発見したが（後に海に沈んだ），これは同じ侵入を受けた墓の一部であり，第26王朝より古くはないと信じられている．たとえば，*Blue Guide*, *Egypt*, p.433に引用されている．

8 *The Pyramids of Egypt*, p.220.

9 たとえば *Osiris and the Egyptian Resurrection*, volume II, p.180を参照．

10 *The Pyramids of Egypt*, p.117.

11 *Traveller's Key to Ancient Egypt*, p.123.

12 *The Riddle of the Pyramids*, p.49.
13 同書, pp.36-9.
14 同書, p.74.
15 同書, p.42.
16 同書.
17 *The Traveller's Key to Ancient Egypt*, p.123; *The Pyramids of Egypt*, p.118.

■第37章
1 *Diodorus Siculus*, Harvard University Press, 1989, p.217.
2 *The Pyramids of Egypt*, p.88; *The Great Pyramid: Your Personal Guide*, pp.30-1.
3 たとえば, 上エジプトのルクソールにある王家の谷のような, 遠く離れた場所.
4 *The Pyramids and Temples of Gizeh*, p.19.
5 *Secrets of the Great Pyramid*, p.236以降で議論されている.
6 数字は *The Traveller's Key to Ancient Egypt*, p.114から.
7 *Secrets of the Great Pyramid*, p.236以降.
8 *The Pyramids of Egypt*, p.91.
9 同書, p.88.
10 正確にいうと, 51度50分35秒. 同書, p.87; *Traveller's Key to Ancient Egypt*, p.112.
11 第23章を参照.
12 同上.
13 *The Pyramids of Egypt*, p.93.
14 数字は, *Traveller's Key to Ancient Egypt*, p.121および *The Pyramids of Egypt*, p.93から.
15 *The Pyramids and Temples of Gizeh*, p.24.
16 *The Pyramids of Egypt*, p.92.
17 *The Great Pyramid: Its Secrets and Mysteries Revealed*, p.428.
18 同書.
19 ロボット・カメラであるウプワウトが通気孔の中で撮影した写真は, ルドルフ・ガンテンブリンクによって1993年11月22日に大英博物館で展示された.
20 *The Pyramids of Egypt*, pp.92-3.
21 同書, p.92; *The Pyramids and Temples of Gizeh*, p.23.
22 *The Pyramids of Egypt*, p.92.
23 同書, p.93; *Traveller's Key to Ancient Egypt*, p.115.
24 *The Pyramids of Egypt*, p.93.
25 *Traveller's Key to Ancient Egypt*, p.115.
26 *The Ancient Egyptian Pyramid Texts*, p.281, Utt. 667A.
27 *The Pyramids and Temples of Gizeh*, p.25.

■第38章

1 *The Pyramids and Temples of Gizeh*, p.25.
2 *The Pyramids of Egypt*, p.94.
3 *The Pyramids and Temples of Gizeh*, p.36.
4 *The Pyramids of Egypt*, pp.94-5; *The Great Pyramid: Your Personal Guide*, p.64.
5 *The Pyramids of Egypt*, pp.94-5.
6 *The Pyramids and Temples of Gizeh*, p.30.
7 同書, p.95.
8 *Secrets of the Great Pyramid* の Livio Catullo Stecchini, p.322. Stecchini は，ピラミッドの内部と外部の寸法に関して，ペトリが測定した寸法(引用されたもの) よりも，わずかに正確な値を示している.
9 *Secrets of the Great Pyramid*, p.103.
10 *The Pyramids and Temples of Gizeh*, p.74.
11 同書, p.76.
12 同書, p.78.
13 同書.
14 同書, pp.74-5.
15 *The Pyramids: An Enigma Solved*, p.8.
16 *The Pyramids and Temples of Gizeh*, p.75.
17 *The Pyramids: An Enigma Solved*, p.118.
18 *Egypt: Land of the Pharaohs*, Time-Life Books, 1992, p.51.
19 *Atlas of Ancient Egypt*, p.36.
20 たとえば, Cyril Aldred, *Egypt to the End of the Old Kingdom*, Thames & Hudson, London, 1988, p.25を参照.
21 同書, p.57.ここであげられている遺物は，カイロ博物館にある.
22 P. W. Roberts, *River in the Desert: Modern Travels in Ancient Egypt*, Random House, New York and Toronto, 1993, p.115で伝えられている.
23 Robert Bauval, *Discussions in Egyptology* No. 29, 1994.
24 同書.
25 同書. *The Orion Mystery*, p.172も参照.
26 *Traveller's Key to Ancient Egypt*, p.117; *The Great Pyramid: Your Personal Guide*, p.64.
27 John Ivimy, *The Sphinx and the Megaliths*, Abacus, London, 1976, p.118.
28 同書.
29 *Secrets of the Great Pyramid*, p.191.
30 同書. *Traveller's Key to Ancient Egypt*, pp.117-19も参照.
31 *The Great Pyramid: Your Personal Guide*, p.64.

32 *The Pyramids and Temples of Gizeh*, p.93.

■第39章

1 寸法は，*The Pyramids of Egypt*, p.106から．
2 W. B. Yeats, 'The Second Coming'.
3 *The Pyramids and Temples of Gizeh*, p.48.
4 同書，p.50.
5 Margaret A. Murray, *The Splendour that was Egypt*, Sidgwick & Jackson, London, 1987, pp.160-1.
6 「最初の時」に関する詳細については，第7部を参照．
7 第7部で議論されている．オシリスの再生信仰と古代メキシコの再生信仰との比較については，第3部を参照．
8 *The Pyramids and Temples of Gizeh*, p.47.
9 寸法は，*The Pyramids and Temples of Egypt*, p.48，および *The Pyramids of Egypt*, p.108から．
10 ギザの三大ピラミッドに加えて，カフラー王のピラミッドとメンカウラー王のピラミッドにある葬祭殿は，装飾がなされていない点と，200トン以上の巨石を使っている点において，河岸神殿と似ている．
11 *Serpent in the Sky*, p.211. *Mystery of the Sphinx*, NBC-TV, 1993も参照．
12 巨石の重さについては，*The Pyramids of Egypt*, p.215; *Serpent in the Sky*, p.242; *The Traveller's Key to Ancient Egypt*, p.144; *The Pyramids: An Enigma Solved*, p.51; *Mystery of the Sphinx*, NBC-TV, 1993を参照．
13 John Anthony Westからの個人的な通信．*Mystery of the Sphinx*, NBC-TV, 1993も参照．
14 *Ancient Records of Egypt*, volume I, p.85.
15 たとえば，Miriam Lichtheim, *Ancient Egyptian Literature*, University of California Press, 1976, volume II, pp.85-6を参照．
16 *Ancient Records of Egypt*, volume I, p.85.
17 *A History of Egypt*, 1902, volume 4, p.80以降, 'Stela of the Sphinx'.
18 同書．
19 Karl W. Butzer, *Early Hydraulic Civilization in Egypt: A Study in Cultural Ecology*, University of Chicago Press, 1976.
20 *The Pyramids of Egypt*, pp.106-7.
21 Mark Lehner, 1992 AAAS Annual Meeting, Debate: How Old is the Sphinx?
22 同上．
23 Gaston Maspero, *The Passing of Empires*, New York, 1900.
24 第35章を参照．
25 このような見方の概要については，John Ward, *Pyramids and Progress*,

London, 1900, pp.38-42を参照.

26 *The Gods of the Egyptians*, volume I, pp.471-2 and volume II, p.361.

27 *Mystery of the Sphinx*, NBC-TV, 1993 の中のインタビューより.

28 *Serpent in the Sky*, p.230に引用されている.

29 同書, pp.230-2; *Mystery of the Sphinx*, NBC-TV.

30 少なくとも正統的エジプト学者の一人であるSelim Hassanは, この問題についてはまだ結論が出ていないことを認めた. Hassanはギザで20年間にわたって発掘を行ったが,「トトメス四世の建てたスフィンクスの石碑にある削られて不完全な文章 (これは何も証明はしない) の他には, スフィンクスとカフラー王を結びつけるような古代の碑文は一つとして存在しない. したがって, 慎重に見えるかもしれないが, 幸運にも発掘の鍬 (くわ) によって, この像の建造の年代を確実に証明するものが発見されるまで, われわれはこれを情況証拠として扱わなければならない」という. *Conde Nast Traveller*, February 1993, pp.168-9に引用されている.

■第40章

1 たとえば, Rosalie David, *A Guide to Religious Ritual at Abydos*, Aris and Phillips, Warminster, 1981, 特にp.121を参照.

2 *The Gods of the Egyptians*, volume II, pp.262-6.

3 Lucy Lamy, *Egyptian Mysteries*, Thames & Hudson, London, 1986, p.93.

4 Jean-Pierre Corteggiani, *The Egypt of the Pharaohs at the Cairo Museum*, Scala Publications, London, 1987, p.118.

5 同書. R. A. Schwaller de Lubicz, *Sacred Science: The King of Pharaonic Theocracy*, Inner Traditions International, Rochester, 1988, pp.182-3も参照.

6 *The Orion Mystery*.

7 同書.

8 同書.

9 *Serpent in the Sky*, pp.184-242.

10 同書, 186-7.

11 同書.

12 *Mystery of the Sphinx*, NBC-TV, 1993.

13 *Conde Nast Traveller*, February 1993, p.176.

14 たとえば, American Association for the Advancement of Science, Chicago, 1992, Debate: How Old is the Sphinx?

15 *Mystery of the Sphinx*.

16 ジョン・ウェストとロバート・ボーヴァルは別々に調査をしており, 私が紹介するまでお互いの発見については知らなかった.

17 *The Gods of the Egyptians*, volume II, p.264.

18 *Blue Guide, Egypt*, p.509. *From Fetish to God in Ancient Egypt*, pp.211-15; *Osiris and the Egyptian Resurrection*, volume I, p.31以降; *The Encyclopaedia of Ancient Egypt*, p.197も参照.

■第41章

1 「エジプト，サッカラ：緑の石灰岩のオベリスクが，考古学者たちによって発見された．これは，完全なオベリスクとしては世界最古のもので，約4,300年前のエジプトの王であるペピ一世の妻インティに捧げられていた．インティは死後女神としてあがめられた」*Times*, London, 9 May 1992. *Daily Telegraph*, London, 9 May 1992も参照.

2 *Atlas of Ancient Egypt*, pp.173-4; Rosalie and Anthony E. David, *A Biographical Dictionary of Ancient Egypt*, Seaby, London, 1992, pp.133-4; *Blue Guide, Egypt*, p.413.

3 *The Encyclopaedia of Ancient Egypt*, p.110.

4 George Hart, *Egyptian Myths*, British Museum Publications, 1990, p.11.

5 *The Encyclopaedia of Ancient Egypt*, p.110; *Traveller's Key to Ancient Egypt*, p.66; *From Fetish to God in Ancient Egypt*, p.140.

6 Papyrus of Nesiamsu. *Sacred Science: The King of Pharaonic Theocracy*, pp.188-9に引用されている. *From Fetish to God in Ancient Egypt*, pp.141-3も参照.

7 *From Fetish to God in Ancient Egypt*, p.142. 他の解釈では，シューとテフヌートは，ラー・アトムによって吐き出されたことになっている．

8 *New Larousse Encyclopaedia of Mythology*, p.27. いくつかの話では，3126となっている．

9 *The Pyramids: An Enigma Solved*, p.13; C. Jacq, *Egyptian Magic*, Aris and Phillips, Warminster, 1985, p.8; *The Death of Gods in Ancient Egypt*, p.36.

10 *Kingship and the Gods*, p.153.

11 *The Ancient Egyptian Pyramid* Texts, p.246.

12 詳細については，*The Orion Mystery*, p.17を参照．ボーヴァルはベンベン石は隕石だった可能性があると示唆している．「ベンベン石に関する記述によると，この隕石は重さが6トンから15トンであったと思われる．・・・燃えながら落ちる恐ろしい光景は，印象的であっただろう・・・」 p.204.

13 *The Penguin Dictionary of Religions*, Penguin Books, London, 1988, p.166.

14 たとえば，*The Egyptian Book of the Dead*, Introduction, p.XLIX; *Osiris And The Egyptian Resurrection*, volume II, pp.1-11.

15 *Traveller's Key to Ancient Egypt*, p.159.

16 同書，p.158.

17 *Atlas of Ancient Egypt*, p.36.

18 *From Fetish to God in Ancient Egypt*, p.147.「ピラミッド・テキストから判断すると，ヘリオポリスの神官たちは，先王朝時代のエジプト人の信仰から，かなりの部分を受け継いでいる・・・」*The Ancient Egyptian Book of the Dead*, p.11も参照.

19 *The Orion Mystery*, pp.57-8.

20 *Traveller's Key to Ancient Egypt*, pp.166; *The Ancient Egyptian Pyramid Texts*, p.V:「ピラミッド・テキストは・・・悠久の古代の文章を含んでいる・・・神話的および他の性格を持つさりげない示唆が数多くあって，その意図は現在の翻訳者には不明である・・・」

21 *The Ancient Egyptian Pyramid Texts*.

22 同書, p.v.

23 James Henry Breasted, *The Dawn of Conscience*, Charles Scribner's Sons, New York, 1944, p.69.

■第42章

1 *The Ancient Egyptian Pyramid Texts*, lines 882, 883. *inter alia*, lines 2115, 2116も参照.

2 *The Gods of the Egyptians*, volume I, p.117.

3 マスペロがウナスのピラミッドに入ったのは，1881年2月28日である．*The Orion Mystery*, p.59を参照.

4 *The Ancient Egyptian Pyramid Texts*, p.v.

5 同書, p.227, Utt. 572.

6 同書, p.297, Utt. 688:「アトムは，王のために行うと言ったことを実行した．アトムは，王のために縄梯子を編む」

7 *The Gods of the Egyptians*, volume II, p.241.

8 *The Ancient Egyptian Pyramid Texts*, p.70, Utt. 261.

9 同書, p.97.

10 同書, p.107.

11 同書, p.284.

12 同書, p.249, Utt. 604.

13 同書, pp.253-4, Utt. 610.

14 同書, p.280, Utt. 667.

15 同書, p.170, Utt. 483.

16 同書, p.287, Utt. 673.

17 B. Scheel, *Egyptian Metalworking and Tools*, Shire Egyptology, Aylesbury, 1989; G. A. Wainwright, 'Iron in Egypt', *Journal of Egyptian Archaeology*, vol. 18, 1931.

18 *The Ancient Egyptian Pyramid Texts*, pp.276, 105, 294, 311.

19 *Egyptian Metalworking and Tools*, p.17; 'Iron in Egypt', p.6以降.

20 ピラミッド・テキストには謎めいた側面が数多くあるが，その1つとしておそらく無視できないのは，「道を開く者」が現れることであろう．「空の扉があなたに開かれている．星空があなたのために開け放たれている．上エジプトのジャッカルが，アヌビスとしてあなたのもとへやって来る」(*The Ancient Egyptian Pyramid Texts*, pp.288-9, Utt. 675.)ここでも，他の文脈でもそうだったように，犬に似た存在の役割は，「導き手」として働くことにあるようだ．それが導く先にあるのは，深遠な情報の秘密の宝庫であり，その情報はしばしば数学や天文学に結びついている．

21 詳細は第5部を参照．

22 同上．

23 *Myth and Symbol in Ancient Egypt*, p.181.

24 火を吹くという引喩は，Jean-Pierre Hallet, *Pygmy Kitabu*, p.185に引用されている．

25 *Myth and Symbol in Ancient Egypt*, p.181-5.

26 同書, p.184.

27 同書, p.185.

28 *The Gods of the Egyptians*, volume II, p.94.

29 同書, p.92-4.

30 同書, p.93.

31 Skyglobe 3.6.

32 第4部を参照．

33 詳細については，*Sacred Science: The King of Pharaonic Theocracy* を参照．

34 神官の秘密や口述の伝承に関しては，*From Fetish to God in Ancient Egypt* で詳細に議論されている．たとえば，p, 43.「細心の注意を払って守っていた深遠な知識を，最高の地位をもつ神官が持っていなかったと考えるのは不可能である．神官のそれぞれが・・・「霊知」すなわち「至高の知識」をもっており，彼らはそれを決して書き残しはしなかった・・・したがって，神官のもつ深遠な知識を形成していた秘密が，エジプトの古文書の中に見つかると期待するのははばかげている」p.27 も参照．また，*Sacred Science*, pp.273-4も参照．

35 ピラミッド・テキストより．*The Gods of the Egyptians*, volume I, p.158に引用されている．

36 *Osiris and the Egyptian Resurrection*, volume I, p.146.

37 *Sacred Science*, pp.22-5, 29.

38 *Osiris and the Egyptian Resurrection*, volume I, p.93.

39 *Encyclopaedia Britannica*, 1991, 10:845.

40 *The Sirius Mystery*.

41 同書, p.3.

42 同書, p.1.

43 第3部を参照．

44 *The Egyptian Book of the Dead*, p.cxi.
45 同書, p.cxviii. *The Gods of the Egyptians*, volume I, p.400も参照.
46 *The Egyptian Book of the Dead*, p.8.
47 *Osiris and the Egyptian Resurrection*, volume II, p.248.
48 これに関する議論の全体については, *Death of Gods in Ancient Egypt*, 特にpp.328-30を参照.
49 *Sacred Science*, p.27.
50 *Death of Gods in Ancient Egypt*, p.27.
51 *Sacred Science*, p.172.
52 同書, p.26-7. 肉眼で見える星の数については, Ian Ridpath and Wil Tirion, *Collins Guide to Stars and Planets*, London, 1984, p.4を参照.
53 *Sacred Science*, p.173.
54 *The Ancient Egyptian Pyramid Texts*, p.165, line 964.*Sacred Science*, p.287.
55 *The Ancient Egyptian Pyramid Texts*, pp.165, 284; *Sacred Science*, 特にp.287以降.
56 カレンダーの起源として考古学的に確立されている時期は, 実はもっと古くにさかのぼることができる. なぜなら最近, 上エジプトで第1王朝の墓の中から碑文が発見され, そこには「シリウス, 新年の使者」と書かれていたからである. (*Death of Gods in Ancient Egypt*, p.40参照.)
57 *Sacred Science*, p.290.
58 同書, p.27.
59 E. A. Wallis Budge, *An Egyptian Hieroglyphic Dictionary*, (2 volumes), John Murray, London, 1920.
60 *From Fetish to God In Ancient Egypt*, pp.321-2.
61 同書, p.322.
62 *Atlas of Ancient Egypt*, p.36.
63 *Myth and Symbol in Ancient Egypt*, p.263.

■第43章

1 *Myth and Symbol in Ancient Egypt*, pp.263-4. Nicolas Grimal, *A History of Ancient Egypt*, Blackwell, Cambridge, 1992, p.46も参照.
2 *New Larousse Encyclopaedia of Mythology*, p.16.
3 *The Gods of the Egyptians*, volume I, pp.84, 161; *The Ancient Egyptian Pyramid Texts*, pp.124, 308.
4 *Osiris And The Egyptian Resurrection*, volume I, p.352.
5 Michael Hoffman, *Egypt before the Pharaohs*, Michael O'Mara Books, 1991, pp.12-13; *Archaic Egypt*, pp.21-3; *The Encyclopaedia of Ancient Egypt*, pp.138-9.
6 *Egypt before the Pharaohs*, pp.12-13; *The Encyclopaedia of Ancient

Egypt, pp.200, 268.

7 *Egypt before the Pharaohs*, p.12.

8 *Archaic Egypt*, p.23; *Manetho*, (W. G. Waddell 訳), William Heinemann, London, 1940, Introduction, pp.xvi-xvii.

9 *Egypt before the Pharaohs*, p.11.

10 同書, p.11-13; *Archaic Egypt*, pp.5, 23.

11 たとえば, *Egypt before the Pharaohs*, pp.11-13を参照.

12 このことは，エジプト学のような分野においては，特に念頭におくべき重要な点である．なぜなら，過去の記録の多くが様々な原因で失われているからだ．その原因としては，略奪や，時間の経過による損傷，考古学者および宝物を探す者たちの活動などがある．さらに，膨大な数の古代エジプト遺跡がまだまったく調査されておらず，多くの遺跡が手の届かないところに眠っているかもしれない．たとえば，ナイル川の三角州の数千年にわたって堆積した泥の下であり，さらにカイロ郊外の地下などだ．それに，ギザのネクロポリスのようによく研究されている場所にさえ，発掘がまだ行われていない領域が存在する．たとえば，スフィンクスの下の基盤がそうである．

13 *Manetho*, p.3.

14 同書, pp.3-5.

15 同書, p.5.

16 *Encyclopaedia Britannica*, 1991, 12:214-15.

17 *Manetho*, p.5.

18 古代エジプト人が年と月を混同したり，そのどちらかをもう片方の名前で呼んだという証拠はまったく存在しない．同書, p.4, 注2.

19 同書, p.7.

20 同書, p.15.

21 同書, p.231. *The Splendour that was Egypt*, p.12も参照.

22 マヤ族と同様(第3部を参照)，古代エジプト人は，行政上の目的から，365日ちょうどの暦年（または不正確な年）を用いていた．マヤの不正確な年に関する詳細については，*Skywatchers of Ancient Mexico*, p.151を参照．古代エジプトの暦年とシリウス年の両方が，1461年に1回同じ月日になるように，暦年はシリウス年に合わせて調整された．

23 *Diodorus Siculus*, C. H. Oldfather 訳, Harvard University Press, 1989, カバーより．

24 同書, volume I, p.157.

25 *The History*, pp.193-4. 一世紀に同様な伝説が，ローマの学者であるポンポニウス・メラによって記録されている．「エジプト人は世界で最古の人類であることを誇りとしている．年代記には，エジプト人が出現して以来，星々の進行する軌道は4回方向が変わり，太陽は，現在昇る場所に，2度沈んだと書かれている」(Pomponious Mela, *De Situ Orbis*.)

26 *Sacred Science*, p.87.

27 次の表によって明解になるだろう．

春分点	日の出	日の出の反対側（真西）
紀元前5世紀（ヘロドトスの時代）	牡羊座	天秤座
ヘロドトスより約13,000年前	天秤座	牡羊座
ヘロドトスより約26,000年前	牡羊座	天秤座
ヘロドトスより約39,000年前	天秤座	牡羊座

28 たとえば，Sir A. H. Gardner, *The Royal Cannon of Turin*, Griffith Institute, Oxfordを参照．
29 *Archaic Egypt*, p.4.
30 詳細については，*Sacred Science*, p.86を参照．
31 同書，p.86. *Egyptian Mysteries*, p.68も参照．
32 *Archaic Egypt*, p.5; *Encyclopaedia of Ancient Egypt*, p.200.
33 *Archaic Egypt*, p.5; *Encyclopaedia Britannica*, 1991, 9:81.
34 *Encyclopaedia of Ancient Egypt*, p.200.
35 *Archaic Egypt*, p.5.
36 *Egypt to the End of the Old Kingdom*, p.12.

■第44章

1 *Kingship and the Gods*, pp.181-2; *The Encyclopaedia of Ancient Egypt*, pp.209, 264; *Egyptian Myths*, pp.18-22. T. G. H. James, *An Introduction to Ancient Egypt*, British Museum Publications, London, 1979, p.145以降も参照．
2 Cyril Aldred, *Akhenaton*, Abacus, London, 1968, p.25:「神々は初めエジプトの国を完全に形作った後でエジプトを治めたと信じられていた」
3 *Kingship and the Gods*, pp.153-5; *Egyptian Myths*, pp.18-22; *Egyptian Mysteries*, pp.8-11; *New Larousse Encyclopaedia of Mythology*, pp.10-28.
4 第4部を参照．
5 *Diodorus Siculus*, volume I, p.37.
6 同書．
7 *Mystic Places*, Time-Life Books, 1987, p.62.
8 *Early Hydraulic Civilization in Egypt*, p.13; *Egypt before the Pharaohs*, pp.27, 261.
9 *New Larousse Encyclopaedia of Mythology*, p.11.
10 同書，p.13.
11 同書，pp.14-15.
12 同書．
13 『新約聖書 ヘブル人への手紙』9:4. 誓約の箱がもつ破壊的な力の詳細につい

ては, Graham Hancock, *The Sign and the Seal*, Mandarin, London, 1993, Chapter 12, p.273以降を参照.

14 *Egyptian Myths*, p.44に引用されている.

15 Sir E. A. Wallis Budge, *Egyptian Magic*, Kegan Paul, Trench, London, 1901, p.5; *The Gods of the Egyptians*, volume II, p.214.

16 *New Larousse Encyclopaedia of Mythology*, p.27. もしセットによる王位強奪が統治のうちに入るなら, 神聖なファラオはトトを含めて7人となる(すなわち, ラー, シュー, ゲブ, オシリス, セット, ホルス, トト).

17 *The Gods of the Egyptians*, volume I, p.400; Garth Fowden, *The Egyptian Hermes*, Cambridge University Press, 1987, pp.22-3. *From Fetish to God in Ancient Egypt*, pp.121-2; *Egyptian Magic*, pp.128-9; *New Larousse Encyclopaedia of Mythology*, pp.27-8も参照.

18 *Manetho*. 新プラトン主義者であるイアンブリコスによって引用されている. Peter Lemesurier, *The Great Pyramid Decoded*, Element Books, 1989, p.15; *The Egyptian Hermes*, p.33を参照.

19 たとえば, *Diodorus Siculus*, volume I, p.53を参照. この中でトトは (ギリシア名であるヘルメスとして), 「並外れた発明の才があり, 人々の生活を向上させる物を考案する」と描写されている.

20 *Osiris and the Egyptian Resurrection*, volume II, p.307.

21 *Myth and Symbol in Ancient Egypt*, p.179; *New Larousse Encyclopaedia of Mythology*, p.16.

22 *New Larousse Encyclopaedia of Mythology*, pp.9-10, 16; *Encyclopaedia of Ancient Egypt*, p.44; *The Gods of Egyptians*, volume II, pp.130-1; *From Fetish to God in Ancient Egypt*, p.190; *Myth and Symbol in Ancient Egypt*, p.230.

23 *Osiris and the Egyptian Resurrection*, volume I, p.2.

24 Chapter CXXV, 上の書の volume II, p.81 に引用されている.

25 ケツァルコアトルとビラコチャについては, 第2部と第3部を参照. オシリスがもつ, 文明を広める者としての性格がよくまとめられているのは, *New Larousse Encyclopaedia of Mythology*, p.16である. *Diodorus Siculus*, pp.47-9; *Osiris and the Egyptian Resurrection*, volume I, pp.1-12も参照.

26 *Diodorus Siculus*, p.53.

27 同書. *Osiris and the Egyptian Resurrection*, volume I, p.2.

28 *Diodorus Siculus*, p.55.

29 *Osiris and the Egyptian Resurrection*, volume I, p.11.

30 同書, p.2.

31 同書, 2-11. ケツァルコアトルとビラコチャについては, 第2部と第3部を参照. 興味深いことに, 文明を広めるオシリスの旅には, 二人の「道を開く者」が付き添っていたといわれている. (*Diodorus Siculus* p.57)「それはアヌビスとマセドである. アヌビスは犬の皮をまとい, マセドは狼の四肢を身に付けていた」

32 *Osiris and the Egyptian Resurrection*, volume II, p.273. *The Ancient Egyptian Pyramid Texts* の全体も参照.
33 *Archaic Egypt*, p.122; *Myth and Symbol in Ancient Egypt*, p.98.
34 *Kingship and the Gods*; *Osiris and the Egyptian Resurrection*; *The Gods of the Egyptians* の全体を参照.
35 *Archaic Egypt*, p.38.
36 *Manetho*, p.5.

■第45章
1 *Atlas of Ancient Egypt*, p.36.
2 年代は *Atlas of Ancient Egypt* から．エジプト脱出のときのファラオ・ラムセス二世に関するデータは，Profuses K. A. Kitchen, *Pharaoh Triumphant: The Life and Times of Ramesses II*, Aris and Phillips, Warminster, 1982, pp.70-1を参照.
3 たとえば，*A Biographical Dictionary of Ancient Egypt*, pp.135-7を参照.
4 *Traveller's Key to Ancient Egypt*, p.384.
5 *The Ancient Egyptian Pyramid Texts*, pp.285, 253.
6 *Traveller's Key to Ancient Egypt*, p.386.
7 *The Encyclopaedia of Ancient Egypt*, p.59.
8 *Ancient Egyptian Book of the Dead* の第175章. *Myth and Symbol in Ancient Egypt*, p.137に引用されている.
9 Henry Frankfort, *The Cenotaph of Seti I at Abydos*, 39th Memoir of the Egypt Exploration Society, London, 1933, p.25を参照.
10 *The Geography of Strabo*, volume VIII, pp.111-13.
11 Margaret A. Murray, *The Osireion at Abydos*, Egyptian Research Account, ninth year(1903), Bernard Quaritch, London, 1904, p.2.
12 同書.
13 *The Times*, London, 17 March 1914.
14 同上.
15 同上.
16 *Traveller's Key to Ancient Egypt*, p.391.
17 *The Cenotaph of Seti I at Abydos*, p.18.
18 同書, p.28-9.
19 E. Naville, 'Excavations at Abydos: The Great Pool and the Tomb of Osiris', *Journal of Egyptian Archaeology*, volume I, 1914, p.160.
20 *The Times*, London, 17 March 1914.
21 同上.
22 *The Cenotaph of Seti I at Abydos*, pp.4, 25, 68-80.
23 同書，全体的に.
24 'Excavations at Abydos', pp.164-5.

25 *The Splendour that was Egypt*, pp.160-1.
26 *The Cenotaph of Seti I at Abydos*, p.23.
27 *Guardian*, London, 21 December 1991.
28 David O'Connor, 'Boat Graves and Pyramid Origins', in *Expedition*, volume 33, No. 3, 1991, p.7以降.
29 同書, pp.9-10.
30 1993年1月27日にファックスで私のもとへ送られてきた.
31 David O'Connor, 'Boat Graves and Pyramid Origins', p.12.
32 同書, p.11-12.
33 *Guardian*, 21 December 1991.
34 カイロ博物館ギャラリー54にある, 船を描いた壁画を参照. これは紀元前約4,500年のバダリ文化期のものである.
35 *The Ancient Egyptian Pyramid Texts*, p.192, Utt. 519: 「おお, 明けの明星, 冥府のホルスよ. ・・・汝は魂をもち, 770キュービットの船の前に現れる・・・. 汝の船に乗せて我を連れて行きたまえ」

■第46章

1 *Egypt before the Pharaohs*, pp.29, 88.
2 さらにもう一つの例をあげる. Diodorus Siculus (紀元前一世紀) は, エジプトの神官が告げたことを伝えている.「彼らが言うには, オシリスとイシスの時代から, アレクサンダー (エジプトにその名前が付いた都市があり, その都市を創った人物である) の治世 (紀元前四世紀) までは, 1万年を越える隔たりがある・・・」 *Diodorus Siculus*, volume I, p.73.
3 *Egypt before the Pharaohs*, p.85.
4 同書, p.90.
5 *A History of Ancient Egypt*, p.21.
6 *Egypt before the Pharaohs*, p.88.
7 Fred Wendorff and Romuald Schild, *Prehistory of the Nile Valley*, Academic Press, New York, 1976, p.291.
8 *Egypt before the Pharaohs*, pp.89-90.
9 同書, p.86.
10 同書, pp.97-8.
11 同書, p.161.
12 第12章を参照.
13 同上.
14 同上.
15 AAAS Annual Meeting, 1992, Debate: How Old is the Sphinx?

■第47章

1 *Traveller's Key to Ancient Egypt*; *Serpent in the Sky*, p.20.

2 *Sacred Science*, p.96.

3 ウェストによって詳細な証拠が，*Serpent in the Sky*, pp.184-20で述べられている．スフィンクスが砂に覆われていた時期について，ウェストは以下の表のようにまとめた．

	スフィンクスが埋まっていた期間
カフラー～トトメス四世　約1,300年間	1,000年間
トトメス四世～プトレマイオス　約1,100年間	800年間
プトレマイオス～キリスト教　約600年間	0年間
キリスト教～現在　約1,700年間	1,500年間
カフラー～現在　約4,700年間	3,300年間

4 「チームが作成した論文の概要をアメリカ地質学会に提出したところ，アメリカ地質学会の総会に招かれ，ポスターを使い研究成果を発表するように言われた．サンディエゴで開かれるこの総会は，地質学界のスーパーボールのようなものだ．世界中から来た多くの地質学者がブースにつめかけた．研究に関連する分野の専門家が何十人も手伝ってくれ，助言をくれた．証拠を見た地質学者の多くは，ショック教授が初めそうだったように，ただ笑い，驚いた．二世紀にわたる調査にもかかわらず，地質学者もエジプト学者も，誰一人としてスフィンクスが水によって浸食されたことに気づかなかったのだから・・・」 *Serpent in the Sky*, p.229; *Mystery of the Sphinx*, NBC-TV, 1993. 275人の地質学者が，ショック教授の発見を支持した．

5 AAAS, Annual Meeting 1992, Debate: How Old Is the Sphinx?

6 *Mystery of the Sphinx*.

7 同上．

8 同上．

9 同上．

10 同上．

11 AAAS Annual Meeting 1992.

12 同上．それらの地質学者には，Farouk El Baz や Roth, Raffai などがいる．

13 *Mystery of the Sphinx* からの抜粋および AAAS meeting.

14 例外的なものとして，ウェストが特にあげているのは，閃緑岩および他の固い石を刻んで造られた碗である．これは第6部で取り上げた．

15 「手元にあるさまざまなデッサンや図解，測定値を検討した結果，最終結論は，初めに受けた印象と一致した．この二つの作品は，二人の異なる人物を表現したものだ．正面から見たときの各部の釣り合いや，特に側面の角度や顔の突起からいって，スフィンクスはカフラー王ではないと確信を持った．もし古代のエジプト人が優れた技能をもち，イメージを複製できるなら，この二つの作品が同一の人物を表現しているということはあり得ない」と，Frank Domingo, *Serpent in the Sky*, p.232に引用されている．スフィンクスの頭は彫り変えられているとするショックの見解については，AAAS 1992 を参照.

■第48章

1 *Collins English Dictionary*, p.608,

2 *Secrets of the Great Pyramid*, p.38. この章の素材の多くは，Peter Tompkins の著作と Livio Catullo Stecchini 教授の著作に直接基づいている.

3 同書，p.46.

4 同書，p.181.

5 同書，p.299.

6 同書，pp.179-81.

7 同書，p.333 に引用されている.

8 第23章および *Secrets of the Great Pyramid*, p.387.に記されている Stecchini を参照.

9 第23章を参照.

10 たとえば，Edwards や Petrie，Baines，Malek などが認めている.

11 *Encyclopaedia Britannica*, 1991, 27:530.

12 *The Pyramids of Egypt*, p.87.

13 第5部を参照.

14 *Secrets of the Great Pyramid*, p.189.

15 *Maps of the Ancient Sea Kings*, p.17ff.

16 たとえば *The Shape of the World*, p.23を参照.

17 *The Gods of the Egyptians*, volume I, p.400.

18 同書，volume I, p.443; volume II, pp.7, 287.

19 同書，volume II, p.7. ここでは，神であるアメン・ラーが聖歌の中でうたわれている.「神々は汝の香りを愛する．汝はパントより来たり，古き露であり，神の土地（タ・ネテル）より来たる」 volume II, p.287 も参照．パントは東アフリカのソマリ海岸に位置していたと学者の多くは考えている．ソマリ海岸では，乳香や没薬（「神々の食物」）を産する木々が今でも繁っている.

20 同書.

21 *Osiris and the Egyptian Resurrection*, volume I, p.98; Pyramid Texts of Pepi I, Mer-en-Rah and Pepi II, 同書の volume II, p.316 で訳されている．聖なる者の地への海上の交通手段があったことは，この箇所で明らかにされている.

22 同書，volume I, p.97.

23 同書，pp.97-8.

24 同書，volume II, p.307.

25 Veronica Ions, *Egyptian Mythology*, Newnes Books, London, 1986, p.84.

26 *The Gods of the Egyptians*, volume I, pp.407-8.

27 同書, volume I, p.414.
28 *Egyptian Mythology*, p.85.
29 *The Gods of the Egyptians*, volume I, p.414.
30 同書, pp.414-15.
31 *The History*, 2:4.
32 E. M. Antoniadi, *L'Astronomie egyptienne*, Paris, 1934, pp.3-4で報告されている. Schwaller, p.279も参照.
33 *Diodorus Siculus*, volume I, pp.279-80.
34 *The Ancient Egyptian Pyramid Texts*, たとえばpp.78, 170, 171, 290.

■第49章

1 ロバート・ボーヴァルの *The Orion Mystery* (Heinemann, London; Crown, New York; Doubleday, Canada; List, Germany; Planeta, Spain; Pygmalion, France, など)は, 1994年に出版されると世界的なベストセラーになった. エジプト学者たちは結束して, この本が主張していることにたいして反対の態度をとり, 議論することを拒絶した. しかし著名な天文学者の多くは, ボーヴァルの研究成果が大きな前進であると賞賛している.
2 Virginia Trimble. *The Orion Mystery*, p.241に引用されている.
3 同書, p.172.
4 個人的な連絡とインタビュー, 1993-4.
5 *Atlas of Ancient Egypt*, p.36.
6 個人的な連絡とインタビュー.
7 Skyglobe 3.6.
8 個人的な連絡とインタビュー.
9 Skyglobe 3.6.
10 個人的な連絡とインタビュー.
11 第42章から44章を参照.
12 「エジプト人は・・・自分たちの国が聖なる国で, 神が姿を変えた王によって治められていると信じていた. 最古の王たちは本当の神であり, 地上に住み, 天と地を行き来し, 人と交わったという」 *The Gods of the Egyptians*, volume I, p.3.
13 葬祭殿は, von Sieglin によって1910年に発掘された. さまざまな大きさの石からできており, 重さは「100トンから300トンの間」である. *Blue Guide: Egypt*, p.431.
14 キリスト教の大聖堂は, それがどんなに新しいものであっても (たとえば20世紀にサンフランシスコのノブヒルに建てられたゴシック様式の大聖堂), ユダヤ・キリスト教の「宗派」がもつ思考や象徴性, 図像を体現しており, それは少なくとも4,000年の昔に起源をもつ. 同様に, 古代エジプトで「宗派」が8,000年間続き, 紀元前1万450年という時代と紀元前2450年という時代を結びつけたと想像するのも不可能ではない. したがって, 紀元前2450年に完成したピラミッドは，ちょうど現代に完成した大聖堂のように，非常に古い考えを表現する建造物となっているかもしれない．古代エジプトの伝説の中には，そうした古代の考えが存在し保存されていることを示す証拠が数多くある．たとえば「第13王朝のネフェルヘテプ王はオシリスを心から崇拝しており，アビドスにあったその神殿が荒れ果て，神の新しい像が必要であることを聞いた王は，ヘリオポリスにあるラー・アトムの神殿に行き，そこの図書館で本をあたり，世界の初めにあったようなオシリス像をどうすれば造ることができるか調べた・・・」（*Osiris and the Egyptian Resurrection*, volume II, p.14）また，*Sacred Science*, pp.103-4 にも，プトレマイオス王の時代，あるいはその後の時代において，神殿の建設は古代の設計仕様に従い続けたことが書かれている．「すべての計画において常に“聖なる書”が参照された．たとえば，プトレマイオス王の時代にエドフの神殿が再建されたが，それは天からメンフィスの北に下ってきたといわれ，インホテップによって書かれた創建の書に基づいていた．デンデラの神殿は，ホルスの仲間がいた時代から伝わる古い書に記録された計画に従っていた」

15 *Hamlet's Mill*, p.59.

16 同書; *Sacred Science*, p.179.

17 *Oxford Dictionary of the Christian Church*, Oxford University Press, 1988, p.514.

18 *Sacred Science*, p.177.

19 『旧約聖書　創世記』22:13.

20 *Jerusalem Bible*, chronological table, p.343.

21 *King James Bible*, Franklin, Computerized First Edition.

22 *The Encyclopaedia of Ancient Egypt*, p.20.

23 同書, p.133.

24 *Sacred Science*, p.177.

25 紀元前3,000年という早い時期であった. *Encyclopaedia Britannica*, 1991, 3: 731を参照.

26 *Encyclopaedia of Ancient Egypt*, pp.27, 171.

27 Skyglobe 3.6.

■第50章

1 Galanopoulos and Bacon, *Lost Atlantis*, p.75.

2 たとえば, Brian Inglis, *Coincidence*, Hutchinson, London, 1990, p.48以降を参照.

3 *When the Sky Fell*, with an Introduction by Colin Wilson and Afterword by John Anthony West. この本はStoddart, Canadaから1995年に出版された.

4 第1部を参照.

5 同上.

6　同上．詳細については，第1部と第51章を参照．

■第51章

1　*Encyclopaedia Britannica*, 1991, 3:584.

2　*Encyclopaedia Britannica*, 1991, 1:440.

3　*Discover The World Of Science*, February 1993, p.17.　これら15本の化石化した木の幹は，大きな森林のなごりと思われ，直径は9センチから18センチほどある．これらはソテツシダのよく知られた一種である *Glossopteris*［南半球の石炭の多くで見つかる］の若木だった．シダと違いソテツシダは，胞子ではなく種子をもっており木に似ているが現在では絶滅している・・・．エイカナー山にある一群の木の幹の中で，テイラーの同僚は，*Glossopteris* の舌の形をした落ち葉の跡を発見した．

　落葉樹は暖かい気候のしるしであり，そこには「霜の年輪」が見られない．木の幹から採った標本の年輪を調べた際，氷で膨張した細胞や，細胞と細胞の間のすき間は一つも見つからなかった．これらは，木の生長が寒さによって妨げられた時に生まれるものであり，それが見られないということは，その時期南極大陸には厳しい寒さがまったく存在していなかったことを意味する．

　「われわれの記憶にある限り，南極大陸は常に厳寒の地であった．化石になった植物相を見ることでしか，植物の群落にどんな可能性があるか知ることはできない．緯度八五度の地点に育っていたこの化石の森林は，破滅的な気候の変化によってどんな影響を受けたのか，そのイメージを与えてくれる」と，テイラーは語る．

注：これらの木々は洪水か泥流によって枯死している．これもまた現在の南極大陸では存在し得ない条件の一つである．

4　*The Path of the Pole*, p.61.

5　同書, pp.62-3.

6　In Dolph Earl Hooker, *Those Astounding Ice Ages*, Exposition Press, New York, 1958, page 44. *National Geographic Magazine*, October 1935を引用している．

7　*Path of the Pole*, p.62.

8　Rand Flem-Ath, *Does the Earth's Crust Shift*? (MS.).

9　Daniel Grotta, "Antarctica: Whose Continent Is It Anyway?", *Popular Science*, January 1992, p.64.

10　*Path of the Pole*, p.107.

11　第1部を参照．

12　*Path of the Pole*, p.111ff.

13　詳細については第1部を参照．

14　*The Biblical Flood and the Ice Epoch*, pp.109-10.

15　*Path of the Pole*, p.66.

16　同書, pp.93, 96.

17 同書, p.99.
18 第4部を参照.
19 同上.
20 *Encyclopaedia Britannica*, 1991, 1:440; John White, *Pole Shift*, A. R. E. Press, Virginia Beach, 1994, p.65.
21 *Pole Shift*, p.77. 200億トンの氷が, 南極大陸では毎年増えている.
22 H. A. Brown, *Cataclysms of the Earth*, pp.10-11.
23 第4部を参照.
24 同上.
25 *Biblical Flood and the Ice Epoch*, p.228.
26 Thomas Huxley. *Path of the Pole*, p.294に引用されている.
27 *Scientific American*, December 1985.
28 *Path of the Pole*, pp.47-9.
29 同書, p.49.
30 同書, p.58.
31 第4部を参照.
32 *The Mahabaratha*. *The Arctic Home in the Vedas*, pp.64-5に引用されている.
33 同書, pp.66-7.
34 *Paradise Found: The Cradle of the Human Race at the North Pole*, p.199に引用されている.
35 *Arctic Home in the Vedas*, p.81.
36 同書, p.85.
37 同書, pp.414, 417.
38 同書, p.420.
39 *Pole Shift*, p.9.
40 同書.
41 同書, p.61.
42 *Nature*, volume 234, 27 December 1971, pp.173-4; *New Scientist*, 6 January 1972, p.7.
43 J. M. Harwood と S. C. R. Malin が, *Nature*, 12 February 1976に書いている.
44 *The Path of the Pole*, op.cit., Appendix, pp.325-6.
45 同書, p.44.
46 *USA Today*, 23 November 1994, p.9D.

■第52章

1 Plato, *Timaeus and Critias*, Penguin Classics, 1977, p.36.
2 *The Bhagavata Purana*, Motilal Banardass, Delhi, 1986, Part I, pp.59, 95.

神々の指紋　下

神々の指紋 下

翔泳社

FINGERPRINTS OF THE GODS

by Graham Hancock

目次

第6部　ギザへの招待状　エジプト1

第33章　方位

一九九三年三月一六日　午前三時三〇分　エジプト共和国ギザ

誰もいないホテルのロビーを通り抜け、道路に駐車している白色のフィアットに乗り込んだ。運転をしているのは痩《や》せた神経質そうなエジプト人で、名前はアリという。アリは大ピラミッドの守衛たちに話をつけたという。アリが不安そうだったのは、下手をするとサンサと私が国外追放され、アリは六か月間刑務所に送られる可能性があったからだ。

だが、もちろんヘマはしないはずだ。だからこそ今朝、アリは姿を現わしたのだ。昨日、アリには一五〇ドル支払った。アリはそれをエジプト・ポンドに変換し、守衛たちにばらまいた。その代わり、われわれが大ピラミッドに登っても、守衛たちは、見て見ぬふりをしてくれるはずだった。

ピラミッドから八〇〇メートル手前で車を止め、そこからは歩いた。ナズラット・サンマーン村にのしかかるようにそびえる急な土手の脇を歩くと、遺跡の北面に到達する。警備の灯が届かない柔らかい砂の上を私たち三人は黙々と歩いた。興奮していたが、同時に不安だった。賄賂が有効か

どうか、アリにも確信はない。

壁の影に隠れて立った。巨大なピラミッドが暗闇の中にそびえ、南の空の星を隠している。北西の角から警備のパトロールがやってきた。寒さをさえぎるために毛布をかぶった三人の夜警は、散弾銃を手にしている。一五メートルほどまで近づいたところで三人は止まり、煙草に火をつけた。アリはそのままでいろという合図を私たちに送ると、一人で陰から出て灯の中に入り、警備員に近づいた。数分間、話をしていたが、それは明らかに熱っぽい論争だった。ようやくこちらに手招きし、話に参加しろという。

「問題が起きた。ここのボス（無精髭を生やした、背の低い不機嫌そうな男だった）が、あと三〇ドル払わなければ、許可しないという。どうしますか?」とアリ。私は財布をとりだし、三〇ドルを数え、アリに渡した。アリはそれを二つに折りたたみ、ボスに渡した。ボスは金を胸のポケットにしまい、握手を求めてきたので、全員で握手を交わした。

「オーケー、レッツゴー」とアリは言った。

説明のつかない精度

警備員は大ピラミッドの北面を西に向かってパトロールを続け、われわれは北東の角を曲がり西面に出た。

すっかり遺跡の方位を調べる習慣が身に付いてしまっていた。大ピラミッドの北面はほぼ完璧に真北を向いている。東面もほぼ完璧に真東を向いており、南面も西面もそれぞれ真南、真西を向い

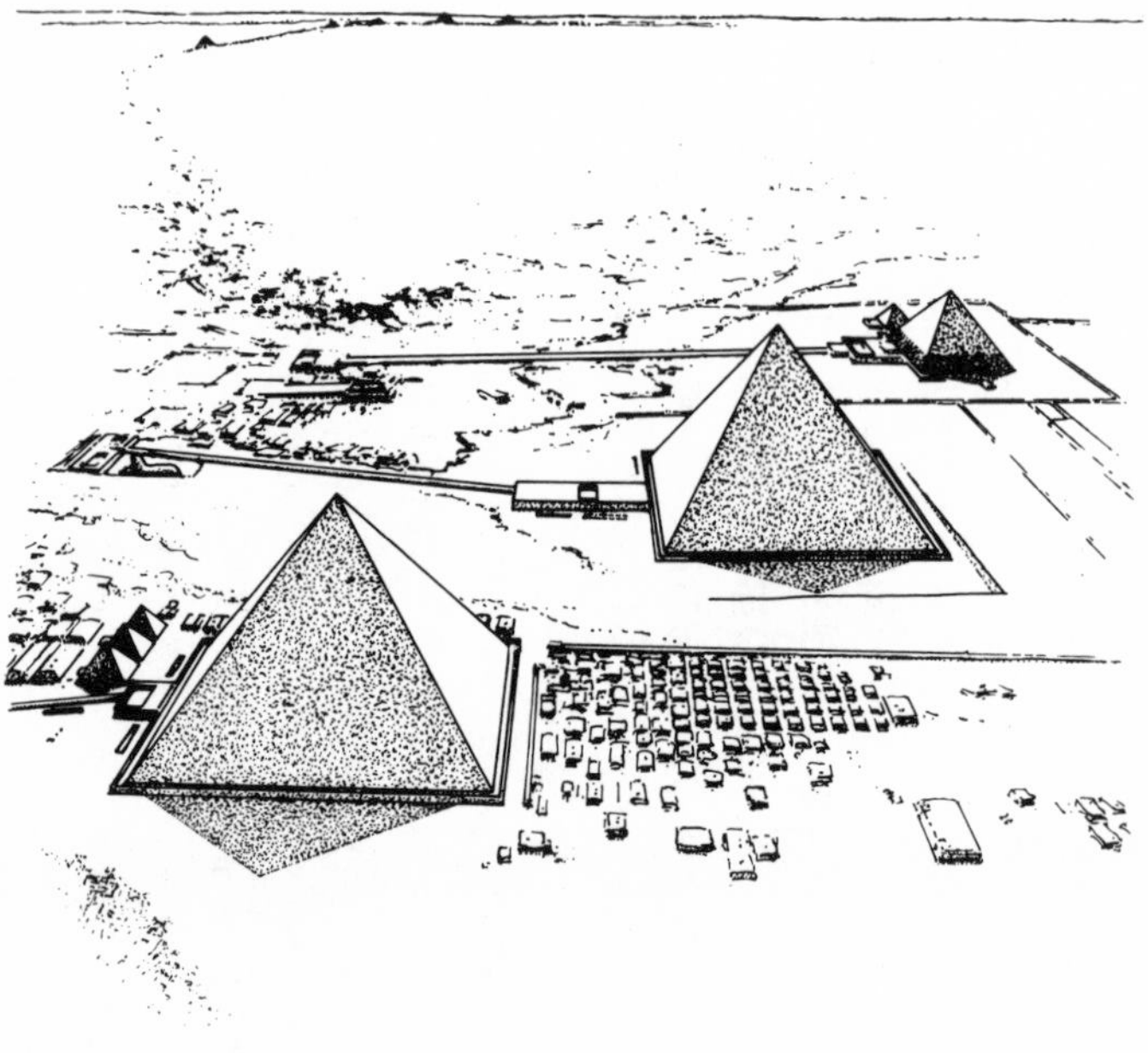

ギザを北から南に見た姿　手前が大ピラミッド。

ている。誤差の平均は円弧で三分しかない（南面は二分以下）[1]。このような精度は、いつの時代の建造物だとしても、信じがたいし不可解だ。とくにこのピラミッドが建てられたとされている四五〇〇年ほど前のエジプトでは、不自然なほどの芸当だ。

円弧三分の誤差とは、〇・〇一五％という極微量の誤差だ。ある建築家と大ピラミッドについて話し合ったが、なぜこのような精度を必要としたかを理解できないという。実際に建築をする側からみると、このような精度を達成するためにかかる費用と時間と困難は、できあがる結果から見て採算に合わないのだ。たとえば土台の精度が二～三度狂っても（一％程度の誤差）肉眼では識別できない。だが、〇・〇一五％以内に誤差を保とうとすれば、気の遠くなるほどの多くの仕事が増える。

したがって、人間の歴史の夜明けの時代にピラミッドを建設した古代の偉大な建築家には、東西南北の方位を厳密に保つ強烈な動機があったに違いない。さらに、超人的な正確さで目的を達したこれらの人々は、優れた技術、高度な知識を持つ有能な人々であり、優れた測量や設計道具を持っていたに違いない。この印象はこの遺跡の他の面からも確認することができる。たとえば底辺の四つの辺の長さはほとんど同じだ。その精度は現代の建築家が普通のオフィスビルを建てるときに求められる精度よりも高い。だが大ピラミッドはオフィス・ビルではない。人類が造った最大の最古の建造物の一つなのだ。北辺の長さは二三〇・二五メートル、西辺は二三〇・三五メートル、東辺は二三〇・三九メートル、南辺は二三〇・四五メートルだ[2]。一番長い辺と一番短い辺の差は二〇センチしかない。したがって誤差は各辺の長さの一％以下だ。

数字を羅列しただけでは、工学的にその数字を達成するために必要な高度な技術や膨大な仕事量が見えてこない。学者たちは、いかにピラミッド建設者たちが、このような高度な精度を保ったかを説明できないでいる。(3)

だが、もっと興味を感じるのは、「なぜ彼らはこのような高い精度の建造物を造る必要があったのか」という点だ。〇・一%の誤差を一〜二%にしたところで品質はほとんど変わらないし、仕事も楽になる。では、なぜそうしなかったのか？　なぜ、あらゆる点で、わざわざ困難な仕事に挑戦したのか？　四五〇〇年前に作られた「原始的」な石造りの遺跡だとみなされているピラミッドの造り手は、なぜ妄想に取り憑かれたように機械時代の精度にこだわったのか？

歴史のブラックホール

大ピラミッドには最初から登るつもりだった。だが登頂は一九八三年以来、厳しく禁止されている。向こう見ずな観光客が転落死したため、エジプト政府は禁止せざるを得なくなったのだ。だが、考えてみたらわれわれ一行も十分に向こう見ずなことをしている（しかも夜に登ろうとしているのだ）。さらに基本的には正当と思える禁止令に違反するのは心苦しかった。だが、ピラミッドに強烈な興味を持っており、すべてを知りたいという気持ちが強く、常識を超えてしまっていた。

北東の角で警備員と別れてから、こっそりと東面の下を南に向かって歩いた。

大ピラミッドと、そのすぐ東側にある三つの「補助的」な小さなピラミッドの間には、壊れた舗道石が曲がって置かれており、濃厚な闇に包まれている。そこには三つの深くて狭い、岩でできた

縦坑があり、まるで巨大な墓場のようだ。発掘していた考古学者がこの縦坑を発見したとき、そこには何も入っていなかった。だが、まるで流線型の高性能の船を入れておくために造られたような形に見える。

ピラミッド東面の半分まで来たところで、別のパトロール隊に出会った。今回は二人の守衛で、一人は八〇歳を越えるように見える老人、もう一人はにきび面の若者で、アリが支払ったお金では不足で、さらに五〇エジプト・ポンド欲しいと言ってきた。私はお金をすぐに取りだした。金額のことはどうでもよくなり、逮捕されないうちに早く登り、下に降りてきたいという欲求が強まっていた。

南東の角についたのは朝の四時一五分だった。

現代のビルや家でも、完璧な九〇度の角度を持つ建物は少ない。一度程度は狂っているのが普通だ。それでも構造的には影響がなく、その誤差に気づく人はいない。だが大ピラミッドの場合、古代の建築家は誤差をほとんどゼロにしている。ピラミッドの基底の角度は直角ではないが、南東角は八九度五六分二七秒、北東角九〇度三分二秒、南西角九〇度〇分三三秒、北西角八九度五九分五八秒と精度が高い(4)。

これはもちろんただ事ではない。大ピラミッドに関することは、すべてこのように説明し難いことばかりだ。現代の最高のレベルのものと同じ建築技術を、たった一〇〇〇年で発達させることができたのだろうか？　しかも、エジプトでこのような技術が発展したという記録はなにもない。大ピラミッドもその周囲の遺跡も、建築学の歴史から見ると、底なしのブラックホールから突然に飛

び出してきたようなものであり、詳しいことは何もわかっていない。

砂漠の船

額に汗を浮かべたアリは、ピラミッドに登る前に、なぜ周辺を回るのかを説明してくれない。現在は南面の下を西に向かって歩いている。ここにも船を入れるような縦坑が二つ開いている。この縦坑の一つはまだ発掘されていないが、ファイバー・オプティック・カメラを差し込んで調べたところ、長さ三〇メートル以上の大型木造船が収まっていることがわかった。もう一つの縦坑は一九五〇年代に発掘されている。この中には海を渡ることもできる長さ四三・四メートルというさらに大型の船が入っていた。(5) 現在この船は、ピラミッドの南側にある醜い近代建築のボート博物館に収められている。

杉の木で造られたこの美しい船は、建造されてから四五〇〇年たった現在でも完璧な状態で博物館に収められている。排水量約四〇トンのこの船の設計は、専門家によると奇想天外なものだという。「外海を航行する特徴を備えている。船首と船尾が上に向かってそびえているが、その高さはバイキングの船よりも高い。これは外海の高い波を乗り切るためのものであり、ナイル河のさざなみには必要ない」(6)

別の専門家は、注意深く巧妙に設計されたこの奇妙なピラミッドの船を見て「外海を航海する船としては、コロンブスが入手できたいかなる船よりも優れている」と語っている。(7) さらに専門家たちの一致した見解によれば、このような船が建造できるのは「外海で航海をした長い経験と伝統が

ある人々だけだ」という。[8]

エジプトの三〇〇〇年の歴史の初期に、この船を造ったのは誰なのか？　陸地に囲まれたナイル低地で畑を耕していても、「外海で航海をした長い経験と伝統」の蓄積はできない。どこでこの船の建造者たちは経験を積んだのか？

謎はもう一つある。古代エジプト人は様々な縮小版をつくるのが上手であり、シンボルとして多くのミニチュアを作製してきた。[9] したがってエジプト学者が言うように、これが死んだファラオが天国に行くための霊的な船だとしたら、なぜこのように大きくて高い性能を持つ船を埋めるような、面倒なことをしたのか理解に苦しむ。[10] そのような目的ならもっと小さな船体で済むし、数隻でなく一隻あれば十分だ。したがって論理的には、これらの巨大な船にはまったく別の目的があったことが考えられる。あるいはまったく別の象徴的な意味があるのかもしれない。

ようやく南面の真ん中ほどまで来た。ここでようやくなぜこのように長い道のりを歩かなければならないのかがわかった。目的は、東西南北にいる守衛たちにささやかな贈りものを配って歩くことだったのだ。これまで支払ったのは北面で三〇米ドル、東面で五〇エジプト・ポンドだったが、南面でも五〇エジプト・ポンド払った。昨日、アリはこれらの警備員にすでに賄賂を渡しているはずなのだが・・・。

「アリ、いつになったらピラミッドに登るんだ？」ときつい声で聞いてみた。

「すぐです、ミスター・グラハム」と案内役は言い、自信に満ちた様子で前に歩き始め、暗い前方を指さし「南西の角から登ります・・・」と言った。

第34章　永遠の住みか

夜のピラミッドに登ったことがあるだろうか？　それも逮捕される恐怖に怯えながら、神経がすり減っている状態で・・・。

それは驚くほど骨の折れる仕事だ。とくに相手が大ピラミッドのせいもあるだろう。頂上から九・四二メートルの部分はなくなっているが、それでも地上から一三七・二八メートルの高さがある[1]。石は二〇三段も積まれており、一段の高さは平均すると六八センチになる[2]。

だが平均値というのは曲者だということが、登りはじめてすぐにわかった。段の高さは大きく異なり、ある段は膝までしかなく、別の段は胸の高さほどもあり、大障害物になった。さらに段と段との間に水平に横たわる足場の幅は非常に狭かった。多くの場合は足の幅ほどしかない。さらに巨大な石灰岩は下から見ると堅固に見えたが、実際には砕けやすくてすぐに崩れた。

三〇段ほど登った後、サンサも私も自分たちの思いつきがとんでもないものだったことを悟った。筋肉が痛みだし、膝や指は硬直し傷だらけになった。だが、まだ頂上までの七分の一しか登ってい

ない。まだ一七〇段以上も登らなければならない。もう一つの不安は、目がくらむほどの急斜面が眼下に開けていることだった。南西の角であることを示すジグザグの輪郭に沿って下を見ると、あまりに高くまで登ったことに驚き、一瞬、目がくらみ、あっさりと転落しそうな予感に襲われる。水を汲みに出掛けたジャックとジルのようにまっさかさまに落ち、巨大な石の層に体を打ちつけ、地面で頭蓋骨が砕かれてしまうのだ。

アリは少しだけ息をつかせてくれたが、合図をして、さらに登るという。南西の角を目印にしながら、アリはすぐに上の暗闇に姿を消していった。

その後を不安を抱えた二人が追いかけた。

建設作業の謎

三五段目の石段は特に登るのが大変だった。これまで遭遇してきたどの石よりも大きく（土台の石は除いて）、重さが一〇トンから一五トンもある。(3) これは工学的な論理や常識から考えると矛盾している。普通ならばピラミッドの上になればなるほど石の大きさや重さを小さくするだろう。一段から一八段まではこの常識にしたがっており、地上に近い所では石の高さが一・四〇メートルだったのが一七段目では五八センチと小さくなっている。だが突然一九段のところから石段の高さが九一センチほどになる。高さだけでなく、幅や奥行きも大きくなっている。一段から一八段までの石の重さは二トンから六トンで扱いやすい大きさだが、その上になると一〇トンから一五トンと非常に重くなり、取り扱いも難しくなる。(4) これらの巨大な石は、硬い石灰岩の石切場から切り出され、

三〇メートル以上も空中に持ち上げられ、正確な位置に据え付けられているわけだ。

この仕事を効率的に成し遂げたピラミッドの建設者たちは、鋼鉄のような神経の持ち主で、山羊のように身軽で、ライオンの強靭さを兼ね備え、訓練を積んだ鳶《とび》職の自信を持ちあわせていたに違いない。冷たい朝の風が耳をかすめ、空中に飛ばしてやる、と囁きかけてくる。このような高い（もっと高い場所もある）危険なところで平衡感覚を保ち、作業をした人々は、何を感じただろうか？これらの人々は、最小の石でも、重さが自家用車二台分はある数しれないずんぐりとした石灰岩の一枚岩を持ち上げ、動かし、正確に据え付けたのだ。

ピラミッドを完成させるのにどのくらい時間がかかったのか？　何人ぐらいの人々が労働に駆り出されたのか？　エジプト学の学者たちの一致した見解によれば、二〇年間にわたって一〇万人が働いたという。[5]　さらに建設を行なうのは一年を通してではなく、年三か月に限られていたという。ナイル河が氾濫し、農業ができない時期に建設作業が行なわれたというのだ。[6]

ピラミッドを登りながらこれらのことが何を意味するかを思い起こしていた。建設者たちが心配しなければならなかったのは、何千、何万もある一五トン以上の石のことだけではなかった。大変だったのは「標準的な大きさの」石が数百万個もあったことだ。重さは二・五トンほどだが、これらの石を作業場まで運ばなければならなかった。ピラミッドは、二三〇万個の石で造られていると推定されている。[7]　もしも職人たちが一年間三六五日、一日一〇時間働いたとして、二〇年間でピラミッドを完成させるには、一時間に三一個の石を据え付ける必要がある（二分ごとに一個）。もしも、建設作業が年間三か月だけしか行なわれなかったとすると、疑問はさらに深まる。一分間に四個、

一時間で二四〇個も据え付けなければならない。

このようなシナリオは、当然、工事管理者にとっては悪夢のはずだ。たとえば、石切場とピラミッドの石工職人の間には、信じられないほど綿密な連絡が必要となる。現場に必要な石を必要な時に運び込まなければならないからだ。それに事故が起こったら悲惨だ。たとえば二・五トンの石が一七五段目から落下したらどうなるか。

物理的にいっても、管理の面からいっても、きわめて困難な作業のように思える。だがさらにピラミッド特有の幾何学的な構造の問題もある。ピラミッドの頂点は四辺の中央にする必要があるのだ。四面の傾斜角度が少しでも狂うと、頂点では大きな誤差が生じてしまう。したがって地上から一〇〇メートルもあるようなすべての段で、信じられないほどの精度が要求される。しかも据え付ける石は、巨大で重い。

受け入れられた珍説

このような仕事はいかにして行なわれたのか?

この質問に答えるために、三〇以上の仮説が立てられた。だが、エジプト学者の大多数は、なんらかの傾斜路が使われたという意見で一致している。たとえば大英博物館の元古代エジプト室長エドワード教授の意見がその典型的なものであり、教授は以下のように断言している。「古代エジプト人にとって、重いものを持ち上げる方法は、一つしかなかった。煉瓦や土で造った傾斜路だ。地上から、必要な高さまで傾斜路を造ったのだ」(8)

オックスフォード大学エジプト学のジョン・ベイン教授はエドワード教授に賛同し、付け加えて、「ピラミッドの高さが高くなるにつれ、勾配を一定に保ち（一対一〇）、傾斜路が崩壊しないようにするために傾斜路も長くなり、その土台の幅も広くなっていった。いくつかの斜面に傾斜路を造ったのだろう」と言っている。(9)

大ピラミッドの頂点まで一対一〇の勾配で傾斜路を造ったら、一四六七メートルの傾斜路と、大ピラミッド本体の三倍の量の煉瓦や土が必要となる（傾斜路の容積は八〇〇万立方メートルで、ピラミッドは二六〇万立方メートルと推計されている）。(10) これ以上傾斜が急だと重いものは引っ張れない。(11) 傾斜をこれ以上緩くすると、傾斜路は滑稽《こっけい》なほどに巨大でバランスの取れないものになってしまう。

だがもっと深刻な問題は、高さ一四七メートル、長さ一四六七メートルの傾斜路は、エドワード教授をはじめとするエジプト学者がいうように「煉瓦や土」で造るわけにはいかないことだ。現代の工事専門家や建築家が証明済みの事実だが、傾斜路はピラミッドに使われている石灰岩よりも堅固なものでなければ、自分の重みで潰れてしまう。(12)

したがってこの方法は明らかにナンセンスだ（石灰岩を使ったとしたら、八百万立方メートルの余った石は、作業が終わってからどこに運ばれたのだ？）。そこで別のエジプト学者たちが螺旋《らせん》型の傾斜路が使われたと言いだした。ピラミッドの側面に泥で作った煉瓦の傾斜路を造ったという。この方法ならば確かに使う材料の量は減る。だがこの方法でも頂上に達することはできない。(13) 螺旋《らせん》型の傾斜路が使われたとしても、ピラミッドの角で急激に曲がらなければならない。巨大な石を引っ

張りながら回転させるのは至難のわざだろう。また煉瓦などは、何度も使ううちに粉々に砕けてしまうだろう。だが、この方式の最大の問題は別な所にある。螺旋型傾斜路がピラミッドを覆ってしまい、建築家は建設中にその精度を調べられなくなることだ[14]。

しかし、ピラミッドの建設者たちは精度を確認していたし、完成するまで精度を維持した。それは、ピラミッドの頂点が正確に四辺の中央に来ていることを見てもわかる。さらに斜面の角度も、辺の角の角度も正確で、石は正しい場所に置かれ、それぞれの段はほぼ水平で、ほぼ完璧な左右対称になっており、方位もほぼ正確だ。

古代の建築の大家たちにとっては、この程度の精度を保つことは些細なことに過ぎなかったようで、さらに大ピラミッドの寸法には、数学ゲームが組み込まれている。その一つは第23章で述べたように、円周率 π を高さと周辺の長さに対応させていることだ[15]。さらになぜか、大ピラミッドは北緯三〇度からわずかにずれていて、二九度五八分五一秒にある。これについてはスコットランドの天文学者が正確に三〇度に存在しないのは、間違いだったとは言えないと、以下のように述べている。

もしも設計者が、ピラミッドの底辺から誰かが肉眼で空の極点を見ることをあらかじめ想定していたら、大気中で光が屈折することを計算にいれて、ピラミッドを建てる位置を北緯三〇度ではなく、二九度五八分二二秒にしなければならない[16]。

実際の位置は二九度五八分五一秒であり、この見方が正しければ、誤差が極めて小さく、測量と測地の技術が極めて高度であったことになる。

畏敬の念を抱きながら登り続けて、四四段目と四五段目の巨大な石を越えた。四六段目に登ったところで、下の広場からアラビア語の怒声が飛んできた。下を見ると、ターバンを頭に巻き、長袖のアラビア服を風で波打たせた男が立っている。距離がだいぶ離れているにもかかわらず、男は肩から散弾銃を外して、狙いを定めようとしている。

守護者とその狙い

ピラミッドの西面を守護する守衛だった。西面の守衛には南面、北面、東面の仲間とは異なり、まだ追加の賄賂を渡していなかった。

アリの汗の吹き出し方から見て、どうやら深刻な状況にあるようだった。守衛は「すぐに降りてこい。逮捕する」と命令している。だが、「たぶん追加を支払えば逮捕はしないでしょう」とアリ。

「一〇〇エジプト・ポンド渡すと言ってやれ・・・」

「それは多すぎます」とアリ。「他の連中が怒りますから、五〇ポンドと言います」

アラビア語の会話はさらに続いた。ピラミッドの南西の角の上下で、数分間、守衛とアリは話しあっていた。朝の四時四〇分だった。口笛が聞こえた。南面の守衛が姿を現わし、西面の守衛に加わり、さらに二名の仲間が集まった。

アリがどうやら議論に負けたらしい、と思ったら、笑い顔を向けた。安心した様子だった。「降り

たときに追加で五〇ポンド払うことになりました。先に進んでいいと言っていますが、上司に見つかった場合には助けることができない、と言っています」

沈黙のなか一〇分間ほど苦労して登ると、一〇〇段目に到着した。道程の半分まで来たことになり、地上からは七六メートルの高さだった。肩越しに南東を見た。そこには一生に一度しか見られないような、圧倒的な美と力を感じさせる光景が広がっていた。疾走する厚い雲から出てきた細い月は南東の空低くにあり、幽霊のような光線を隣の第二ピラミッドの北面と東面に当てている。第二ピラミッドは第四王朝のファラオであるカフラー王によって建てられたことになっている。大ピラミッドに次ぐ大きさのこのピラミッドは(わずかに低く、土台も一辺が一五メートルほど短い)、不思議な青ざめた炎に照らされ、内部から明かりが灯ったように見えた。その背後の遠方には、わずかにずれて、一番小さな第三ピラミッドが見える。このメンカウラー王が造ったとされるピラミッドは、底辺の一辺が一〇五メートル、高さが六五・五メートルある。(17)

一瞬、暗く輝く空を背景にして空を飛んでいるような幻覚に襲われた。大きな天国の船の船首に立ち、後ろを向くと、二隻の船が一列の戦闘体制をとって従っている。

この護衛のピラミッド艦隊はどこへ行くのか？　この桁外れな建造物は、エジプト学者たちが信じているように、誇大妄想のファラオの作品だろうか？　あるいは永遠の時間と空間を越えて何かを伝えようとした、謎の人々の手によって設計されたものだろうか？

この高さから見ると、南の空がカフラー王の巨大なピラミッドによって一部分隠されている。西の空は天空の極点から、回転する地球の輪郭まですべてが見渡せる。北極星は小熊座の中にあり、

だいぶ右側に見える。水平線近く、真西から北に一〇度ほどのところには獅子座のレグルス星があり、沈みかけていた。

エジプトの空の下で

一五〇段目に来たところで、アリは頭を下げるように合図をした。北西の角の方向にパトカーが現われ、大ピラミッドの西面に沿って走ってきた。青いライトがゆっくりと点滅している。三名はパトカーが過ぎ去るまで石段の陰にじっと身を隠していた。それから再び登りはじめた。新たな緊迫感が加わり、できるだけ早く頂上に着こうと急いだ。頂上は夜明けのぼんやりとしたもやのすぐ上に顔を出しているにちがいない。

五分ほど一気に登り、上を見たが、ピラミッドの頂上はまだまだ遥か先にある。息を切らせながら汗だくになって登り、もう一度上を見た。頂上はまた遠くなったようだ。まるで伝説のウェールズの山頂のようだ。同じような失望が連続して起こり、諦めの気持ちになっていたら、いつの間にやら頂上に着いていた。満天に星が輝いている。周辺の台地から一三七メートル以上も高いこの場所は、世にも珍しい見晴らし台だ。北と西にはナイル低地に不規則に広がるカイロ市が横たわっている。高層ビルが乱立し、伝統的な平らな屋根群は狭くて暗い道路で区分けされている。その間にはモスクの尖塔が散在する。この光景全体は眩しく反射する街路灯の膜で覆われており、カイロに住む人々は美しい星空を見ることができない。だが、緑や赤や青や黄色の灯りが点在するこの街は、まるで妖精の国のようだ。

この電気で作られた不思議な蜃気楼を、古代世界の謎の一つであるピラミッドの頂上から眺めることができるのは光栄なことだ。アラジンの魔法の絨毯《じゅうたん》に乗って、カイロの上空に浮かんでいる気がした。

だが、エジプトの大ピラミッドの二〇三段目が絨毯でできているはずがない。胴の高さまである石灰岩数百個で構成される頂上の一辺の長さは九メートルしかないが（底の一辺は二三〇メートルある）、一個の石の重さは五トンだ。この段は完全に水平ではない。いくつかの石がなくなったり、破損したりしている。また次の段の石が半分ほど積まれ、南端が高くなっている。さらに頂上の中央には、三角形の足場が組まれ、その中央に九・四メートルの太い柱がたち、ピラミッドの本来の高さ一四六・七メートルを示している。(18) この下の石灰岩には何世代にもわたる観光客による署名が走り書きされている。(19)

最後まで登りきるのに、三〇分ほどかかった。現在は午前五時で朝の礼拝の時間だ。ほとんど五時になると同時にカイロの尖塔のバルコニーから、人々に祈りを捧げるように促し、神の偉大さと憐れみと慈悲を再確認する声が聞こえてきた。後ろを見ると、カフラー王のピラミッドの頂上部分二二段が、月の光の海を漂う氷山の頭のように浮かび上がっていた。このピラミッドの上部の化粧石は今も残っている。

この魔法の場所には長く留まれないことがわかっていた。そこでその場に座り、天空を眺めた。西方の砂漠の果てにレグルス星はすでに没していた。獅子座のライオンの身体も沈みかけている。乙女座と天秤座はさらに北側の空の下の方にある。大熊座と小熊座は天球の極にあり永遠の軌道を

ゆっくりと動いている。

ナイル河を横切り南東を見ると、そこには細い月があり、天の川の岸から幽霊のような光を放っている。天の川に沿って南に眼を向けると、超巨星アンタレスに支配されるさそり座が美しく輝いている。超巨星アンタレスの直径は太陽の三〇〇倍もある。カイロの町の上、北東では白鳥座が空を航海し、尾の部分では白色の超巨星デネブが輝いている。この星は一八〇〇光年の距離を隔てた宇宙空間に浮かんでいる。最後に北の空を見た。龍座がいくつかの周極星を従え、とぐろを巻いている。四五〇〇年前に第四王朝のファラオ、クフ王によって大ピラミッドが建設されたと言われているが、その当時、天の北極に一番近かった星座は龍座であり、北極星の役割を果たしていた。だがそれから数千年たった今日、無情な天空の臼である地球の軸の旋回運動により場所が移動し、現在の北極星は小熊座のポラリス星になっている。[20]

背中を床につけ、頭の下に手を入れて枕にし、天の頂点を眺めた。滑らかで冷たい石の上で休んでいると、身体の下にある途方もない重量を持つ巨大なピラミッドの活力が伝わってくる気がした。

巨人の仕業

五万三〇〇〇平方メートルの土地を占め、六〇〇万トンの重さをもつ大ピラミッドは、ロンドンのシティー地区全体のビルを合計したものよりも重い。[21] そして前にも見たように二三〇万個の石灰石と、花崗岩でできている。昔はさらに八万九〇〇〇平方メートルにわたって、反射鏡のような外壁で覆われていた。見事に磨かれた化粧石の数は一万五〇〇〇個ほどで、一個の重さは一〇トンあ

ったと推測されている。当初ピラミッドの四面は、すべてこの化粧石で覆われていた[22]。
一三〇一年に大地震があり、その後、ほとんどの化粧石はカイロの建築資材に使うために取り去られてしまった[23]。だが、一九世紀の偉大な考古学者W・M・フリンダーズ・ペトリがこの土地を訪れた時には、まだたくさん残っていたようだ。ペトリは化粧石の詳細な研究を行なったが、化粧石の目地（接続部）のあまりにも精巧な造りに驚嘆している。誤差は一センチの五〇分の一もなく、石と石の間はしっかりと注意深く接着されており、ポケットナイフの鋭い刃も入らない。「石を正確に接触させるだけでも細心の注意が必要だ。だがセメントを間に入れて石をつなぐことはほとんど不可能だ。この仕事は眼鏡製造の最高の仕事を、広大な規模で行なっているようなものだ」[24]
大ピラミッドで「ほとんど不可能」に思えるのは、もちろん化粧石の接着だけではない。東西南北に各壁面が正確に面していることもほとんどあり得ないことだ。正確に九〇度の角度を持つ角も同じだ。四つの巨大な側面を見事に左右対称に造るのもほとんど不可能なことだ。また、二〇〇万以上の巨大な石を空中高く積み上げることも「ほとんど不可能」に思える。
したがって、この素晴らしい記念碑を設計した人々や建設に成功した建築家や技術者や石切り工が誰だかはわからないが、「身長が三〇メートルもある人々のように思える」と近代エジプト学の始祖フランシス・シャンポリオンは言う。シャンポリオンは物事を正しく見極めていたが、後継者たちはそうではない。ピラミッドの建設者たちはかなりの知的水準にあった人々だとしか考えられない。彼らと比べたら「ヨーロッパに住むわれわれは小人に過ぎない」とシャンポリオンは付け加えている[25]。

第35章　単なる墓標？

大ピラミッドを降りるのは、登るのよりも精神的にはきつく、ほとんど拷問である。体力的には重力に抵抗していないので楽だが、転落する危険性は高まっている。天空を見上げるのではなく、地上をはるかに見下ろしながら降りるのは難しい。土台の巨大な石を目指して大袈裟なほど注意深く道を選びながら降りた。足場の不安定な石の間をそっと歩きながら、まるで蟻のように小さくなった気がしていた。

下についたときには夜が明けており、青白い太陽光線が空に光を投げかけていた。西面の守衛に五〇エジプト・ポンド支払うと、大きな勝利の喜びと開放感に浸り、意気揚々と大ピラミッドから引き揚げ、数百メートル南西にあるカフラー王のピラミッドに向かった。

クフ、カフラー、メンカウラー、あるいはケオプス、ケフラン、ミケリノス。エジプト風の名前で呼ばれようと、あるいはギリシア風の名前で呼ばれようと、第四王朝（紀元前二五七五年〜前二四六七年）の三人のファラオたちが、ギザのピラミッドの建設者であることは事実とされている。

これは、ギリシアの歴史家ヘロドトスが古代エジプトの旅行案内書に、大ピラミッドはクフ王によって建設されたという解説を載せて以来のことだ。ヘロドトスはこの件について、現存する最古のピラミッドに関する文献のなかで、以下のように報告している。

ケオプス王は五〇年間統治したと言われている。ケオプス王が崩御した後、兄弟のケフランが王となった。ケフランもピラミッドを造った。・・・それはケオプスのピラミッドよりも一二メートルほど低かった。だが、それ以外は同じような大きさのピラミッドだった。ケフラン王は五六年間国を統治した・・・その後はケオプス王の息子ミケリノスが王位を継承した・・・ミケリノス王は父親よりも小さなピラミッドを残した。[1]

ヘロドトスがピラミッドを見たのは紀元前五世紀のことで、建設されてから二〇〇〇年以上経過していたことになる。このヘロドトスの証言が基礎となって、その後の歴史的判断が下されている面が強い。ほとんどの人は、現在でも疑問もはさまずギリシアの歴史家の記述を受け入れている。単なる風聞に過ぎなかったこの説だが、現在にいたっては、大ピラミッドはクフ王、第二ピラミッドはカフラー王、第三ピラミッドはメンカウラー王が建てたということは、議論の余地もない事実だとされている。

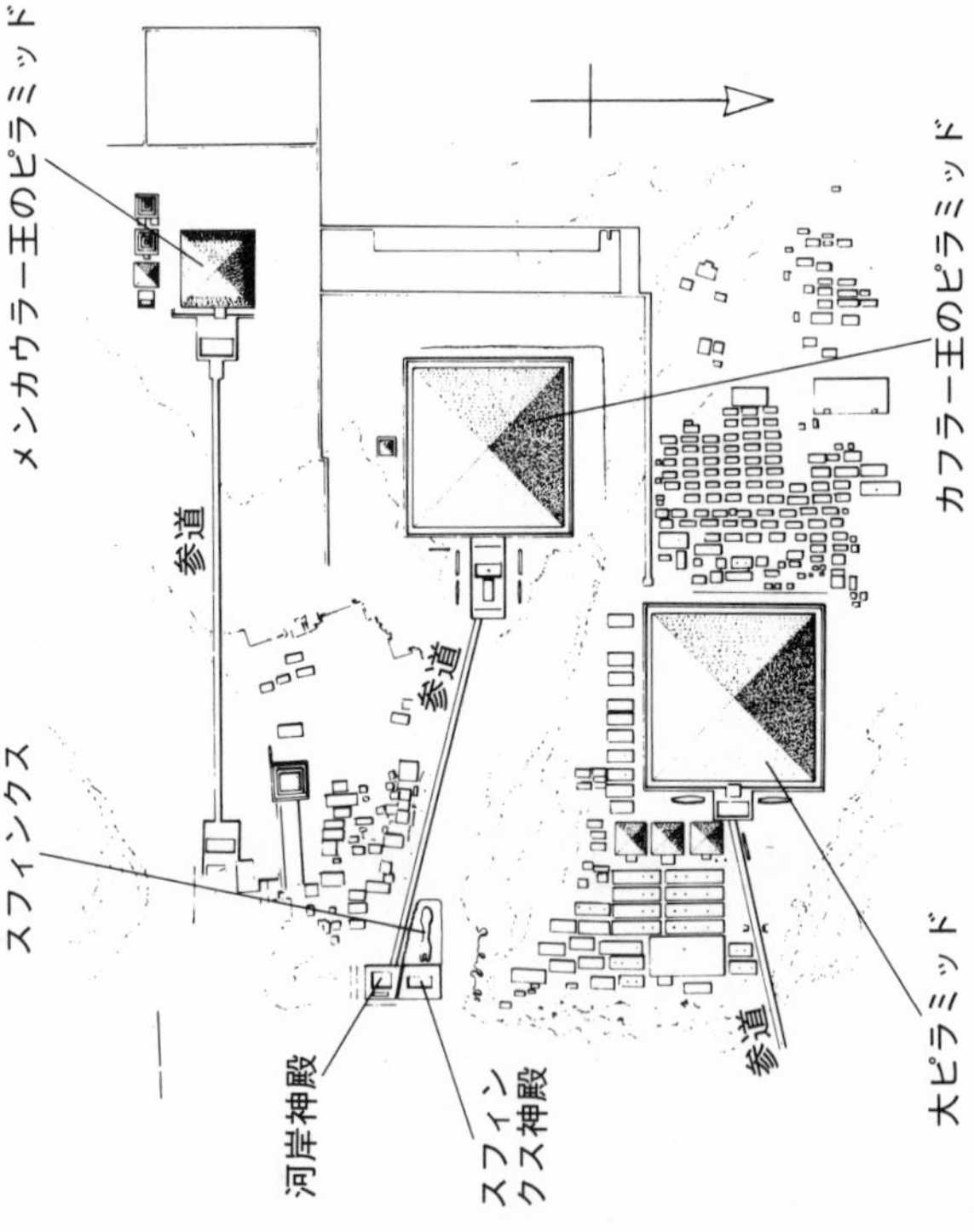

ギザ・ネクロポリスの配置

骨抜きになった謎

アリと別れて、サンサと私は砂漠のなかを歩き続けた。第二ピラミッドの南西の角を回りながら、頂上を見上げた。頂上近くの二二段目には現在でも化粧石が残っているのが見える。また土台から数段はそれぞれ数エーカーの「床面積」を持つが、巨大な石灰岩で造られており、高くて登れそうもなかった。ひとつの石の長さが六メートル、厚さが一・八メートルもある。後で知ったのだが、この巨大な一枚岩は二〇〇トンの重さがあり、独特な石工技術で成形されており、ギザ一帯の様々な場所から運ばれたものらしい。

第二ピラミッドは基盤岩を切り取って造られた平らな台の上に建てられており、北側と西側は塹壕のようになっている。その深いところは四メートルもある。第二ピラミッドの西面に沿って塹壕の脇を南に歩くと、かなり小さな第三ピラミッドが四〇〇メートルほど先の砂漠の中に見える。

クフ・・・カフラー・・・メンカウラー・・・。正統派のエジプト学者によると、ピラミッドは三人のファラオたちの墓として建てられたという。そして、それ以上の目的はないというのが定説になっている。だが、そのように断定してしまうと、説明できないことが多く残されてしまう。たとえば、一八一八年にヨーロッパの探検家ジョバンニ・ベルツォーニによってカフラー王のピラミッド内部の広い玄室が発見されたが、中は空っぽだった。単に空だっただけでなく、玄室はがらんとしており、簡素だった。磨かれた花崗岩の石棺が床にはめ込まれていたが、その中も空だった。蓋は二つに割られて、そばに落ちていた。(2) これをどう説明するのだ?

エジプト学者の答えは明白だ。昔、それもカフラー王が死んでから何百年も経過していないころ、

墓泥棒が玄室まで到達し、ファラオのミイラを含むすべての品物を運び去ったという。さらに、現在、サンサと二人で歩いて向かっている、メンカウラー王が造ったことになっている小さな第三ピラミッドにも似たようなことが起こったと言うのだ。このピラミッドの内部に最初に踏み込んだヨーロッパ人は、イギリスのハワード・バイス大佐だ。大佐は一八三七年に墓所を発見した。バイスが見つけたのは空の玄武岩でできた石棺と人間の形をした木製の蓋といくつかの骨だった。当然、それらはメンカウラー王の遺物だと思われた。だが近代科学を駆使して分析を行なったところ、骨も蓋も初期のキリスト時代のものだと判明した。つまり、ピラミッド時代からは二五〇〇年も後のことで、後期の人間が後から侵入して埋葬したわけだ(古代エジプト史ではよくある)。玄武岩で造られた石棺はメンカウラー王のものであったかもしれない。だが、残念なことにその石棺を誰も調査することができなかった。バイスが船でイギリスに送ろうとしたが、スペイン沖で船が沈没してしまったのだ。[3] 結局、バイスによって空の石棺が発見されたため、王のミイラも墓泥棒によって持ち去られたのだろう、ということになった。

クフ王の遺体もなかったが、似たような推測がされている。学者たちの一致した見解は、大英博物館のジョージ・ハートの言葉によく表われている。「クフ王の埋葬が行なわれてから五〇〇年も経たないうちに、墓泥棒が大ピラミッドの中に侵入して宝物を奪ったに違いない」[4]。この見解では、侵入は紀元前二〇〇〇年頃だったことになる。クフ王が亡くなったのは紀元前二五二八年とされているからだ。[5] さらに、この分野の権威I・E・S・エドワーズ教授によると、埋蔵されていた宝物は、王の間から持ち出されたという。また、王の間の西側にある玄武岩でできた石棺には「王の遺

体が納められていた。たぶん木の棺がさらにその中に納められていたのだろう」という。[6]
これが正統派で、かつ主流派の近代エジプト学者の意見であり、歴史的事実として疑いも持たれず、いたるところの大学で教えられている事柄だ。[7]
だがこれが事実でないとしたら、どうだろうか？

そこには何もなかった

クフ王のミイラが見つからなかったという謎にまつわる話は、九世紀のカイロのイスラム教徒総督カリフ・アル・マムーンの記録から始まる。マムーン総督は石工職人のチームを率い、宝を発見すれば分けてやると約束して士気を高め、ピラミッド北面にトンネルを掘り始めた。幸運な出来事が重なり、現在考古学者が呼ぶところの「マムーンの穴」はピラミッド内部の通路の一つに到達した。それは「下がり通路」であり、閉ざされた北面の入り口から降りていた（古代では入り口の存在は知られていたが、マムーンの時代には忘れ去られていた）。作業中、破城槌と削岩機の起こす振動により、下がり通路の天井の一部が落ちるという幸運があった。そこを調べたところ、ピラミッド内部に入る登り通路があることが分かった。

だが、問題もあった。この開口部がいくつかの巨大な硬い玄武岩で塞がれていたのだ。これらの岩は明らかにピラミッドが建設されたときに、一緒に通路に詰め込まれたものだ。下がり通路のもっとも低い位置にある出口が狭まっているため、ここで玄武岩は固定されていた。[8] 石工たちは、この岩を砕くことも切ることもできなかった。そこで通路の周りを囲む比較的柔らかい石灰岩にトン

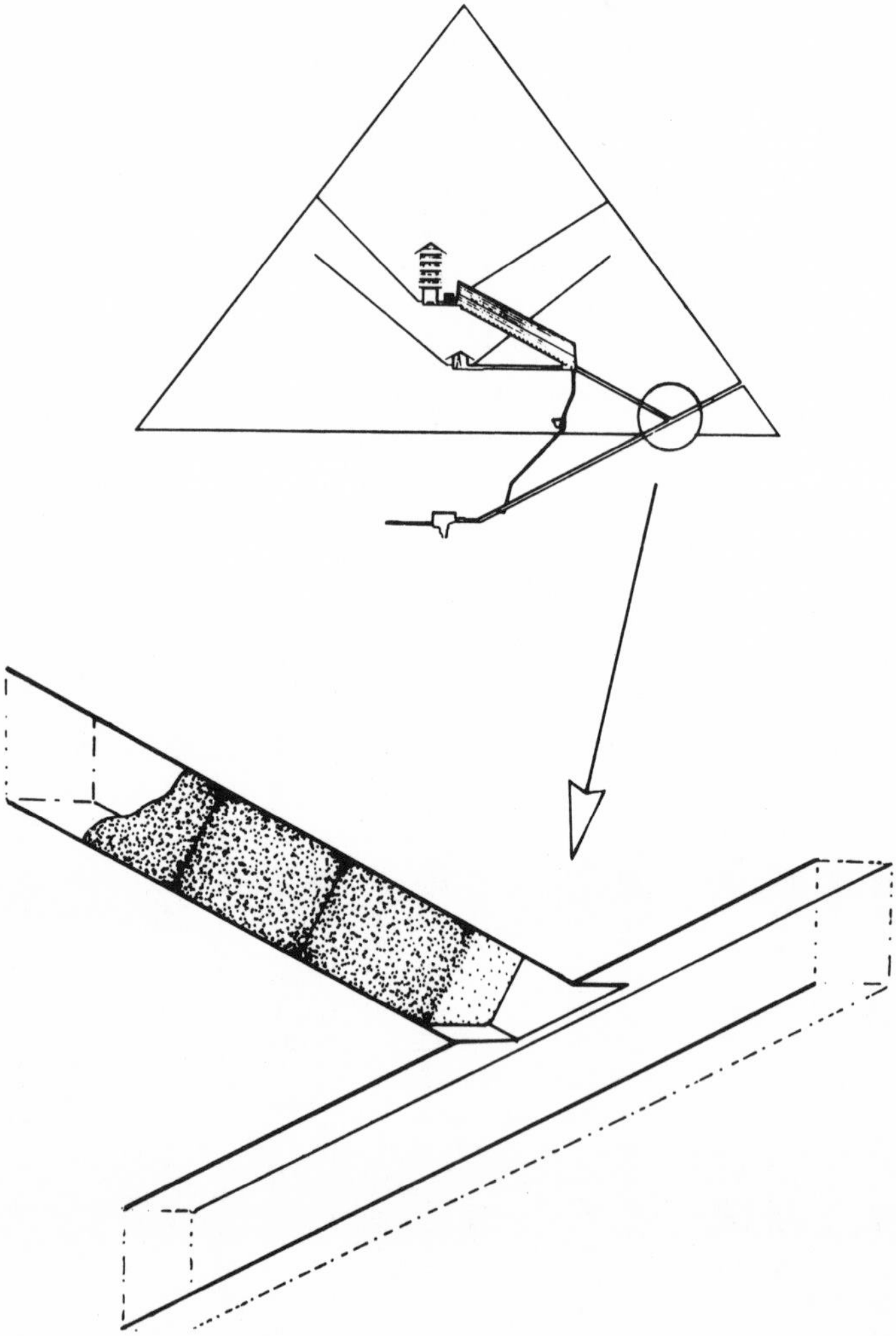

大ピラミッド　登り通路をふさいでいる栓と入り口

ネルを掘り、通路の上部に道をつけることにした。数週間の難工事の後、通路の上部に道ができた。巨大な障壁を避けることのできるバイパスが初めて造られ、ついに前進することができるようになったのだ。

これが何を示唆しているかは明らかだった。盗掘者たちがいまだにここまで達していないので、ピラミッド内部はまだ処女地に違いないということだ。石工たちは唇を舐め、巨大な黄金と宝石を手にすることを期待しただろう。同じようにマムーン総督も最初に部屋に飛び込みたいと思っていたが、理由は違った。記録によると、マムーン総督がこの調査を行なった動機は、すでに豊かだった個人の富を増やすことではなかった。マムーン総督はこの遺跡の中に、太古の文明の持っていた知恵と技術の倉庫が埋もれていると信じていたのだ。古くからの伝承によると、ピラミッドの建設者はこの倉庫に「鉄製品や錆びることのない武器、曲げることのできる割れないガラス、不思議な呪文・・・」を納めたという。(9)

だが、マムーン総督も部下たちもなにも発見できなかった。世俗的な宝物もなかったし、ハイテク機器も時代を間違えたようなビニール素材の製品も、鉄製品や錆びない武器も・・・不思議な呪文も見あたらなかった。

女王の間という、誤解を招くような名前がつけられた部屋(登り通路から分岐している水平の通路に入るとその端にある)もまったく空で、地味な幾何学的なデザインの部屋にすぎない。(10)

さらに失望をもたらしたのは王の間で(アラブ人たちは堂々とした大回廊をよじのぼって到達した)、興味深いものはなにもなかった。そこにあった家具と言えば玄武岩でできた人間の身体が入る

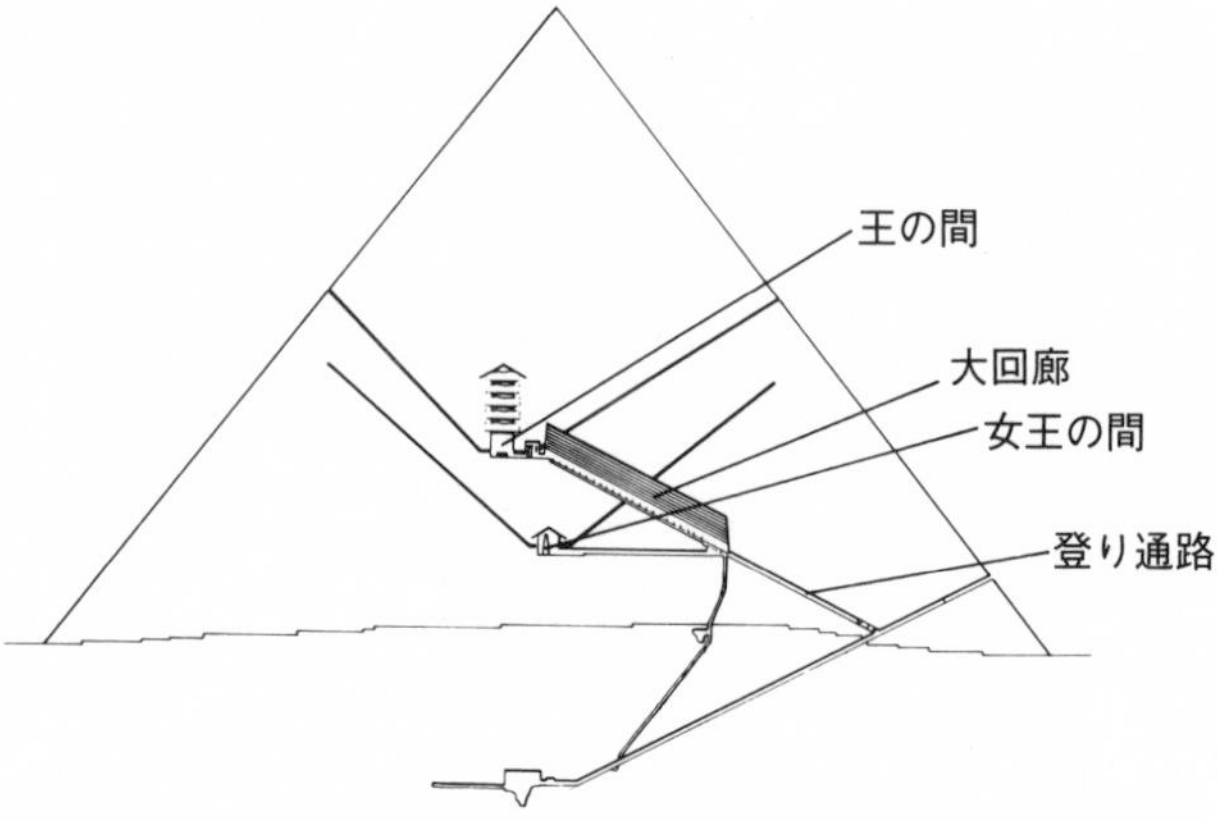

大ピラミッド　通路、通気孔、部屋の詳細

大きさの石棺だけだった。たいした理由もなく「石棺」と呼ばれるようになったこの殺風景な石の箱は、近づいたマムーン総督とその部下たちを狼狽させた。大ピラミッド内部の他のものと同じように、蓋もなければ中も空っぽだったからだ。[11]

大ピラミッドの埋蔵物は正確にはいつ、どのようにして失なわれたのか？　エジプト学者が言うように、クフ王の死後五〇〇年後か？　最近発見された様々な証拠が語るように、ピラミッドの内部は、ピラミッドが密閉された最初の時から空であった可能性が強いのではないだろうか？　マムーン総督とその部下よりも前に、登り通路の上部に到達した者はいなかったようだ。また登り通路の入り口を閉ざしている玄武岩の栓を取り除いた者がいないのもはっきりしている。

したがって常識から考えれば、彼らよりも前の時代に侵入者が存在した可能性はなくなる。もちろん別の入り口がなければの話だが・・・。

秘密の縦坑

別の入り口はあった。

下がり通路を、塞がれた登り通路入り口が見つかった地点からさらに六〇メートル下った場所に、入り口が密閉された秘密の縦坑が発見された。この縦坑はギザ台地の基盤の地中深くまで入り込んでいる。この縦坑は、塞がれていた登り通路の上に通じているので、マムーン総督がこの縦坑を発見していれば、ずいぶん楽だったはずだ。だが総督の関心はいかに登り通路の入り口を塞ぐ障害物に対処するかに注がれており、下がり通路の先は調査しなかった（そのかわり、ピラミッドを掘ってでてきた石をほうり込む場所として使用した）[12]。

だが、下がり通路の先は昔に調べられており、どうなっているかはよく知られていた。ギリシア・ローマの地理学者ストラボは地下の大きな部屋について、明快な説明を残している（ピラミッドの頂上からは一八〇メートルも下に位置する）[13]。この地下の部屋にはローマ軍がエジプトを占領したころの落書きなども残っており、昔は頻繁に人々が訪れていたのは明らかである。だが、西面から下がる通路の三分の二ほどのところにあった秘密の入り口は巧妙に隠され、一九世紀になるまで閉ざされたまま発見されなかった[14]。

そこの出入り口は狭い井戸のような縦坑につながっている。縦坑の全長は四九メートルほどだ。基盤の中をほぼ縦に貫き、大ピラミッド内部の石灰石を二〇段ほど通り抜け、大回廊の手前のところで主要な通路とつながっている。この奇妙な縦坑がなにを目的としたものかは、わかっていない

（何人かの学者が大胆な推測をしている）[15]。だがはっきりしているのは、この縦坑が造られたのはピラミッドを建設したときであり、墓泥棒が侵入したためにできたのではないことだ[16]。だが、墓泥棒がこの隠された通路を発見して、王の間や女王の間から宝物を盗み出したのではないか、という疑問は残る。

そのような可能性も否定はできない。だが、残された記録を見ると、まずありそうもないことがわかる。

たとえば、大回廊の手前にある井戸のような縦坑には、オックスフォードの天文学者ジョン・グリーブズが一六三八年に入っているが、一八メートルほど下がることができた。また一七六五年には別の英国人ナサニエル・デービソンが四五メートルの深さまで降りたが、砂と石に塞がれて、その先に進めなかった。その後、一八三〇年代になって、イタリア人の冒険家、カビリア大尉が同じ深さまで降り、同じ問題にぶつかった。先駆者たちよりも野心があったカビリア大尉は、アラブ人の労働者を雇って、瓦礫を掘ってみた。その下に何か興味深いものがあるかもしれないと思ったのだ。閉所恐怖症になりそうな場所で数日間掘ったところ、下に降りる縦坑が発見された[17]。

このように窮屈で障害物で塞がれた縦坑から、第四王朝のもっとも偉大なファラオであったクフ王の宝物が運び出される可能性があるだろうか？

縦坑が瓦礫で埋まっておらず、下の出入り口も閉ざされていなかったとしても、典型的な王墓の豊かな財宝はそのごく一部しか運び出すことができないだろう。なぜなら井戸のような縦坑の直径は九一センチしかなく、垂直になった危険な場所も数か所あるからだ。

したがって、マムーン総督とその部下が八二〇年に王の間に侵入したとき、王墓のずっしりとした大きな宝物が残されていると期待していたのも無理はない。それだけでなく、後期のもので、クフ王のものよりも劣るとされていたツタンカーメンの墓からは、多くの像や聖物が発見されたのだ。[18]だがクフ王のピラミッドからは何も発見されなかった。カフラー王のピラミッドからも何も発見されていないが、そうなると、ここはエジプトの歴史上、墓泥棒が何の痕跡も犯行現場に残さなかったという、エジプトの歴史においてはあり得ないような例だということになる。破れた布もなければ、壊れた陶器もなく、不要だと判断して残したものもなく、見逃した宝石類もない。あるのはむき出しの床と壁と、蓋もされずに口を開けている空っぽの石棺だけだ。

他の墓とは違う

朝の六時を過ぎた。太陽はクフ王とカフラー王のピラミッドの頂上に光を注ぎ、淡いピンク色に染めている。メンカウラー王のピラミッドは他の二つよりも六〇メートル以上も低いので、サンサと私が北西の角を通って周りのうねる砂丘のなかを歩いているときも、まだ陰に隠れていた。

「墓泥棒」説について、まだ考えていた。墓泥棒説を支えているのは、ミイラや埋葬品がなかったという事実だけだ。だがそれも、かつて財宝が埋蔵されていたと勝手に想像しているに過ぎない。他のすべての証拠、とくに大ピラミッドの場合は、盗掘がなかったことを示している。それは単に、井戸のような縦坑があまりにも狭く、大きな宝物を運ぶのに適していなかったことだけではない。クフ王のピラミッドのもう一つの重要な点は、大ネットワークを形成している大回廊にも通路にも

部屋にも、碑文や装飾がまったくないことだ。同じことは、カフラー王やメンカウラー王のピラミッドに関してもいえる。これらの驚くべき建造物には、この中に眠るはずのファラオを賛えるような言葉が一つも書かれていないのだ。

これは珍しいことだ。エジプトの王墓で、装飾が施されていない墓はこれまでに見つかったことがない。エジプトの歴史を通じて、ファラオの墓は徹底的に装飾され、上から下まで美しく塗装されている(たとえばルクソールの王家の谷がそうだ)。また壁には死者が永遠の命を得る旅に必要な、儀式の言葉や神への祈りが綿密に彫刻されている(ギザから六〇キロ離れたところにある、第五王朝のサッカラのピラミッドが良い例)[19]。

なぜクフとカフラーとメンカウラーの「墓」だけが例外なのか? これらの遺跡は墓ではなかったのか? 別の特別な目的があったのか? あるいはいくつかのアラブの深遠な伝承が伝えるように、ギザのピラミッドは第四王朝よりも遙か昔に建設されたのだろうか? もっと前のより高度に発達した文明の建築者によって造られたのだろうか?

どの仮説も、エジプト学者には人気がないが、その理由は理解できる。また、第二ピラミッドと第三ピラミッドの内部には、なにも書かれておらず、カフラーとメンカウラーという名前も見つからないが、学者たちは大ピラミッドの内部で、象形文字の「石工マーク」(石切り場を離れる前に記された落書き)を発見しており、そこにはクフと書かれているようなのだ。

怪しげな証拠

石工マークを発見したのはハワード・バイス大佐だった。それは、一八三七年にギザにおいて強引な発掘を行なった時だった。大佐はすでに存在していた狭い穴を広げて、連続する四つの狭い空洞までトンネルを掘った。ここは「重量軽減の間」と呼ばれており、王の間のすぐ上にある。石工マークはこの上部四つの空洞の壁と天井に書かれていた。内容は次のとおりだ。

石工ガング：クム・クフの白い王冠の力は強大だ。
クフ
クフ
クム・クフ
一七年(20)

大変都合が良かった。莫大な費用を使った実りのない発掘も終わろうとしていたその頃、それまでに使い果たしてきた費用を正当化する必要があった。そのためには考古学的な大発見が必要だった。そんなとき、偶然、バイスは一〇年に一つの大発見をした。大ピラミッドの建設者が、クフ王であるという揺るぎない証拠を見つけたのだ。

このような発見があれば、この謎の多い建造物が建設された目的や、誰が建設者か、という長く未解決のまま残されてきた疑問にもすぐに答が与えられると思うだろう。だが疑問は残った。なぜ

なら、最初からバイスの見つけた証拠は「怪しげ」だったからだ。

❶奇妙なことに、後にも先にも大ピラミッド内部で「クフ」という名前が発見されたのはこの時だけである。(21)

❷奇妙なことに、発見された場所はこの巨大な建造物の中でも人目につかない、辺鄙《へんぴ》な場所だった。

❸奇妙なことに、あらゆる種類の碑文がまったく存在しない建造物で、これらの落書きだけが発見されている。

❹非常に奇妙なことに、五つある「重量軽減の間」の、上部四部屋でのみ発見されている。したがって、問題意識の旺盛な人ならば、五つの「重量軽減の間」の一番下の部屋をバイス大佐が発見していたら（ナサニエル・デービソンがその七〇年前に発見していたのではなく・・・）、ここの天井や壁にも石工マークがあったのではないか、と当然考えるだろう。(22)

❺奇妙なことに、石工マークの象形文字のいくつかが逆さまに塗装されており、そのいくつかは判読不可能で、別のものは誤字だったり、文法的に間違っていた。(23)

バイスは詐欺師なのか？

バイスが証拠を捏造《ねつぞう》したという話がある。(24)最終的にバイスが石工マークを偽造したという証拠をあげるのは難しいかもしれないが、それにしても、エジプト学者たちが、石工マークに疑問も持た

ずにその信憑性《しんぴょう》を認めたのはうかつだった。とくに、出所のしっかりした別の象形文字の碑文に、クフ王は大ピラミッドを建設することができなかった、と書かれていることを考えれば、なおさらである。奇妙なことにバイスの石工マークの重要性を強調するエジプト学者たちは、石工の落書きと矛盾する事柄を伝える象形文字の碑文があっても、その重要性を認めようとしない。カイロ博物館に立てかけられている長方形の石灰岩の石碑に、その碑文は刻まれている。(25)

「インベントリー石碑」と呼ばれるこの石碑は、一九世紀のフランス人考古学者オーギュスト・マリエットがギザで発見したものだ。この石碑に書かれていることは衝撃的だった。スフィンクスも大ピラミッドも、クフ王が王位につく遥か昔から存在していたということがはっきりと書かれていたのだ(いくつかの他の遺跡も同じ)。碑文は女神イシスにも触れており、イシスのことを「ピラミッドの女王」と呼んでいる。つまり、ピラミッドは魔術の女神イシスに捧げられたもので、クフ王ではないということになる。さらにクフ王の墓は大ピラミッドではなく、その東側の脇にある三つの補助的建造物の一つがそうだと強く示唆している。(26)

これは、正統派学者がまとめた古代エジプト年代史にとっては衝撃を与える証拠のように思える。またギザのピラミッド群は王墓であり、王墓でしかない、という正統派の一致した意見にも疑問を投げかけている。だが正統派学者は、重大な事柄が記されている「インベントリー石碑」の調査をせず、歴史的価値の低いものとして片づける道を選んでいる。影響力の強い米国の学者ジェームズ・ヘンリー・ブレステッドは「もしもこの石碑がクフ王の時代に書かれたものだったら、これはきわめて重要な意味を持つものに違いない。だが、綴りから見て、もっと後に書かれたものであること

は明白だ・・・」と述べている。[27]

ブレステッドは、碑文にある象形文字の書き方から言って、第四王朝に刻まれたものではなく、もっと最近のものだという。この見解とそれから導かれる結論に、現在もすべてのエジプト学者が同意している。つまり石碑は第二一王朝の時に造られたものであり（クフ王の統治から一五〇〇年後）、したがって石碑に記された内容は単なる歴史的空想に過ぎないというのだ。[28]

象形文字の書かれ方という証拠だけで、学界全体が「インベントリー石碑」の示唆する衝撃的内容を無視している。この石碑が第四王朝に書かれた碑文を原典としている可能性があることすら、まったく考慮していない（新英訳聖書が古い原典を元に書かれているように・・・）。だが、そのまったく同じ学者たちが、怪しげな「石工マーク」には異議も唱えずにその正統性を認め、象形文字の書き方やその他のおかしな点に関しては、眼をつぶっている。

なぜこのような二重の基準があるのだ？　「石工マーク」のもたらす情報は、大ピラミッドがクフ王の墓だという正統派の意見に一致しており、「インベントリー石碑」のもたらす情報は、正統派学者たちの意見と矛盾するからか？

全体像

朝の七時にサンサと私は、ギザのピラミッドの南西にある砂漠の奥に入り込み、巨大な砂丘の下に心地好い気分で座っていた。ここからは何もさえぎるものがなく、遺跡全体のパノラマ風景が眺められた。

この日は三月一六日だった。もうすぐ春分の日がやってくる。この日は世界のどこにいようと、太陽は真東から昇ってくるが、このような日は一年に二回しかない。巨大なメトロノームの振り子のように一日の時を刻む太陽は、真東よりもわずかに南の位置から、地平線を真二つに割って昇ってきたが、すでに高く昇り、カイロ市街を覆っていたナイルのもやを消滅させていた。

クフ、カフラー、メンカウラー・・・ケオプス、ケフラン、ミケリノス。エジプト名で呼ぼうと、ギリシア名で呼ぼうと、この三人の有名な第四王朝のファラオたちは、世界でもっとも華麗な、もっとも名誉ある、もっとも美しい、もっとも巨大な建造物に結び付けられ、祝福されてきた。彼らがこの建造物と密接な関係にあったことは間違いない。それはヘロドトスの伝えた伝承（ある程度の裏付けもあるに違いない）からだけでなく、クフ、カフラー、メンカウラーという名前が、三つの主要ピラミッドの外側のギザ台地の各所で発見されていることからもわかる。とくにこの三人の名前が多く見つかるのは、大ピラミッドの東側の三つの補助的ピラミッドと、メンカウラー王のピラミッドの南にある三つの補助的ピラミッドにおいてだ。

補助的ピラミッドで発見された証拠は、あいまいで不確かなものが多く、なぜ多くのエジプト学者が、三つの偉大なピラミッドが「王墓で、墓に過ぎない」という推論で満足できるのか理解に苦しむ。

問題は、これらの証拠は、数多くのまったく正反対の解釈の根拠ともなりうることだ。一つだけ例を挙げてみよう。三つの偉大なピラミッドは第四王朝のファラオたちが自分の墓として造ったという。だが、このギザ台地の巨大な遺跡は、エジプト文明という歴史的文明が始まる前から建って

おり、後からやってきたクフ、カフラー、メンカウラーの三人が、補助的建造物を古いピラミッドの周りに建設したとも見ることができる。ファラオたちがこのようなことをする理由はいくらでもある。オリジナルの巨大な遺跡の高い名声の恩恵を受けることもできる（そうなると子孫たちが、彼らを大ピラミッドの建設者とみなすことになる）。

様々な別の可能性もある。だが、誰がいつ、どのピラミッドをなぜ建てたかという質問に対し、正統派学者の「これらは王墓で、墓でしかない」という独断的な答を与えるのはあまりにもお粗末である。本当のところ、誰がピラミッドを建設したのかはっきりしないし、どの時代に建設されたかもはっきりしないし、どのような機能を果たしていたかも、まったくわからない。

これらの理由により、偉大なピラミッドは、人を魅了する奥の深い謎めいた雰囲気に包まれているのだ。砂漠のなかからじっと見つめていると、ピラミッド群が砂丘を越えて迫ってくるように感じた。

第36章　変則性

ギザ地区の南西の砂漠から見る三つのピラミッドは荘厳だが、奇怪でもある。

メンカウラー王のピラミッドがここからすぐそばにあり、カフラー王とクフ王の建造物が北東に連なる。この二つのピラミッドは、ほぼ完璧に斜め方向に連なっている。カフラー王のピラミッドの南西の角と北東の角を結ぶ線を延長すると、大ピラミッドの南西の角と北東の角を結ぶ線になる。当然ながらこれは偶然ではないだろう。座っているところから見ると、この線を延長しても、第三ピラミッドには当たりもしないことがわかる。第三ピラミッド全体が、延長線の東側に大きくくずれているからだ。

エジプト学者たちは、この変則性を認めたがらない。なぜだろうか？　彼らから見るとギザの敷地に計画性などはなく、ピラミッドは王墓であり墓に過ぎないもので、三人のファラオのために七五年間の間に相次いで建設されたものだ。[1]それぞれのファラオは個性を記念碑を通して示したに過ぎないという。だから単にそういった意味で、メンカウラー王は「そっぽを向いているのだろう」

という。

だがエジプト学者たちは間違っていた。一九九三年の三月のその朝の時点では、私も彼らの間違いを知らなかった。だが現在は、研究が大きく進み、ギザ地区が全体計画にしたがって造られたということは、疑いようのない事実であることがわかっている。全体計画は三つのピラミッドの正確な位置だけでなく、ギザ地区から数キロ東にあるナイル河との位置関係まで考慮に入れたものだった。この巨大で野心的なレイアウトは、神秘的にも天空の星座をモデルにしている[2]。足元の地下を探ることにしか誇りを持っていないエジプト学者たちが気がつかなかったのも、当然のことかもしれない。後の章で解説するが、それぞれの建造物の寸法や方位などの厳密性は、この巨大なレイアウト全体でも実現されている。

恐ろしく巨大なもの・・・

エジプト共和国、ギザ地区　一九九三年三月一六日、朝八時

六五メートルをわずかに超える第三ピラミッドの高さは(土台の一辺の長さは一〇五メートル)、大ピラミッドの半分以下であり、質量は比較するとかなり小さい。それにもかかわらず、このピラミッドは驚くほど堂々としており、威厳を感じさせる。砂漠の陽光の中から、巨大な幾何学模様の影に入ったとき、イラクの作家アブドル・ラティフが一二世紀にこの建造物を訪れた時に残した言葉を思い出した。「他の二つのピラミッドと比べると小さく見える。だが、他の二つを見ないで近くでこのピラミッドだけを見ると、恐ろしく巨大に見えて、圧倒されてしまう・・・」[3]

下部の一六段にはまだ造られた当時から残る化粧石がついている。表面の石は赤い玄武岩だ(「極めて硬い。鉄の道具を使って長い時間かけても、傷をつけるのは難しい」とアブドル・ラティフは述べている)(4)。石のいくつかは非常に大きく、密接して取り付けられており、複雑に組み合わされたジクソーパズルのようだ。これらは遠く離れたペルーのクスコやマチュピチュやその他の巨石建築を思い起こさせる。

第三ピラミッドの入り口は通常どおり北面にあるが、地上からはかなり高い位置にある。ここから二六度二分の角度で、下降する通路が矢のように暗闇に突進している(5)。正確に北から南に向かうこの通路は、場所によっては長方形で非常に狭く、身体を二つに折らないと中に入れないほどだ。ピラミッド内部は、天井も壁もぴったりと隙間なく積まれた玄武岩の石で造られている。だがもっと驚いたのは、地中の相当深いところまで同じような形で石が組まれていたことだ。

入り口から二一メートルほど入ると、通路は水平な廊下になり直立することができるようになる。ここを進むと控えの小部屋にぶつかる。そこには彫刻された石板があり、壁には溝が掘られている。溝は落とし格子の石板を塡《は》めるためのもののようだ。部屋の隅まで行き、身体をかがめて別の廊下に出る。身体を二つに折って南に一二メートルほど進むと三つの墓室(もしも墓室だとしたらだが・・・)の最初の部屋に着く。

これらの沈黙が支配する陰気な部屋は、硬い地盤をくりぬいて造られている。最初の部屋は長方形で東西に横たわっている。長さ一二メートル、幅四・五メートル、高さ四・五メートルの部屋だ。天井は平らで内部は複雑な構造をしており、西の壁には大きな四角い穴が無秩序に開いている。そ

の先には暗い洞窟のような空間がある。床の中央にも開口部がある。そこから傾斜路が西方向に降りており、さらに地中深くへと続いている。傾斜路に入ったが道はすぐに終わった。水平の廊下に出て、右側の狭い入り口から小さな空の部屋に入った。壁には六つの小室がくり抜かれているが、まるで中世の修道士の寝室のようだ。小室は東側に四つ、北側に二つあった。エジプト学者の推測によると、これらの小室は、「棚・・・死んだ王が身近に置いておきたいものを置く場所」だろうという。(6)

この部屋から出ると再び右に曲がり水平な廊下に戻った。その先にはまたもや空の部屋がある。(7)そのデザインはエジプトのピラミッドのものとしてはユニークだ。長さ三・六メートル、幅二・四メートルのこの部屋は南北に横たわり、壁と、ひどく損傷した床は、特別に緻密に敷き詰められたチョコレート色の花崗岩からできている。光も音も吸い取ってしまいそうな岩だ。天井は、同じ花崗岩の巨大な板一八枚でできていた。九枚ずつの岩が互いに向かい合う切妻造りになっている。それらの岩の板は、下側からくぼんだ特徴のある形になっているため、天井は完璧な丸天井になっている。まるでロマネスク様式で造られた大聖堂の地下室のようだ。

下の部屋を離れ、傾斜路を登り、大きく平らな天井を持つ、岩をくりぬいて造った部屋に引き返した。この部屋の西壁に空いた隙間から、下の部屋の天井を構成している一八枚の石板が見えた。この位置から見ると、先の尖った切妻造りになっているのがよくわかる。だが、よくわからないのは、どのようにしてこの一八枚の板をここまで運んだかだ。しかも完璧に据え付けられている。一枚でも数トンの重さになるはずだ。非常に重たく、どのような環境にあっても取り扱いが難しいだ

ろう。だがここは地面の下であり、普通の場所ではない。難しい仕事をすることを好むかのように（あるいは彼らにとっては易しい仕事だったのかもしれないが）、ピラミッドの建造者たちは、地盤と天井の石板の間に、作業ができるような空間をほとんど設けていない。ここにできている空洞に潜って、地盤と天井の間隔を計測してみたところ、南端では六〇センチほどであり、北端では一〇センチほどしかなかった。このように狭い場所では石板が上から下ろされて現在の位置に据えられたという可能性はない。したがって、下の部屋の床から持ち上げられたことになるが、どのようにそれを行なったのか？　下の部屋は狭く、一度に数名しか働けない。人間の腕で石板を持ち上げるには、人数が少なすぎる。滑車はピラミッド建設当時には、存在していなかった(8)（存在していたとしても、滑車装置を組み立てる空間がない）。現代には伝わっていない挺子《てこ》のシステムがあったのだろうか？　それとも神官や魔術師が「呪文」をつぶやいて軽々と巨大な石を浮かせたという古代エジプトの伝承には、学者が考えているよりも信憑性があるのだろうか(9)？

ピラミッドの謎に直面するといつも感じるのは「不可能な」工学が使われていることだ。しかもそのレベルは驚くほど高度で精度も高い。さらに、エジプト学者の言うことが信じられるなら、これらの工事は文明の夜明け時代に行なわれたことになるが、その当時の人々は巨大な工事プロジェクトの経験を蓄積してはいなかったはずだ。

これは矛盾した話だ。しかも正統派の学者たちは、この矛盾をまったく説明できていない。

動く指が描き続ける

第三ピラミッドの中心にあって、怪獣レビヤタンの心臓が脈を打っているかのように感じられる地下の「墓室」を離れて、狭い入り口の通路を抜け、外の空気に触れた。

次の目標は第二ピラミッドだ。ピラミッドの西側を歩き（長さは二一四・五メートルほど）、右に曲がり北面にでた。南北を結ぶ線から一二メートル東側に、大きい方の入り口があった。もう一つの入り口は地上から地盤を直接掘って造られており、ピラミッドからは九メートルほど離れている。もう一つの入り口は北面の高さ一五メートルほどのところに口を開けている。この入り口からは二五度五五分の角度で通路が下へと続いている[10]。ピラミッドから離れた所にある方の入り口からピラミッドの中に入ると、地下深くまで傾斜する通路が続き、短い水平の通路になるとすぐに地下の部屋があった。そこを過ぎると通路は急勾配になり、再び真南に向かう水平な通路に出る（北面から降りてくる上部の通路とつながっている）。

この水平の通路は立って歩くことができ、最初は花崗岩だが、やがて滑らかに磨かれた石灰岩の通路になる。地面とほぼ同じ高さのこの通路は、ピラミッドの最下段の石のすぐ下を走っている。極端に長い通路で、六〇メートルほど一直線に歩くと、ピラミッドの中央部にある「墓室」に出る。

すでに述べたようにこの墓室ではミイラは発見されていないし、碑文もなかった。したがってカフラー王のピラミッドと呼ばれるこの建造物の建設者はまったくわかっていない。壁には後期の探検家たちが残した名前がある。たとえば、もとサーカスの芸人ジョバンニ・バティスタ・ベルツォーニ（一七七八年～一八二三年）は一八一八年にこの遺跡に力ずくで入り込んだ。ベルツォーニが

黒いペイントで書いた巨大で派手な署名は、部屋の南側に残っているが、これは人間の本性を思い出させるものだ・・・だれでも認められたいし、記憶されたいのだ。カフラー王自身も例外ではなかったことは明らかだ。ピラミッド周辺の墓地からカフラー王に関連するものが出てきている（肖像なども）[11]。もしもカフラー王が王墓としてこのピラミッドを建設したならば、建物の内部に自分の名前を残さないだろうか。なぜエジプト学者たちは、周りの墓がカフラー王の手によるもので、第二ピラミッドは別の人々が建築した、と考えられないのかが不思議である。

だが、別の人々とは誰か？

これが最大の難題であり、建設者の名前が残されていないことではない。クフ、カフラー、メンカウラーの前のファラオに、ピラミッドを建てた人物の候補者はいない。第四王朝の最初のファラオでクフの父親スネフルは、ダハシュールにある「屈折」ピラミッドと「赤い」ピラミッドと呼ばれるピラミッドを建築したと言われているが、謎は多く残されている（ダハシュールはギザの南四八キロの場所）。もしもピラミッドが王墓なら、なぜ二つも必要なのだ？ エジプト学者の中には、スネフル王はメイドゥムにある「崩れ」ピラミッドも造ったという見方もある（だが多くの専門家は第三王朝最後のファラオであったフニ王の墓だという）[12]。古王国時代のピラミッド建設者といえば、他には第三王朝の二番目の王ジョセルしかいない。この王はサッカラの「階段」ピラミッドを造ったと言われている[13]。ジョセル王の後継者セケムケトもサッカラにピラミッドを造っている。したがって碑文がなくとも、ギザにあるピラミッドは、クフ、カフラー、メンカウラーのもので、墓であるはずだというわけだ。

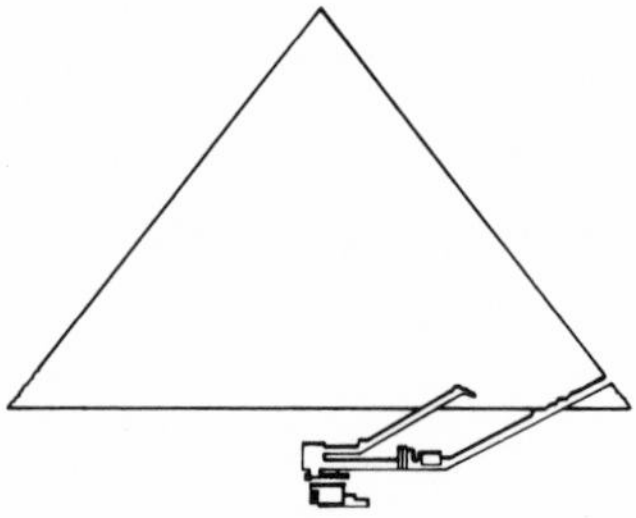

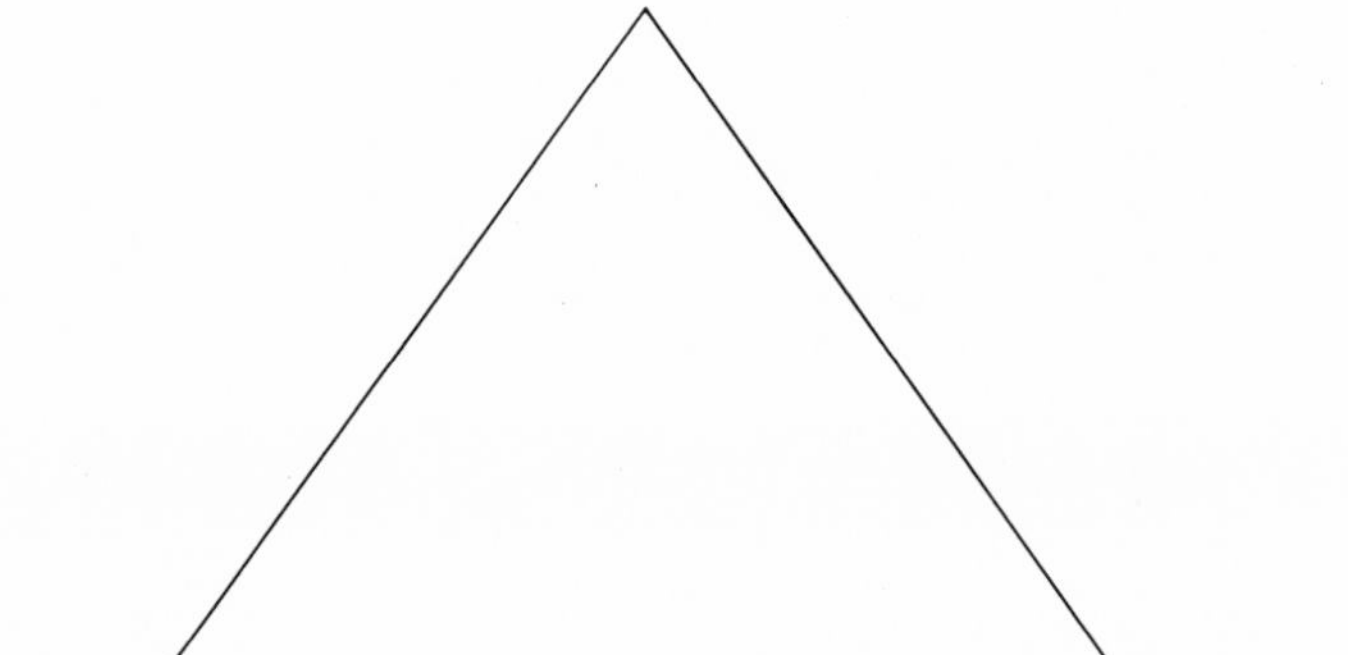

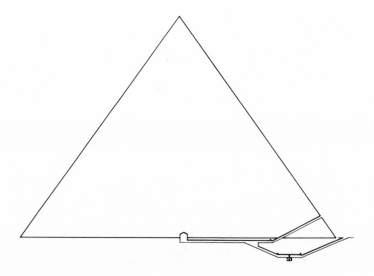

上：メンカウラー王のピラミッドの部屋と通路
下：カフラー王のピラミッドの部屋と通路

ここではこれ以上、「ピラミッドは王墓であり、墓でしかない」という説の欠点を指摘しない。だがこの推論は、単にギザのピラミッド群だけに留まらず、前に述べた第三と第四王朝に造られたというすべてのピラミッドの件に関しても多くの矛盾がある。それらの遺跡からはファラオの遺体が発見されたこともなければ、王墓であったという証拠も出ていない。[14] メイドゥムにある「崩れ」ピラミッドでは石棺すら見つかっていない。サッカラにあるセケムケト王のピラミッドでは石棺が見つかっているが(一九五四年にエジプト考古学庁が初めて中に入った)、この石棺は封印されており、明らかに「墓」に入れられてからそのまま保存されていた。[15] 墓泥棒は玄室に入る道を見つけられなかったわけだが、石棺を開けてみたら、中は空だった。[16]

これらのことをどう説明するのだろうか。ギザ、ダハシュール、メイドゥム、サッカラのピラミッドを造るために二五〇〇万トンもの石が積まれている。その目的は空っぽの玄室に空っぽの石棺を納めることだったのか？　一人や二人の誇大妄想狂のファラオがいたという仮説は考えられる。だがこの時代のすべてのファラオたちがこのような無駄なことに賛同したわけがない。

パンドラの箱

五〇〇万トンの石が積まれたギザの第二ピラミッドの下で、サンサと私は広い玄室の中に入った。ここは墓室であったのかもしれないが、まだ判明していない別の目的に使われていたのかもしれない。東西が一四メートル、南北が幅五メートルのこのがらんどうの清潔な部屋は、巨大で頑丈な切妻造りの天井を持つ。高さは一番高いところで一〇メートルもある。切妻造りの天井を構成してい

る石板はそれぞれ巨大な二〇トンの石灰岩でできた一枚岩だ。この石板の角度は五三度七分二八秒であり、ピラミッド本体の斜面の角度とまったく同じだ。[17] この天井の上に「重量軽減の間」は存在しない(大ピラミッドの王の間の上にはある)。四〇〇〇年か、おそらくそれ以上の長い年月のあいだ、この切妻造りの天井は、世界第二の石の建造物の重量を支えてきたのだ。

部屋の中をゆっくりと見渡してみた。壁は黄色がかった白色に輝いている。基盤の岩を切り出して造った壁は、滑らかな仕上げがされているかと思うと、そうではなく、はっきりとわかるほど表面は粗く不規則だ。床もまた変わっている。東側と西側では三〇センチほど高さが違う。カフラーの石棺と思われた石の箱は、西の壁際の床に埋めこまれていた。長さ一メートル八〇センチほどのこの箱は非常に浅く、幅も狭く、高貴なファラオのミイラを入れるには狭すぎるようだ。赤い花崗岩でできたこの箱の高さは膝くらいまでしかない。

暗い室内を見つめていると、別の次元に通じる扉が口を開けているように思えた。

第37章　神によって造られた

大ピラミッドに登ったのは、その前の晩のことだった。だがその日、太陽が輝く真昼間に大ピラミッドに近づいてみても、勝利の感慨はまったく湧かなかった。逆に、ピラミッドの土台の前に立つと、自分が永遠にそびえる壮麗な大建造物に立ち向かうちっぽけなハエのような気がしてきた。この建物は、永遠の昔からそこに存在していたのではないか、と思われた。ギリシアの歴史家ディオドラス・シクルスは、この建造物について、「神によって造られ、形を与えられ、砂にとり囲まれて立っている」と、紀元前一世紀に述べている(1)。だが、エジプトの人々が長いあいだピラミッドに結びつけていた神のような王クフでなければ、どんな神が造ったのだ？

半日もたたないうちにまたもやこの歴史的建造物に登りはじめた。光の中で見ると、目前にそびえる岩山は威圧的で恐ろしく見えた。人間が考える年代などには無関心で、影響を及ぼすことができるのは地質学的な時間の経過による浸食だけのようだ。だが幸運なことに、今回は六段しか登らないですんだ。近代的な階段を登ると「マムーンの穴」につく。今ではここがピラミッドに入る主

要な入り口になっている。

本当の入り口は九世紀にマムーンが発掘を行なった頃には見つかっていなかったのだが、さらに一〇段ほど上にある。地上からは一六メートル以上の高さで、南北の主軸から七メートルほど東に位置する。巨大な石灰岩の切妻造りで保護されたこの入り口からは下りの通路が続いていた。坂道の角度は二六度三一分二三秒だ。奇妙なことにこの通路の大きさは一・〇四メートル×一・一八メートルしかないのに、天井の石は厚さが二・五九メートルで幅が三・六五メートルあり、床の石（ベースメント・シートと呼ばれる）は、厚さが〇・七六メートルで幅が一〇メートルもある。(2)

このような奇妙な構造は大ピラミッドのいたるところで見受けられる。信じがたいほど複雑であると同時に、明らかに意味不明である。このような巨大な石がどのように据え付けられたかは、誰もわからない。また、どのようにして他の石との間に組み込むことができたのかもわからない。またどのように正確な角度を保つことができたのかもわからない（下りの通路の勾配はかならず二六度であることに読者の方も気づかれたことだろう）。何の目的でこのようなことがされたのかも、誰にもわかっていない。

不滅の「のろし」

「マムーンの穴」からピラミッドに入るのは不自然だ。洞窟に山の横穴から入っていくようなものだ。本物の下り通路に感じられるような、熟慮された幾何学的な美しさや、意図的な目的が感じられない。さらに悪いことに、中に向かう暗くて不吉な水平のトンネルは醜く、不格好であり、い

まだに壁につけられた傷の跡が残っている。マムーンの部下のアラブの職人たちが、石を熱してから冷やし、猛烈な熱と冷たい酢剤を使い、ハンマーとノミとキリと破城槌を使ってピラミッドを破壊した跡だ。

このような乱暴な行為は、ある面で粗野で無責任だ。だが別の面からも考慮すべきことがある。それはピラミッドの設計自体に、知的で好奇心の旺盛な人々を誘い、謎を解くように仕向けている面があることだ。もしもあなたがファラオで、遺体を損傷されることなく永遠に残したいと思ったら、同時代やその後の時代の人々に王墓がどこであるかを宣伝するだろうか？　それとも誰も知らない場所を秘密裏に選び、誰にも話さず、見つからないようにするだろうか？

答えは明白だ。秘密の場所を選ぶだろう。古代エジプトのファラオのほとんどがこの方法を選んでいる。(3)

もしも大ピラミッドが本当に王墓ならば、なぜこんなに目立つのだ？　なぜ一三エーカーもの土地を占有しているのだ？　なぜ一五〇メートル近くの高さがあるのだ？　つまり、もしもピラミッドの目的がクフ王の遺体を守ることなら、なぜこのように目立つように設計されたのか？　あまりにも目立つので、いつの時代でもどのような環境でも、墓荒らしや、冒険家や詮索好きで想像力たくましいインテリたちの関心の的になってきた。

大ピラミッドを建設した才気溢れる建築家や石工、測量士や技術者が、人間の基本的な心理に無知であったとは考えられない。極めて野心的で、卓越した美しさをもち、力と芸術感覚に溢れるこの作品は、洗練された技術、深い洞察力を備えた人々の手によるものに違いない。また、人間の無

意識の欲求や、心を操縦する術を完璧に理解していた。したがって、太古のピラミッド建設者たちは、ナイル河西岸の広い台地に、どのような不滅の「のろし」を生み出そうとしていたか（しかも信じがたいほどの正確さで）を、はっきりと理解していたに違いない。

簡単に言うと、建造者たちはこの偉大な建造物が永遠に人々を魅了し続けることを狙ったのだ。こんな目論見だったに違いない。当然侵入者も現われるだろう。また何度も精密な計測が行なわれるだろう。人類の想像力を刺激し続けるだろう。そして、古くに忘れ去られた深い秘密があることを教えるために執拗に現われる亡霊のように、人々の心を捉えて離さないことだろう。

ピラミッド建設者の頭脳ゲーム

マムーンの掘った通路と、二六度の角度で降りてくる通路が接する地点には近代的な鉄のドアがあり、二つの通路を隔てている。ドアの北側には登りの通路があり、切妻造りの本物の入り口まで到達している。南側は下り通路で一〇〇メートルほども地盤の中に入っていき、広大な地下の部屋に出る。そこはピラミッドの頂上から一八二メートルも下になる。この通路の精度は驚異的だ。この通路を直線と見た時の、その上から下までの平均誤差は壁で六ミリ以下で、天井では七・六ミリ以下だ。(4)

鉄のドアのそばを通り過ぎ、マムーンのトンネルを進み続けた。古代の空気を吸い、通路を照らす暗い電灯に目を慣らした。急勾配の狭い個所では、背をかがめて登り続けた。アラブの職人たちが登り通路の下部を塞いでいる花崗岩を避けて通ろうと、懸命に掘った通路だ。トンネルの上から

見ると、花崗岩の栓が二つ見える。今でも元の位置にあるが、一部は発掘の時に動かされている。エジプト学者は、これらの栓が上から引きずり降ろされ、現在の位置に据えられたと推測した。[5] 大回廊のところから三九メートルも移動させたというのだ。[6] だが、より現実的な思考をする建設業者や建築家は、そのような方法は物理的に不可能だという。なぜなら、栓と壁との間には隙間がほとんどないからだ。これでは二〜三センチも移動させることはできないし、三〇メートル以上などは到底無理だという。[7]

そうなると登り通路に花崗岩の栓を詰めたのは、ピラミッドを建設していた最中だということになる。だがなぜ建設の初期に主要な通路をわざわざ塞ぐ必要があるのだろうか（通路は、内部の部屋を広くしたり仕上げるのに使えたはずだ）。さらに栓の目的が侵入者を防ぐことだったら、下がり通路の入り口を塞いだほうが、もっと簡単で効率的ではなかったか？　北面の入り口から登り通路が始まるところまでを塞いでしまうのだ。これがピラミッドを封じてしまう最も合理的な方法であり、登り通路に栓はいらなくなる。

一つだけはっきりしていることがある。有史以来、この花崗岩の栓が果たしてきた役割は一つだけであり、それは侵入者を防ぐことではなかったことだ。むしろ青ひげの物語に出てくる鉄の扉のように、この栓はマムーンの好奇心をさらに燃え立たせ、トンネルを掘り、通路の上に出なければ、と思い込ませた。とてつもない大切なものがあるに違いないと、マムーンを確信させたのだ。

ピラミッドの建設者が意識して狙っていたのは、こうした効果だったのではないだろうか？　こう考えるのは奇妙であり、確信がもてるわけではないが、そうであった可能性を否定するのもまだ

早い。ともかくマムーンのおかげで(それと、いつの時代も変わらぬ人間の性《さが》のおかげで)、塞がれていないオリジナルの登り通路の上部を通ることができるのだ。滑らかに切り取られた空間は、幅一メートル四センチ、高さが一メートル一九センチ(下がり通路とまったく同じ)で、二六度二分三〇秒の角度で上に続いている[8](下りは二六度三一分二三秒)[9]。

なぜこのように二六度という角度にこだわるのだろうか? これがピラミッドの斜面の角度五二度の半分なのは偶然だろうか[10]?

読者の方はこの角度が特別な意味を持つことを忘れてはいないだろう。これは大ピラミッドの設計における洗練された高度な公式の鍵を握る角度であり、地球の形に対応している。もともとの高さ(一四六・七メートル)と土台の周辺の長さ(九二一・四四メートル)は、地球の半径と周辺の長さの比率と一致しているのだ。その比率とは二π(二×三・一四)であり、この数字を出すために、ピラミッドの建設者は斜面の角度を面倒で特異な五二度にしている(この角度以外の斜面では高さと周辺の比率が二πにならない)。

第23章で述べたとおり、メキシコのテオティワカンの太陽のピラミッドと呼ばれる遺跡もまた意識的にπの比率を使っている。この場合は高さ(七一・一七メートル)と周辺(八九四メートル)の比率が四πになる[11]。

ここで重要なことは、古代エジプトと古代メキシコのもっとも偉大なピラミッド両方に、πの比率が使われていることだ。これらの建造物が造られたのは、公にπの比率が発見されたことになっているギリシア時代よりも遙か昔である[12]。このことは、πを設計に取り入れることによって、何か

を伝えようとしたということを示している。しかも、おそらく間違いなく、エジプトでもメキシコでも、古代の人々は同じメッセージを伝えようとしたのだ。

これが初めてのことではないし、またこれが最後というわけでもないが、太古の知性に触れた気がして当惑した。それは、必ずしもエジプト人やメキシコ人のものである必要はないのだが、時代を超えて、「のろし」のように人々を引き寄せる方法を知っている知性だ。ある人々は財宝を求めて引き寄せられ、ある人々は、古代の設計者の、事もなげに π を使うような豊かな知性に魅せられ、さらに数学的発見はないかと捜し回った。

そうしたことを考えながら、二六度の角度を持つ通路を登りはじめた。ほとんど身体を二つに折っても、背中は磨かれた石灰石の天井を擦る。この通路は六〇〇万トンの三角関数を応用した装置のような建造物の中を通っている。数回、頭を天井にぶつけてから考え始めた・・・このような精巧な建物を設計した人々は、なぜ天井の高さを六〇センチから一メートル程度にしかしなかったのか?

このような巨大な建物を造れる人々ならば(明らかに造れるわけだが)、通路を造るにしても、ちゃんと立って通れるような高さの天井を持つものを造る能力があったはずだ。そうなるとピラミッド建造者たちが意識して、このような構造にしたと結論したくなる。彼らは登り通路をこのようなものにしたのは、それを望んだからなのだ(そのような設計にせざるを得なかったのではなく)。

このような到底まともとは言いがたい古代の頭脳ゲームには、何か目的があるのだろうか?

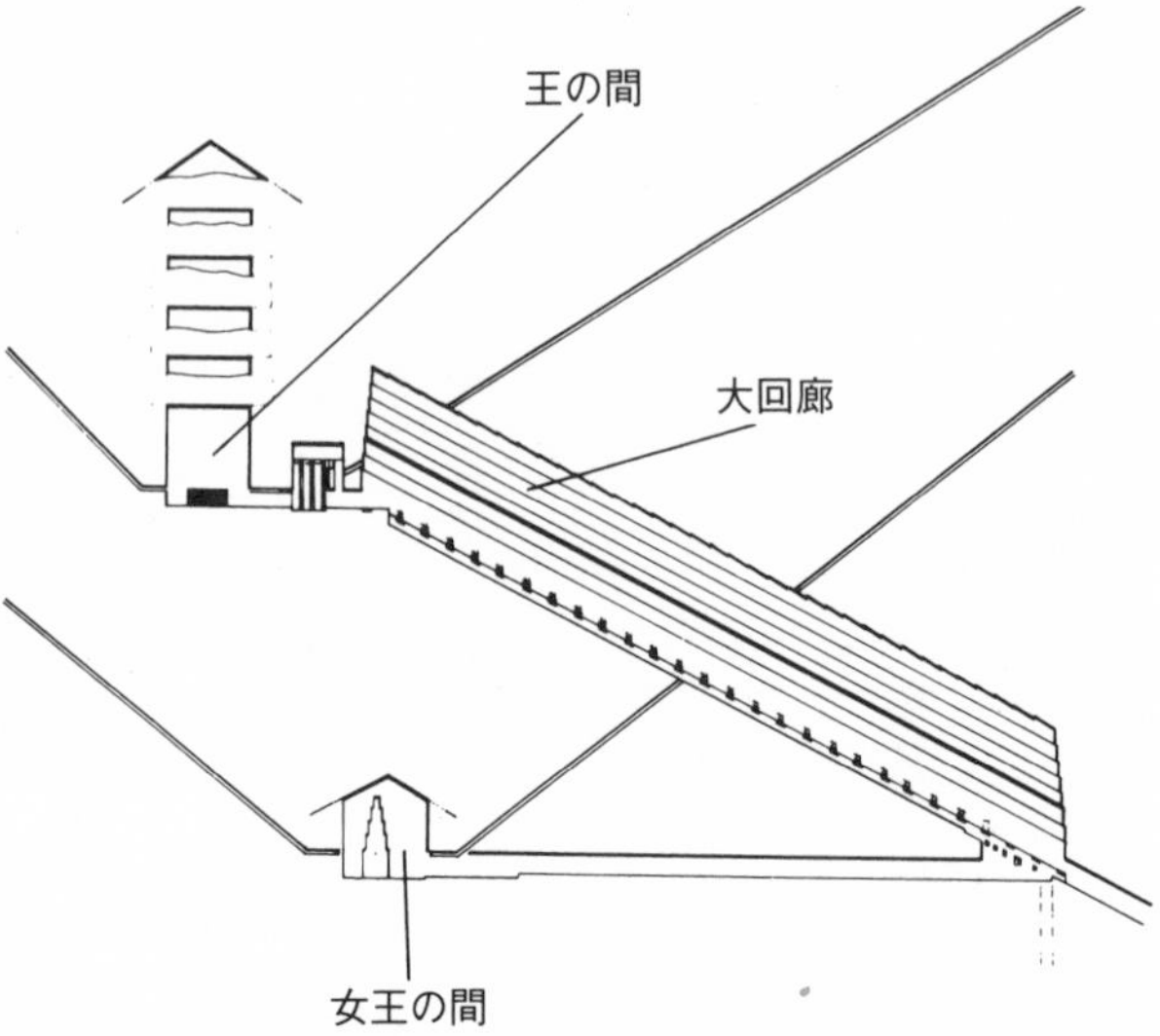

大回廊、王の間、女王の間と南北の通気孔

暗闇の向こう側の見知らぬ世界

通路を登りつめたところで、再びピラミッドの説明のつかない謎にぶつかった。「古王国から残るもっとも素晴らしい建築物」[13]といわれる大回廊だ。さらに上へと延びるこの回廊は二六度の角度を保っており、まるで永遠に続く暗闇の中へと消えていくかのようで、広々としたコーベルボールト型の天井には強烈な印象を受ける。

だがまだ大回廊へと進む気はなかった。女王の間に行く通路がここから分かれているからだ。南に水平に走るこの通路は高さが一・一四メートル、距離は女王の間まで四九メートルだ。[14]この部屋を再訪問しようと思っていた。数年前に大ピラミッドを訪問し始めて以来、この部屋の威厳に満ちた美しさに敬服していたからだ。だがこの日は、腹立たしいことに、入り口の手前数メートルのところで立ち入り禁止になっていた。

そのときは、立ち入り禁止の理由を知らなかっ

たのだが、実はこのとき、ドイツのロボット科学者ルドルフ・ガンテンブリンクが、女王の間で作業を行なっていたのだ。ガンテンブリンクは、二五〇〇万円もするロボットを慎重に操作して、女王の間の南側の狭い通気孔をゆっくりと動かしていた。エジプト考古庁から大ピラミッドの通風をよくするように頼まれて、ガンテンブリンクはすでに高度なハイテクロボットを使い、王の間の狭い南通気孔（エジプト学者たちにより、空気を取り入れる穴だと信じられている）から瓦礫を取り払い、電動ファンを入り口に取付けていた。一九九三年三月初め、ガンテンブリンクは女王の間で仕事を始めた。「ウプワウト」と命名された小さなリモコンのロボット・カメラを操作して、南通気孔の急斜面を探検していた。三月二二日、この急な斜面（三九・五度の角度で、高さ二〇センチ幅二二センチの穴）⑮をロボットが六〇メートルほど登ったところで、床も壁も急に滑らかになった。ウプワウトが入り込んだのはトゥラの石灰石でできた場所だった。美しいトゥラの石灰石が使われるのは、礼拝堂や王墓などの神聖な場所だ。これだけでも興味深いのに、この通路の最後には部屋があることがわかった。ピラミッドの石積みの奥深くに硬い石灰石のドアがあり、金属が取り付けられているのが発見された・・・。

女王の間の南側の通気孔も、北側の通気孔も、大ピラミッドの外側まで通じているかどうかはわかっていなかった。さらに奇妙なことに、もともと両方の通気孔の口は開いてはいなかった。ピラミッドの建設者は、通気孔の口のところで最後の石を切り取らず、一二センチの厚さで残していた。そのため、ただこの部屋に侵入しただけでは、通気孔の入り口は見ることができなかったのだ。

なぜか？　なぜ通気孔が見つからないようにしていたのか？　あるいは、ある想定された正しい

状況においてのみ見つかるように造られたのか？

王の間では、最初から目立つように二つの通気孔が口を開けており、ピラミッドの南北の壁まで通じていた。ピラミッドの建設者たちは、そのうちに好奇心の強い誰かが、女王の間にも通気孔があるのではないかと考えて捜し始めることを、予測していたにちがいない。カリフ・マムーンが八二〇年に遺跡の扉を開けてから、一〇〇〇年の間、だれも通気孔を探そうとはしなかったが、一八七二年にイギリスの技術者ウェインマン・ディクソン（フリーメーソンの一員）が、「王の間に通気孔があるのだから、女王の間にもあるに違いない」と考えて、女王の間の壁を叩き始め、ついに通気孔を発見した。[16]最初に開けたのは南側の通気孔だった。「大工兼何でも屋のビル・グランディにハンマーと鉄のノミで穴を開けさせる用意をした。この真面目な男は堅い決心をして探していたが、柔らかい石があるところを発見した。そして驚いたことに、数回叩いたところでノミがすっと中に入っていった」[17]

ビル・グランディのノミが入っていったのが、「四角い、筒状の横向きトンネルだった。幅二二センチ、高さ二〇センチで、壁の中へ二メートルほど進むと、急な角度で暗闇の向こう側の見知らぬ世界へと続いていた・・・」[18]

この「暗闇の向こう側へと続く」急勾配の斜面に、一二一年たってから、ルドルフ・ガンテンブリンクはロボットを送り込んだ。人類の技術の進歩がようやく、覗いてみたいという強烈な本能に追いついたのだ。一八七二年の時点においても覗いてみたいという本能は、一九九三年と変わらないほど強烈だった。遠隔操作のロボットが女王の間の通気孔内の興味深い映像の撮影に成功したが、

そこに映っていた興味深いものの中に、一九世紀に作られた長い金属棒があった。これは技術者ウェインマン・ディクソンとその忠実な部下ビル・グランディがひそかにこの興味深い通気孔を探った証拠だった。[19] 彼らはピラミッドの建設者が、通気孔を造りながら、わざわざそれを隠したので、その先には、何か重要なものが隠されていると、当然ながら思ったのだ。

最初からこのような調査をさせようという狙いがあったのではないかという考えは、通気孔を探検してその先が行き止まりでなにもなかったら、間違いだったことになる。だがすでに見てきたように、そこには扉が発見された。吊るし門の引き戸になっている扉があり、興味深い金具が取り付けられており、扉の下には気をそそるような溝があった。ガンテンブリンクのロボットが覗いたところ、その先には永遠に続くように思える深い闇が続いていた。

われわれがさらにその先へと招かれているのは明らかなように思えた。一連の招待状のうちの最新のものが届けられたのだ。招待を受け、まずカリフ・マムーンとその人夫たちが壁を破り、中央の玄室に到達した。次に技術者ウェインマン・ディクソンが女王の間に通気孔があるという仮説を立てた。次はルドルフ・ガンテンブリンクのハイテク・ロボットが隠された扉があることを発見した。その扉の後ろには秘密が見つかるかもしれないが、あるいは失望が待っているのかもしれない。あるいは次なる招待状が見つかるかもしれない。

女王の間

ルドルフ・ガンテンブリンクとそのロボット「ウプワウト」については後の章でも触れる。だが

一九九三年三月一六日の時点では、このようなことが行なわれているとは知らず、女王の間が閉鎖されていたので、欲求不満になり通路を塞いでいる金属の柵を憤慨して睨《にら》みつけた。

この通路の高さは一・一四メートルあったが、一定していなかった。立っているところから真南に三三メートルほど進んだ、女王の間に入る四・五メートルほど手前の地点で、突然急な段差が現われ、天井までの高さが一・七二メートルになった。[20] この風変わりな構造についても、だれも説明ができないでいる。

女王の間は建設されたときから空だったようだ。南北が五・六八メートルで、東西が五・七四メートル。天井は優雅な切妻造りで高さは六・二二メートルあり、正確にピラミッドの東西の軸と同じ向きになっている。[21] 床は優雅と言うには程遠く、まだ未完成に見える。粗く削られた青白い壁からは、塩分が検出されており、色々と推測されたが不毛に終わっている。

南北の壁には一八七二年の伝説のグランディの手によるノミのあとがある。そこにディクソンが発見した、四角い口を持つ、暗い謎の通気孔が奥深くへと続いている。西の壁にはなにもない。東の壁には中央から六〇センチ南寄りに壁龕《へきがん》が造られている。これはドーム型の窪みで高さが四・六〇メートル、幅が土台のところで一・五七メートルある。奥行はもともと一メートルで、中世のアラブ人が宝探しのため隠れた部屋を探そうとさらに削ったが、なにも見つからなかった。[22]

エジプト学者たちは、この壁の中の凹んだ空間の機能についても、女王の間が造られた目的についても、なんら説得力ある解答を出せないでいる。

すべてが混乱している。すべてが矛盾をはらんでいる。すべてが謎だ。

装置

大回廊も謎に満ちている。実は、ここは大ピラミッドの内部でも、もっとも謎の多いところだ。床の幅が二・〇五メートル、壁は二・二八メートルまで垂直に上へと伸び、それから上は七段の石が詰まれているが、徐々に幅が狭くなり（七センチづつ内側に張り出ている）、高さ八・五三メートルの天井の幅は一・〇四メートルになる。[23]

構造的に見て大回廊は、地球上で建てられたあらゆる石の建造物のうちで最大でもっとも重い建物の、上部三分の二の重量をずっと支えてきたということを忘れてはならない。「原始的な技術しか持たない」と言われる人々が、四五〇〇年以上も前にこのような建物を構想し、設計し、見事に建設に成功したというのだろうか？

六メートルの長さの大回廊を水平な土地に建設するのも、当時の人々には困難を伴う大変な仕事だろう。だが、彼らは二六度の斜面にアーチ型の天井を持つ大回廊を建てた。しかも長さは四六メートル以上もある。[24] さらに、完璧な形に切り取られた石灰岩の巨石は滑らかに磨かれ、平行四辺形に整形され、非常にぴったりと積まれているため、裸眼では接合部を確認することができない。また、ピラミッド建設者はこの場所に興味深い対称性を施している。たとえば大回廊の最上部の天井の幅は一・〇四メートルであり、床の幅は二・〇五メートルだ。床の中央には深さ六〇センチの溝が走っている。この溝は大回廊の上から下まで走り、左右は五〇センチの平たい石の傾斜路で挟まれている。この溝の幅が一・〇四メートルなのだ。この溝は何のためにあるのだろう？　また、な

ぜ天井の幅とまったく同じ幅で、上下が対称に見えるようにしたのか？　天井も上部の石で挟まれた溝のように見えるのだ。

大回廊の入り口に立って、「何か巨大な装置の内部にいるような感覚に襲われた」のは、私が最初ではない。(25)誰がそのような直感を、間違いだと言えるのだ？　間違いだというならば、根拠が必要だ。大回廊の機能についての記録はない。古代エジプト人の典礼のテキストには謎めいた何かを象徴するような事柄が書かれているだけだ。それによると、ピラミッドは、死んだ人間を不滅の存在に昇華するために設計された装置らしい。「天空の扉を大きく開け、道を造る」ことによって死んだファラオが「神の仲間として昇天する」のだ。(26)

そのような信仰形態が存在していたことを受け入れることに異存はない。また信仰がすべての大事業の動機を提供していたことも考えられる。だがそれでも、なぜ、神秘的、精神的、象徴的な目的を達成するため、六〇〇万トンもの物理的装置を必要とし、複雑に組み合わさった通路や穴や、回廊や玄室を必要としたのか、という疑問が残る。

大回廊の中にいると、確かに巨大な装置の内部にいるような気がしてくる。その美しさが強い印象を与えるのは確かだが(重たく威圧的だが)、装飾らしきものはひとつとしてない。あるいは宗教的な信仰を示すもの（神の像とか典礼の文が書かれた浮き彫りなど）もまったくない。ここには何らかの機能と目的があるということだ。まるで何かの仕事をするために造られたようだ。同時に、全体から醸し出される荘厳で重々しい雰囲気があり、それが完璧な注意力と真摯な姿勢を要求しているようにも感じる。

大回廊の半分近くまでゆっくりと登った。前後で灯と影が、石壁の上で踊っている。立ち止まり、上を向き、薄暗闇の天井を見上げた。この空間がエジプトの大ピラミッドの圧倒的な重さを支えているのだ・・・。

突然、なんという圧倒的に、困惑してしまうほどに古い建造物なのだろうか・・・という思いに捕われた。またこの時、私自身の生命も古代の建設者の技術によって守られているということも感じた。高い天井を覆う巨大な石は、彼らの持っていた優れた技術の産物の一つの例だ。一つ一つが大回廊よりも少し急な角度で積まれている。偉大な考古学者で測量士でもあったフリンダーズ・ペトリは以下のようにこの場所について描写している。

それぞれの天井石の下側の端が爪のように突き出ており、壁の上部の切り込みに挟まるようになっている。したがってそれぞれの天井石はすぐ下の天井石には圧力をかけない。このように天井に集中して圧力がかからないような工夫が施されている。それぞれの石は交差して横たわる側壁によって別々に支えられている。(27)

これが、新石器時代の狩猟生活から抜け出たばかりの人々にできる仕事だろうか?

中央の六〇センチの深さがある溝の中を歩いて、大回廊を再び登りはじめた。近代的な木製の板に横木が取付けられており、手摺りもあり、登りやすくなっている。だが、古代における床は、滑らかに磨かれた石灰石であり、二六度の角度では滑ってしまい、登ることはほとんど不可能だった

ろう。

彼らはどのようにここを登っていたのか？　あるいは登っていなかったのだろうか？

大回廊の終点にぼんやりと見えるのは、王の間の暗い入り口だ。疑問を抱えた巡礼者たちを招き寄せる、謎の中心部だ。

第38章　対話式三次元ゲーム

大回廊の一番上に着いた。ここで高さ九〇センチほどのどっしりとした段を登らなければならない。この段は女王の間の天井のように大ピラミッドの東西の軸に正確に沿って据えつけられている。したがって、この遺跡の南側と北側を等分する境目になっている。[1] 祭壇のようにも見えるこの段は、王の間に入る低い四角いトンネルの前でしっかりした水平の台を形成している。

一瞬、立ち止まり、振り返って大回廊を眺めた。もう一度、装飾がないこと、宗教的な肖像もないことを確認した。古代エジプトの信仰システムにかならずついてまわるシンボルらしきものも、まったくない。四六メートルの長さにわたる壮大な幾何学的空間である大回廊を見渡して感じるのは、冷淡な単調さであり、厳格な機械のような飾り気のなさだ。

上を見ると口を開けた暗い穴が、頭上の東壁の上にはっきり見える。この穴が誰によって、いつ開けられたかは、まったくわかっていない。また、元はどの程度の深さを持つ穴であったかもわかっていない。ここから王の間の上部にある五つの「重力軽減の間」の最初の部屋に行くことができ

る。この穴は一八三七年に壁を破壊して上の四つの部屋に到達したハワード・バイスによって広げられている。再び下を見ると、大回廊の下の西壁にある縦坑の入り口が見える。ここから四八メートルもほぼ垂直に、急勾配の縦坑がピラミッドの内部を通り抜け、地上の高さにある下がり通路につながっている。

なぜこのような複雑な構造の縦坑や通路が必要だったのか? 最初はまったく理解できなかった。だが、そもそも大ピラミッドに関しては、深い関心をもって相当な時間を費やす覚悟がなければ、なにもわかってこない。だが、時間をかけると、思いがけない形で報酬が得られることがある。たとえば数字に強い人なら、これまでみてきたように、ピラミッドの高さと周辺の長さが π の比率になっていることに、注目することだろう。より探求心の旺盛な人ならば、後で述べるようなさらに面白い数学的発見をすることができる。その発見は前述のものより少し複雑で、難解なものだ。

このすべての過程はそれぞれ、どうもプログラムの一部のような感じがする。誰かが注意深く仕組んだかのようだ。これも初めてではないが、ピラミッドは巨大なゲーム用あるいは教育用の装置ではないか・・・という考えが浮かんだ。あるいは対話式の三次元パズルで、人類のために砂漠に建設されたのかもしれない。

控えの間

王の間の入り口は一・〇六メートルほどの高さしかなく、普通の身長の人は、かがまなければ入れない。さらに一・二〇メートルほど先に進むと、「控えの間」に着く。ここの天井は高さが三・六

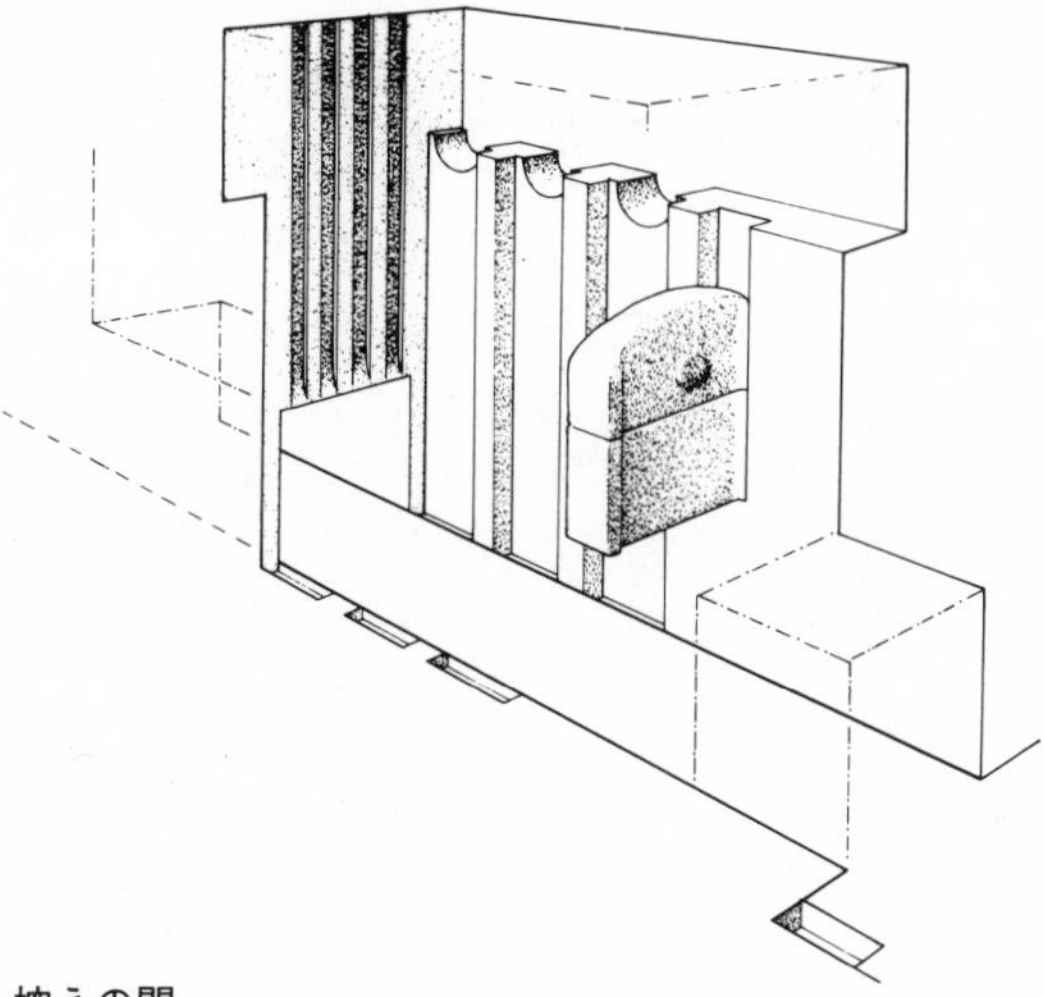

控えの間

五メートルと、突然高くなる。東西の壁は赤い玄武岩でできていて、そこにはそれぞれ縦に並行して四つの広い溝が掘られている。エジプト学者たちは、厚い石の吊り戸を入れるところだと考えている[2]。この溝のうち三つは床まで溝が掘られているが空だった。四つめの溝（一番北側）は、入り口の天井の高さ（一・〇六メートル）までしか溝が掘られていないが、大きな玄武岩の板が嵌《は》め込まれている。板の厚さは二三センチ、高さが一・八二メートルぐらいだ。この玄武岩の板と、私が入ってきた入り口との間には五〇センチの間隔しかない。この板の上端と天井との間の間隔も一・二〇メートルほどしかない。この装置の機能が何であれ、エジプト学者の見解に同意するのは難しい。彼らは墓泥棒たちの侵入を難しくするための装置だというのだ。

　疑問を感じたまま、厚い板の下をくぐり、控えの間の南側に立った。控えの間は長さが三メート

ルほどで、天井の高さはどの場所でも三・六五メートルである。だいぶ磨耗しているが、石の吊り戸を入れるという溝は、西の壁にも東の壁にもまだはっきりと残っている。戸にするような石の板は見当たらない。さらにこのように窮屈な場所でやっかいな石の板を取り付けるというのは非常に難しい作業のように思えた。

一九世紀終わりにギザ地区を徹底的に調査したフリンダーズ・ペトリは、第二ピラミッドに関して、似たような疑問を呈している。「下の通路の玄武岩の吊り戸は、大きなものを動かす優れた技術が存在したことを示している。なぜならこの仕事には三〇人から四〇人分の労働力が必要なのに、この狭い通路では数人しか作業できない」[3]。大ピラミッドの石の吊り戸に関しても、それらが上げ下げできる門だとしたら、まったく同じことが言える。

吊り戸を上げ下げするには、戸の長さが控えの間の天井の高さよりも短くなければならない。またこの王墓を完成させる前に出入りする人々のため、この戸は上に上げておく必要がある。だがこうして考えると、戸を床まで下げたら、天井と戸の間に間隔ができてしまう。そんな間隔があったら、墓泥棒は軽々と乗り越えて侵入してしまうだろう。

控えの間もまた、間違いなくピラミッドの多くの謎の一つだ。複雑な構造を持っているが、使用目的がまったくわからないからだ。

控えの間から抜けるトンネルは南壁にあり、入るトンネルと同じ高さと幅で、赤い花崗岩で縁取りされている（壁も花崗岩だが、最上部に三〇センチほど石灰岩の層が見える）。一一・七メートルほどのトンネルを通り抜けると、広大な王の間に出る。広く陰気な感じのする赤い部屋で、すべて花

崗岩で造られ、何か不思議なパワーとエネルギーを発散しているように思える。

石の謎

王の間の中央まで来た。この部屋の縦軸は完璧に東西を向いており、横軸も完璧に南北を向いている。部屋の高さは五・八メートルで、奥行きが一〇・五メートル、幅が五・二五メートルであり、二対一の割合の長方形の部屋だ。床には一五枚の厚い花崗岩の板が敷かれている。壁は一〇〇個の巨大な花崗岩でできているが、それぞれの重さが七〇トン、あるいはそれ以上あり、五段に積み重ねられている。天井は九個の花崗岩で造られているが、それぞれの重さは五〇トンほどもある。[4] これらの威圧するような巨大な石は強い圧迫感をもって迫ってくるようだ。

王の間の西端には、大ピラミッドがそれを納めるために建てられたという目的物がある（エジプト学者の言うことを信じるならだが）。それは暗いチョコレート色の花崗岩をくり抜いたもので、中には長石、石英、雲母の硬い粒子が入っており、蓋はない。クフ王の石棺だとされるものだ。[5] 石棺の内部の大きさは長さ一・九八メートル、深さ八七センチ、幅が六八センチである。外側の大きさは長さ二・二七メートル、深さが一・〇五メートル、幅が九八センチになる。[6] この寸法だと二・五センチほど大きすぎて、下り通路から登り通路（現在、栓がされている）へ抜けることができない。[7]

この石棺の寸法にはある種の数学ゲームが織り込まれている。たとえば内部の容積は一一六六・四リットルで、外部の寸法の容積は二三三二・八リットルになり、正確に二倍になる。[8] このような正確な符合が偶然に発生するわけがない。さらにフリンダーズ・ペトリが、大ピラミッドの丹念な

調査の後に認めたように、太古の職人たちが使っていた道具は、「つい最近、われわれが再発見した」ものらしいのだ。[9]

フリンダーズ・ペトリはとくに詳しく石棺を調べたが、「二・四四メートル以上の長さ」のまっすぐなノコギリを使用して花崗岩の外側を切り取っているという。花崗岩は非常に硬い石なので、ノコギリは銅製で(当時使われたとされている一番硬い金属)、刃の部分には硬い宝石が取り付けられていたとみている。「このような仕事をするにはダイヤモンドを使うほかないが、この宝石の希少性とエジプトには存在しないことを考えあわせると、この結論も怪しくなる」[10]

石棺の中をどうくり抜いたかは、さらに大きな謎だ。この作業の方が、岩盤から岩を切り取るよりもさらに難しい。ペトリはエジプト人が以下のように作業を進めたと考えた。

直線ではなく、円形のノコギリを使用したのだろう。円形の筒の内側に加工した刃を入れて、それを回転させ丸く切り込みを入れた。それから内部の石を砕いたにちがいない。このようにして最小限の労力で大きな穴をくり抜いたのだ。円筒型のドリルの直径は六ミリから一二センチであり、刃の厚さは一ミリから五ミリだった・・・。[11]

ペトリが認めるように、このような宝石を利用したドリルやノコギリは発見されていない。[12]完成した石棺を見たペトリは、このような道具があったはずだと推論せざるを得なかったのだ。ペトリは石棺に特別に興味を持ち、王の間の石棺だけでなく、ギザで見られる花崗岩の工作品や「ドリル

によって切り取られた石」を調べた。だが調査をすればするほど、古代エジプト人の石の加工技術に対する謎は深まるばかりだった。

ドリルやノコギリを急速に動かして硬い石に切り込みを入れるのに必要な圧力は、相当なものである。一〇センチのドリルで花崗岩を切るには、少なくとも一トンか二トンの荷重をかけただろう。花崗岩の第七番石においては、円周一五センチの螺旋状の切り込みが二・五センチの深さで入れられているがこの切り込みを入れるのには相当な力が必要である。このような螺旋状の穴を素早く花崗岩に空けるには、ドリルに巨大な圧力をかけるしかない・・・(13)

奇妙ではないだろうか。人類文明の夜明けと言われる四五〇〇年前に、古代エジプト人は工業時代のドリルを所有していたようだ。数トンの圧力をかけて、熱したバターナイフでバターを切るように、石を切り取ることができたのだ。

ペトリはこの難問に答を出すことができなかった。またギザで発見された第四王朝時代の閃緑岩の皿に刻まれた象形文字が、どのように書かれたかもわからなかった。「象形文字は非常に鋭い先端を持つ道具で刻まれている。この文字はノミで削るなどして記されたものではなく、刃によって刻まれたものである・・・」(14)

これは理論派のペトリを悩ませた。なぜなら閃緑岩は地球上でもっとも硬い石の一つであり、鉄よりも硬いからだ。(15)だが古代エジプトでは、信じがたい力と精密さで、いまだに未発見の道具によ

ってこのような石に切り込みが入れられている。

この線の幅は一・七ミリしかないことからみて、切り取る道具の先端は水晶よりもだいぶ硬かったに違いない。またこのような微細な造りの先端は使われてもつぶれないほど頑丈だった。先端の幅はたぶん一・二ミリ以下だった。並行して刻まれた線の中心線は、互いに八・四ミリしか離れていない[16]。

別の言葉で言うと、道具の先端は針の先ほどの細さで、驚くほど硬く、閃緑岩に楽に穴を開けられ、溝を彫れるものだ。同時に巨大な圧力にも耐えられるものでなくてはならない。これはどんな道具だろうか？　どのように圧力をかけたのか？　いかに八・四ミリしか離れていない平行線を精密に描いたのだろうか。

ペトリの言う、王の間の石棺をくり抜いたらしい宝石付き円形ドリルを想像することも不可能ではない。だが、紀元前二五〇〇年に閃緑岩に象形文字を彫った道具は同じようには想像できない。エジプト学者が認めるよりも、もっと遙かに高度な技術が存在したと考えない限り、説明がつかない。

これはいくつかの象形文字と閃緑岩の話ではすまない。エジプト訪問を重ねる中で、多くの石の容器を調べた。それらのいくつかは先王朝時代のものであり、閃緑岩や玄武岩や水晶や変成片岩をくり抜いて作られていたが、くり抜いた方法は謎だ[17]。

さらに、そのような容器が三万個以上も、サッカラにある第三王朝時代のジョセル王が造ったと言われる階段ピラミッドの下部の部屋で発見されている。[18] そうなるとこれらの容器は、少なくともジョセル王の時代（紀元前二六五〇年頃）と同じくらい古いことになる。[19] だが、理論的には、もっと古いかもしれない。なぜならまったく同じ容器が紀元前四〇〇〇年、あるいはそれ以前の先王朝時代の遺跡からも発見されているし、[20] 家宝を代々子孫に伝えるのは、太古からのエジプトの伝統だからだ。

これらの容器が紀元前二五〇〇年前、紀元前四〇〇〇年前、あるいはもっと前に作られたにしろ、見事な出来栄えであり、それらは未知の道具で作られている（ほとんど想像もできない）。

なぜ想像もできないのか？　なぜなら、それらの石の容器の多くは背が高く、長くて細い優雅な首を持ち、内部が豊かにふくらんでいる花瓶だからだ。中には肩の部分がふくらみ、空洞になっているものもある。このような花瓶を作ることのできる道具はまだ発明されていない。この道具は瓶の細い首の中を通り抜けることができるほど幅が狭く、丸い内部と肩の部分を削り取るだけの強さ（そしてふさわしい形）を持っていなければならない。どうやって花瓶の内部で、上向きや外向きの圧力を加えることができたのだろうか？

ジョセル王のピラミッドやその他の古代遺跡から発見された謎の容器は、背の高い花瓶だけではない。一本石で作られた壺があるが、それには繊細な装飾のついた持ち手が彫刻師によって作られている。また丸い容器で口が花瓶のように狭く、下側が大きくふくらんでいるものもある。大きな口を持つ椀もある。また顕微鏡を覗きながら作ったようなガラス瓶もある。また変成片岩で作られ

た奇妙な車輪型のものの場合、端が内側に曲がっており、非常に薄くほとんど透き通るほどである。[21]当惑させられるのは、容器の内側も外側も非常に精密に作られ、互いに接する曲線と曲線はぴったり形が合い、しかも表面が完璧に滑らかに仕上げられており、道具を使ったような形跡がまったく残っていないことだ。

古代エジプトにはこのようなものを作ることができる技術はなかったはずだ。それどころか現代の石工にも、このようなものは作れない。最高級のタングステン・カーバイド器具を使用しても無理だ。したがって、これらの事実は、古代エジプトでは、まだ知られていない謎の技術が使われていたことを意味する。

石棺の儀式

私は王の間で西向きに立っていた。西は、古代エジプト文明でもマヤ文明でも死の方向とされる。両手を軽く、エジプト学者たちがクフ王の遺体を納めるものだと主張する石棺の曲線を描いている縁に置いた。棺の暗い底を覗き込んだが、部屋の薄暗い電灯の光は底まで到達せず、ほこりの粒子が黄金の雲のように渦巻いていた。

これはもちろん光と影の悪戯だった。だが、王の間はこのような幻想に満ちている。ナポレオン・ボナパルトも一八世紀後半にエジプトを征服したとき、この部屋で一人で一夜を明かしている。翌朝、ナポレオンは青い顔をして震えながら出てきた。何かひどく困惑するような出来事を経験してきた様子だったが、その後、この夜のことについては何も語っていない。[22]

ナポレオンは石棺の中で寝ようとしたのだろうか？

衝動に駆られて、私は石棺の中に入り込み、顔を上向きにして寝た。足は南側で、頭は北側だ。ナポレオンは小男だったから、ほどよい大きさだったろう。私にもスペースは十分だった。だがクフ王もここに寝ていたのか？

身体の力を抜き、ピラミッドの守衛が入ってきて見つかるかもしれないという恐れを捨てた。見つかると間の悪いことはなはだしいだけでなく、たぶん法律違反だろう。数分間ほど邪魔されないことを願い、胸のところで腕を組み、低い音を発し始めた。これは王の間の色々な位置で前から何度も試みていることだ。王の間の中央でこれを行なうと、壁と天井が音を集め、拡大し、音の発生者にぶつけ返してくる。返ってくる音の強い振動は足から伝わり、頭皮と全身の皮膚に広がる。

石棺の中においても同じような効果があった。だが、音は何倍も増幅され集中されるようだった。まるで一つの反射音しか発しないように設計された、巨大な楽器の共鳴部の内部にいるようだった。音が強烈で非常に当惑した。まるで音が石棺から飛び出て、王の間の赤い天井と壁にぶつかり、南北にある通気孔から飛び出し、ギザ台地に音波のキノコ雲として拡がっているのではないかと思われた。

この大胆な画像を心に浮かべ、低い音が耳にこだまし、石棺が身体の周りで振動した状態で、目を閉じてみた。数分たって目を開けた時、窮地に陥ったことを悟った。六人の日本人観光客に取り囲まれていたからだ。年齢もまちまちな日本人の男女が石棺を覗き込んでいた。東側に二人、西側に二人、南北に一人ずつだ。

全員が目を見開いて、驚いていた。こちらも彼らを見て驚いた。なぜなら最近、武装したイスラム原理主義者の攻撃があったため、ギザを訪問する観光客はほとんどおらず、王の間を占有できると思っていたからだ。

こんな状態に置かれたら、どうすべきか？

できるかぎりの威厳を保ちながら立ち上がり、微笑み、ほこりを払った。日本人が後ろに下がったので、石棺の外にでた。まるで、いつもこんなことをしているかのようなビジネスライクな態度を保ち、北壁の三分の二のところに開いている、エジプト学者たちが「北通気孔」と呼んでいる穴のところに行き、詳細な調査を再開した。

幅二〇センチ、高さ二三センチの口を持つこの通気孔は、長さが六〇メートル以上もあり、ピラミッドの石の一〇三段のところに口を開けている。おそらく偶然ではなく計画的に、この通気孔は北半球の天空を三二度三〇分の角度で指すように造られている。ピラミッド時代の紀元前二五〇〇年頃に、この通気孔は龍座の中心的なアルファ星（星座中明るさが第一位の星）ドラコニスを指していたことになる(23)。

有り難いことに日本人観光客たちは、王の間の見学を素早く終え、遠慮がちに後ろも振り返らずに去っていった。彼らが行ってしまうと、素早く部屋を横切り、今度は南側の通気孔を点検した。数か月前に来たときとは、外観が恐ろしく変わっていた。口のところに空調装置が取り付けられていたのだ。これはルドルフ・ガンテンブリンクが据え付けたもので、この時彼は女王の間の忘れ去られた通気孔の点検をしていた。

エジプト学者は王の間の通気孔の目的が、換気であるという見解で満足してしまい、近代技術を駆使して換気の能力を高める以上に、面倒なことはしようとしない。だが、換気が目的だったら、水平な通気孔の方が斜に走る通気孔よりも効果的だし、建設も簡単だったのではないか？[24] したがって南側の通気孔が四五度の角度で南の天空を指しているのは偶然ではないだろう。この通気孔は、ピラミッド時代にオリオン座の三つ星の一番下のゼータ星（星座中で明るさが第六位の星）を指していた。[25] 後でわかったのだが、これには、ピラミッドの調査において重要な意味があった。

ゲームの巨匠

再び王の間を独占することになった。今度は西壁に行き石棺の後ろに立ち、東を向いた。この広い部屋は数学的ゲームの宝庫である。たとえば高さ（五・八メートル）は、床の対角線の長さ（一一・六メートル）のちょうど半分である。[26] さらに王の間は完璧な一対二の比率の長方形の部屋であり、「黄金分割」になっているが、ピラミッドの建設者たちがこのことを知らなかったとは思えない。

「ファイ」として知られる「黄金分割」は、円周率 π と同様、算術によっては割り切れない数字だ。ファイの値は五の平方根に一を足しそれを二で割ったもので、約一・六一八〇三になる。[27] この数値は、「フィボナッチの数列の隣どうしの数字でつくる分数の値と近似している。フィボナッチの数列とは、一、一、二、三、五、八、一三・・・のように、最初の二項が一、一、で、あとは先行する二項の和がその数となっている数列である」[28]

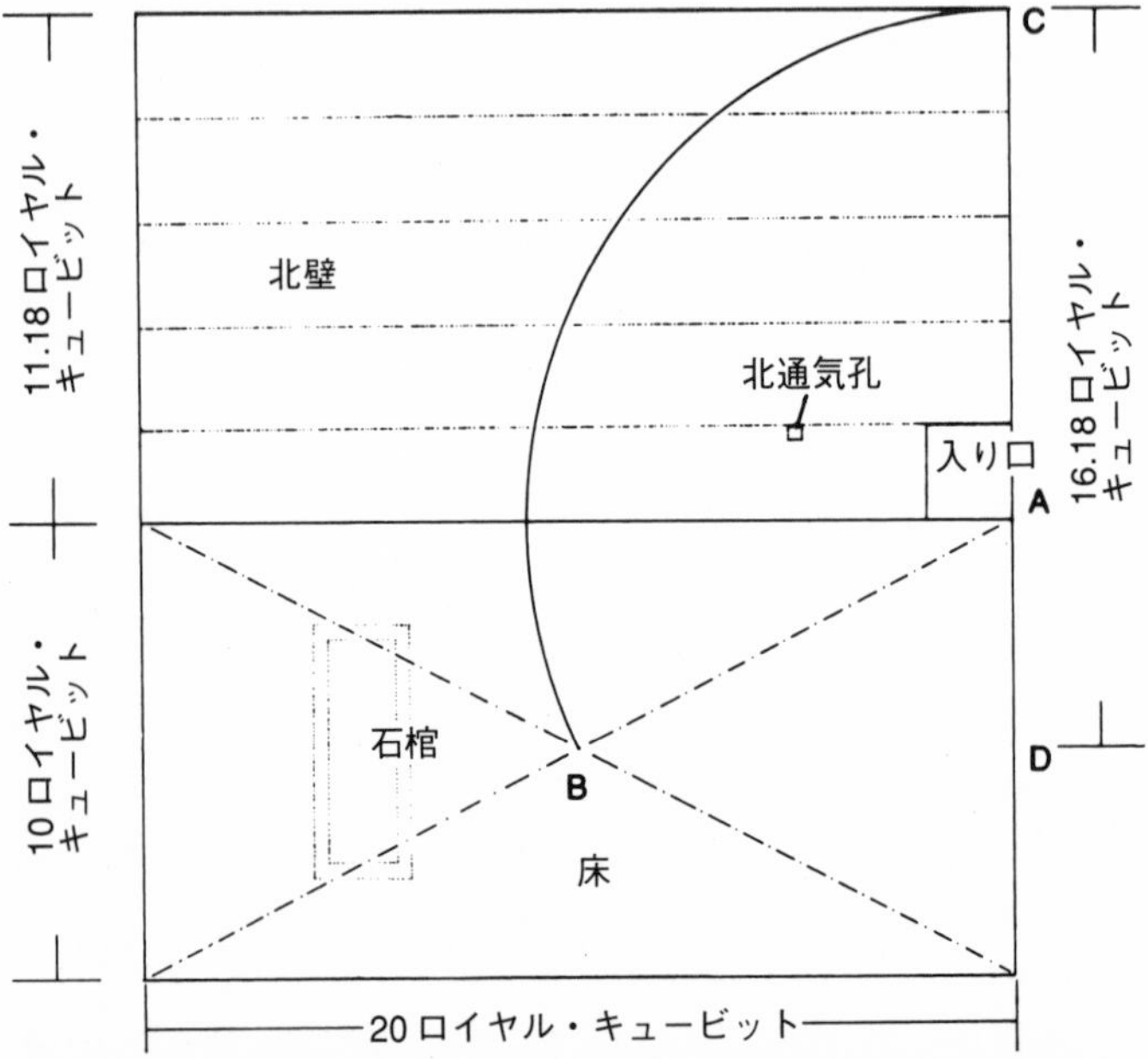

王朝の歴史が始まる最初の時点で、エジプトは見知らぬ人々から計測のシステムを受け継いでいる。古代の計測法によると王の間の床の寸法（10.50メートル×5.25メートル）は、正確に20×10「ロイヤル・キュービット（古代の計測単位）」になる。また側壁の天井までの高さは正確に11.18ロイヤル・キュービットだ。床の対角線の長さの半分ABもまた、正確に11.18ロイヤル・キュービットであり、そのまま天井に持ち上げると部屋の高さCとなる。ファイの値は、(5の平方根＋1）÷2＝1.618・・・である。CDの距離（王の間の壁の高さに、床の幅の半分を加えたもの）が16.18ロイヤル・キュービットでファイの値になるのは偶然だろうか？

「ファイ」の値は図解で求めることもできる。線分ABをC点で分割するが、線分ABは線分ACよりも長く、線分ACは線分BCよりも長くし、線分AB対線分AC、線分AC対線分BCのそれぞれの長さの比率が同じになるところをC点とする。(29) この比率は非常に調和がとれており、目に美しく映ることがわかっているが、この比率はアテネのパルテノン神殿に採用されており、ギリシアのピタゴラス学派によって発見されたことになっている。だが、間違いなく、パルテノンが建てられた時代よりも二〇〇〇年以上前のギザの大ピラミッドの王の間において、すでにファイが採用されている。

これを理解するには部屋の長方形の床を、同じ寸法の二つの正方形に分割したと想像してみるとよい。その正方形の一辺の値を一とする。その正方形のどちらかをさらに半分に分割する。これで二つの新しい長方形ができる。この長方形の対角線の、王の間の中央ラインに近いほうの点を底辺まで振り下げると、底に接触する点は、元の正方形の一辺の長さの一・六一八倍の長さの位置になり、ファイの比率が現われる。(30)(図参照)。

エジプト学者たちは、これらすべてのことを単なる偶然の産物として片付けている。だがピラミッド建設者たちは、偶然の仕事をしない人々だ。彼らが誰であろうと、彼らほど組織的で数学的な意識を持った人々はいないだろう。

一日の数学ゲームとしてはもう十分だ。だが、王の間を離れるとき、さらに、この部屋が大ピラミッドの第五〇段にあり、地上から四五メートルの高さにあることを思い出さずにはいられなかった。(31) フリンダーズ・ペトリが驚きをもって指摘したように、建設者たちはこの部屋を、ピラミッド

を半分に分ける段に造っており、この面を水平に切り取ると、土台の面積のちょうど半分になる。この位置では角から角への対角線の長さは土台の長さと同じになる。また側面の幅は、土台の対角線の半分と同じ大きさになる。[32]

彼らは六〇〇万個以上の石を自信をもって能率的に取り扱いながら、大回廊を造り、部屋を造り通気孔や通路を好きなように造っている。さらにほぼ完璧な対称性とほぼ完璧な直角を維持し、方位もほぼ完璧だ。それだけでなく、大ピラミッドの謎の建設者は、この巨大な記念碑の寸法を使って、数多くの色々な仕掛けを作る余裕があった。

何が古代エジプトの人々にこの謎だらけの建造物を造らせたのか。ピラミッドを建設し、何を伝えようとしていたのか。また、何を成し遂げようとしていたのか。そしてなぜ、建設された後、何千年もの間、ピラミッドに接したあらゆる人々の心を捕えて離さなかったのか。

すぐそばにはスフィンクスがある。そこでそれらの謎をスフィンクスにぶつけてみることにした。

第39章　始まりの場所

エジプト、ギザ、一九九三年三月一六日、午後三時三〇分

大ピラミッドを離れたのは午後だった。サンサと私は、前夜ピラミッドを登った同じ道を引き返し、北面の下を東に向かった。次に東面に沿って南に行き、瓦礫や古い墓を乗り越えて進んだ。この辺りには古墳が密集している。ここを過ぎると砂に覆われたギザ台地の石灰石の地盤に出る。ここから南と東は緩やかな斜面となっている。

この長い緩やかな斜面を降り、大ピラミッドの南東の角から五〇〇メートルほど先、岩を削った窪みにスフィンクスがうずくまっている。高さが二〇メートル、長さが七三メートル以上もあり、頭の幅は四メートル以上もあるスフィンクスは[1]、世界最大の、そして世界でも、もっとも有名な石像と言っていいだろう。

ライオンの身体に人間の頭

空を睨む目、太陽のように無情な心[2]

北西からスフィンクスに近づいたが、第二ピラミッドとカフラーの河岸神殿と呼ばれる神殿の間を結ぶ古い参道を横切った。この河岸神殿は変わった建造物でスフィンクスの南側一五メートルの場所、ギザ・ネクロポリス（古代都市）の東端にある。

この神殿はカフラー王の時代よりも、さらにはるかに古い時代の建造物だと長い間考えられてきた。一九世紀には、この神殿が造られたのは歴史の始まるかなり前で、エジプト王朝とは何の関係もないものだということで、学者たちの意見は一致していた[3]。この定説が覆されたのは、神殿の構内からカフラー王と銘記された像が次々に出土した後のことである。像のほとんどは粉砕されていた。だが控えの間の穴の底深くで逆さまの状態で発掘された石像は、ほぼ完全な状態で保存されていた。黒く宝石のように硬い閃緑岩で作られた、実物大のファラオの石像である。第四王朝のファラオが玉座に座り、無限の時を穏やかに無関心に凝視している。

この時点でエジプト学者のカミソリのように鋭い論理が生まれ、畏敬の念を起こさせる解決策が示された。それは、河岸神殿でカフラー王の石像が発見された、したがって河岸神殿はカフラー王によって建設された、というものだ。通常は慎重なフリンダーズ・ペトリまでが、「この神殿で年代を示すものはカフラーの石像しか発見されていないので、この建造物はカフラー王の時代のものだろう。もっと古い建物を当時の人々が勝手に利用したという考えは、まずありえない」と言っている[4]。

だが、なぜ、ありえないのだ？

エジプト王朝の歴史の中では、多くのファラオが先人の建物を盗用している。時には最初の建造者のカルトゥーシュ（エジプト象形文字で国王・神の名が書かれている楕円形の花枠）を消してしまい、自分のカルトゥーシュに変えている[5]。したがって、カフラー王と河岸神殿との結びつきを否定するようなものは何もない。とくにこの神殿が、歴史上のどの支配者とも関係なく、ナイル低地の古代エジプトに文明をもたらした遠い神話の時代の「最初の時の神々」と結び付けられているだけだったとしたら、なおさらのことだ[6]。古代の謎の力に特別な関係がなかったカフラー王が、美しい等身大の石像を設置して永遠に残そうとしたとしても不思議ではない。この神殿が多くの神々の中でも、特にオシリス（すべてのファラオの目的は、死後、オシリスの仲間になることだった）[7]と関連が深いとしたら、カフラーが石像を飾り、象徴的に強い結び付きを作ったとしても理解できる。

巨人の神殿

参道を横切って、河岸神殿に近づくために選んだ道は、「マスタバ」墳群の瓦礫の中の道だった。「マスタバ」は第四王朝の下位の貴族や神官の墓であり、ベンチのような形の土台の地下に墓がある（マスタバとは近代アラビア語で「ベンチ」のこと。そこでマスタバ墳と呼ばれる）。神殿の南の壁に沿って歩いたが[8]、この太古の建物は大ピラミッドと同じようにほぼ完璧に南北を向いている（誤差は円弧で一二分）。

神殿は一辺が四四メートルの正方形に設計されている。神殿は台地の斜面に建てられており、西

側が東側よりも高い。したがって西側の壁は六メートルほどの高さだが、東側の壁の高さは一二メートルを超えている。(9)

南側から見ると、この神殿は楔《くさび》型の建造物という印象で、地に伏して力強く地盤に横たわっているように見える。だが近づいてよく見ると、現代人の目には異様に映る、説明できないような特徴をいくつか備えていることがわかる。これらの特徴は古代エジプト人にとっても、極めて異質で説明不可能だったことだろう。まず第一に、この建造物には外にも中にも碑文や装飾などが一切ない。そういう点では、読者の方も察知されたと思うが、河岸神殿は、ギザ台地の他のいくつかの建設者不祥で、はっきり言うと造られた年代もわからない大ピラミッドなどの建造物と似ている（アビドスにある謎の建造物オシレイオンも同じだ。こちらについては後ほど詳しく検証する）。だが、古代エジプトの典型的な芸術や建築とはまったく違う。古代エジプトの建築ならば、たくさん碑文が彫られ、豊かに装飾されている。(10)

河岸神殿のもう一つの重要な際立った特徴は、その主要な建造物の隅々まで例外なく巨大な石灰岩の巨石で造られていることだ。石のほとんどは、長さ五・四メートル、幅三メートル、高さ二・四メートルだが、大きなものは長さ九メートル、幅三・六メートル、高さ三メートルもある。(11)ほとんどが二〇〇トン以上の重さがあり、一つ一つがディーゼル機関車よりも重たく、それが何百個もあるのだ。(12)

これは不思議ではないだろうか？

エジプト学者は、不思議とは思わないようだ。この謎に言及したエジプト学者はほとんどいない。

石の巨大さや、これらの石をどのように組み立てたのかについては、ごく表面的な見解は別として、ほとんど何も言われていない。これまでに見てきたように、七〇トンの重さの一本石が、大ピラミッドの王の間の高さまで持ち上げられている。七〇トンというと家庭用小型車一〇〇台分の重量だ。だがこのことすら、エジプト学者たちの間ではほとんど取り上げられていない。したがって学者たちが河岸神殿に対して無関心であったとしても、驚くべきことではないのだろう。だがそれにしてもこの石のサイズは異常である。単に違う年代のものだと言うだけではなく、違う価値観が反映されている。現代の我々にはまったく理解できない審美眼、構造上の関心を持っており、規模の感覚がまったく異なっている時代だ。たとえば、なぜこのような扱いの難しい二〇〇トンもの一本石を使用するのか? それらを切って、一〇トンとか二〇トンとか、あるいは四〇トンとか八〇トン程度の石にしたほうが、扱いやすいのではないか? なぜ、もっと簡単な工法で似たような外観が得られるのに、わざわざ難しい方法で仕事をするのか?

また河岸神殿の建設者たちは、どうやって超巨石を一二メートルも持ち上げたのだ? この規模の重さの石を持ち上げられる地上クレーンは、現在、地球上に二台しかない。最先端の建設技術を備えたこれらのクレーンは、巨大な産業機械であり、ブーム（腕）の長さは六七メートルにもなり、ひっくり返らないために一六〇トンの重りを装置の反対側に取り付けなければならない。一つの石を持ち上げるのに六週間の準備が必要で、二〇名で構成される熟練した専門チームが作業を行なうことになる。[13]

つまり、現代のハイテク技術でも、二〇〇トンの石を持ち上げるのがやっとなのだ。したがって、

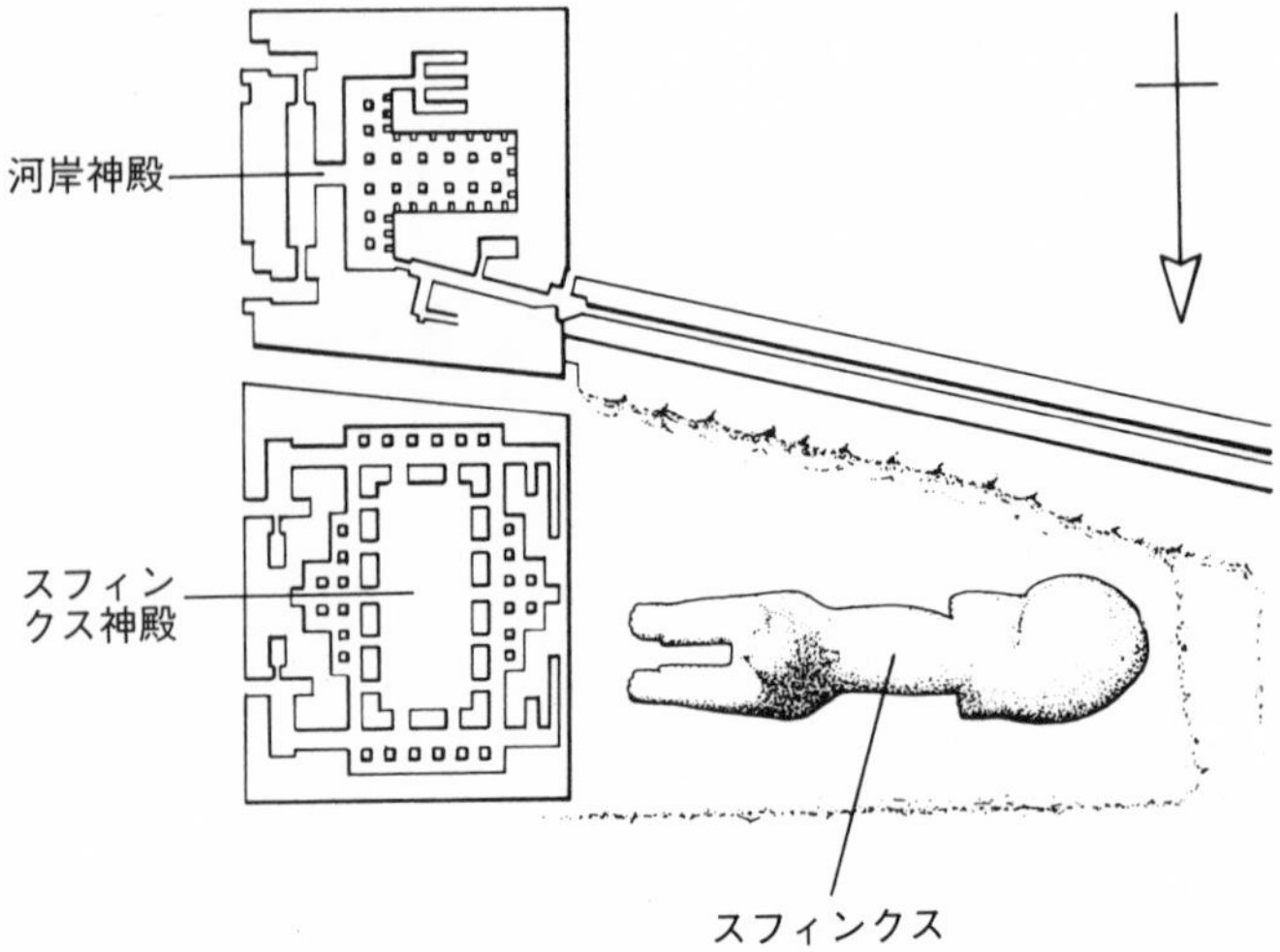

スフィンクス、スフィンクス神殿および河岸神殿

古代のギザの建築者たちが、日常茶飯事のように重たい石を持ち上げていたのは、驚くべきことではないだろうか？

　立ちはだかる神殿の南壁に近づいてみた。そこで巨大な石灰岩のブロック以外の新たな発見をした。壁はあきれかえるほど巨大な石で造られているだけでなく、さらに驚いたことには、石は様々な角度を持つジグソーパズルのように組み上げられていた。このパターンは、ペルーのマチュピチュやサクサワマンの巨石積み建造物に採用されているものとよく似ている（第2部参照）。

　さらに気がついたのは、この神殿は二段階で建設されていることだ。最初の段階で建てられたものは、そのほとんどが現存しており（ひどく磨耗しているが）、二〇〇トンの重たい巨大な石灰岩で構成されている。これらの石の表面には花崗岩の磨かれた石が接合されている。この花崗岩は建物内部においては、今でもほとんどがしっかりと石

灰岩を覆っているが、外壁の方はほとんどが剝がれている。現在も残っている剝がれた外側の花崗岩を詳しく調べると、面白いことがわかる。古代に石灰岩に取り付けられたとき、花崗岩の裏側は、石灰岩の上に残っている天候による磨耗の跡にあわせて削られているのだ。これらの跡を見ると、中心となる石灰岩は非常に長い年月のあいだ自然の風雪にさらされ、後から花崗岩で覆われたことがわかる。

ロスタウの支配者

今度は河岸神殿の入り口に回ってみた。入り口は一三メートルの高さがある東壁の北の端近くにある。この辺りの花崗岩の化粧石は、まだ完全な状態で保存されている。花崗岩の巨大な板は一枚が七〇トンから八〇トンもあり、鎧のように中の石灰岩の柱を守っている。この暗くて堂々とした正面入り口にある、屋根のない、背が高く狭い回廊は、まず東から西に向かって走っている。それから直角に南に曲がると、そこは広大な控えの間になっている。カフラー王の実物大の閃緑岩の石像はここで発見されている。逆さまで、明らかに何らかの儀式にのっとって深い穴に埋められていた。

控えの間の内部全体を装飾しているのは、滑らかに磨かれた花崗岩の化粧石で構成された素晴らしいジクソーパズルだ(建物全体と同じように)。ペルーのインカ帝国以前の遺跡に見られるものとよく似ているこのジクソーパズルは、いくつもの見事に削られた角度で接合されており、複雑なパターンを見せている。とくに注目すべきは、かなりの石が他の石の切り取られた面にぴったりと収

まっていることだ。

控えの間から優雅な回廊を通って西に行くと、広いT字型のホールにでた。T字の頭のところに立つと、西の方向に堂々とした柱が林立している。高さ四・五メートル、幅がそれぞれ一メートルほどある柱の上には、花崗岩の梁が横たわっているが、それらの幅も一メートル四方だ。T字の南北の軸にあたる部分にも六本の柱が立っており、やはり梁を支えている。この構造が、このホール全体に、壮大で、簡潔で、しかも洗練された雰囲気を与えている。

これは何のための建物か？　カフラー王がこの神殿を建てたとするエジプト学者たちによると、目的は明白だという。その見解によると、この建物はファラオの葬儀に必要な、清めと生まれ変わりの儀式の場所として設計されたという。だが古代エジプト人はこのことを確認できるような碑文を何も残していない。それとは逆に、現在まで残されている碑文によると、元々、河岸神殿はカフラー王とはまったく関係がないという。その理由は単純で、この建物が建てられたのは、カフラーの統治よりももっと前の時代だからだ。その証拠を示しているのは「インベントリー石碑」（第35章を参照）だが、この碑文によれば、スフィンクスも大ピラミッドももっと古い太古のものであるという。

「インベントリー石碑」によると、河岸神殿はカフラー王の前のクフ王の時代にすでに存在していたという。またその当時でもすでに太古から伝わる建設物とみなされていたという。その文脈からはっきりと読み取れるのは、この建造物はもっと前のファラオが建設したものでもなく、「最初の時」にナイル低地に移住した悠久の昔の「神々」によって建てられたということである。この碑文

には、この神殿が「ロスタウの支配者・オシリスの家」だということが、はっきりと書かれている[14]（ロスタウとはギザ・ネクロポリスの古代における名前）[15]。

第7部で詳しく述べるが、オシリスは多くの面で、アンデスと中央アメリカに文明をもたらした半神半人ビラコチャでありケツァルコアトルのエジプト版なのだといえる。したがって、そのように賢い教師であり、法を授けた賢者の「家」（あるいは聖地、神殿）が、大ピラミッドやスフィンクスがあるギザに建てられても不思議はない。

遥か遠い昔で、途方もなく古い

「インベントリー石碑」には、スフィンクスは「オシリスの家の北西にある」と書かれている[16]。そこで河岸神殿のT型ホールを囲む西壁の北の端まで歩いた。一枚岩でできた出入り口を通り抜け、長い坂になっている床を進んでいくと、縞大理石の回廊に入った（この回廊も北西を向いている）。この道をたどると、第二ピラミッドに向かう参道の下に着く。

参道の端から、すぐ北にスフィンクスの全貌が見えた。一街区ぐらいの長さがあり、高さは六階建てのビルぐらいあるスフィンクスは、完全な真東を向いている。したがって、春分と秋分には昇る太陽に正面から向き合うことになる。頭は人間で、身体はライオンだ。うずくまっているが、まるで何千年もの静寂の眠りから目覚め、ついに動きだす用意ができたかのようだ。身体は石灰岩の山を削って作られているが、場所は慎重に選択されたことだろう。この変わった場所はナイル低地を見下ろしているが、通常の石灰岩の基盤よりも九メートルも高いところにある。スフィンクスの

42▲ 南西から見たエジプトのギザ・ネクロポリス（古代都市跡）。3つの補助的ピラミッドのすぐ後にあるのがメンカウラー王のピラミッドで3つの大きなピラミッドの中では最も小さい。そのすぐ後にそびえ、上部にまだ化粧石が残っているのがカフラー王のピラミッド。その背後の先端がなくなっているのが、クフ王のピラミッドこと大ピラミッドで、古代世界の七不思議のひとつとされている。この3つのピラミッドは第4王朝のファラオたちが建造したといわれているが、確固たる証拠はなにもない。

43▼ ギザのスフィンクスは真東を向いており、春分・秋分の日の出を正面から見据える。新しい地質学的、天文学的証拠によれば、この巨大な一枚岩を彫って作られた石像は、考古学者がこれまで考えていたよりも、数千年古いものということになる。

44▲ 大ピラミッドの中心にある王の間にいる著者。壁は100個の石を積んで造られているが、それぞれの石の重さは70トンほどある。天井は9個の石で作られているが、それぞれ50トンもある。このような部屋を地上から高さ45メートルに建設することができるような技術力は相当高度なものである。

45▼ 王の間の石棺に横たわる著者。石棺は4500年以上前に花崗岩をくり抜いて造られた。そのような工法でこの石棺を造るには、現在使われているダイヤモンドヘッドのパワードリルよりも500倍速い速度で岩をくり貫かなければならない（そのような工具は発見されていない）。

46　大回廊。下に向かっているのだろうか、それとも上に向かっているのだろうか。長さ46.6メートル、高さ8.53メートルもあるこのコーベルボールト構造の天井の角度は26度になっている。この構造は工学、建築学的に見てほぼ実現不可能な偉業だ。

49▼ 一番下の部屋の屋根の上の著者。この板が天井を形成している。この狭い空間の中で、このような巨大な板を下から持ち上げて設置する方法は不明だ。

■前ページの写真

47（上左）女王の間。東壁にある壁龕と、南壁にある通気孔の入り口が見える。この通気孔は61メートルも急勾配で昇っているが、その先には落とし戸の扉があることが1993年3月にドイツのロボット「ウプワウト」によって発見された。

48（上右）メンカウラー王のピラミッドの3つの部屋の一番下の部屋。天井の落書きは現代のもの。18枚の巨大な花崗岩の厚板の切妻造を、下側から丸く削り凹んだ丸天井に仕上げている。

50▲ 現存する唯一のクフ王の彫像。大ピラミッドを建造したことになっている。

51◀ カフラー王の美しい彫像。第2ピラミッドの建造者とされている。

52▼ カフラー王のピラミッドの主要な部屋。ベルツォーニの書いた落書きが残っている。

53　4500年前に造られた流線型の船。海を航海できる高度な設計が施されており、大ピラミッドの脇に埋められていた。これよりもさらに古い、形のよく似た船の艦隊が、上エジプトのアビドス郊外の砂漠に埋まっているのが最近発見された（第7部参照）。

54▲ エジプトの王朝時代以前の最古のグラフィックアート。現在はカイロ博物館にある。洗練された絵画ではないが、似たような船が描かれている。

55▼ この船の形は、古代エジプトの「最初の時」にエジプトに文明をもたらしたといわれる神々「ネテル」たちが乗っていた船の形とよく似ている。写真19と20も参照のこと。

56▲ エジプトの大ピラミッドは幾何学的に見事に設計されている。高さは150メートル近くある。紀元前2550年頃に第4王朝のクフ王が建造したことになっている。大ピラミッドには様々な特徴があるが、その1つは北半球の数学的模型となっていることだ。その縮尺は4万3200分の1。

57▼ ギザの近くにある、紀元前2450年頃に君臨した第5王朝のサフラー王のピラミッドだが、瓦礫の廃虚と化している。たった100年で、このように極端に建築技術の水準が後退することがありえるだろうか？

頭と首はこの硬い岩の小山を彫って造られた。その下側の長方形の石灰岩が身体として彫られ、周りの基盤からその姿を浮かび上がらせた。建設者は幅五メートル、深さ七・六メートルの細長い溝をスフィンクスの周りに掘り、一つの独立して立つ石像を造っている。

いつまでも私の心に残っているスフィンクスとその周辺の第一印象というのは、それは極めて古いものだということだ。エジプト第四王朝のファラオの遺産のように数千年などという単位のものではないだろう。もっと遙かに遠い昔で、途方もなく古いもののようだ。これは長い歴史を通じての、古代エジプト人の考えでもあった。彼らはスフィンクスが、「すべての始まりの素晴らしい場所」を守っていると信じていた。また「偉大な魔法のような力が、この地帯全体に及んでいる」として崇拝していた[17]。

すでに見てきたように、これが「インベントリー石碑」の大まかなメッセージなのだ。だが、紀元前一四〇〇年頃の第一八王朝のファラオ、トトメス四世によって建立された「スフィンクスの碑文」も、より具体的に同じメッセージを残している。スフィンクスの足の間に今も残るこの花崗岩の板には、トトメス四世の統治の時、スフィンクスは首まで砂に埋まっていたという記録が残されている。トトメス四世は砂をすべて取り去り、その仕事を終えた記念に石碑を建てた[18]。

過去五〇〇〇年の間、ギザの風土は大きく変わってはいない[19]。したがって、この期間、スフィンクスとその周辺は、トトメス四世が砂を取り除いたときのように常に砂の侵略の影響を受けやすかったことだろう。実は、現在でも砂の影響を絶えず受けているのだ。最近の歴史を見ても、スフィンクスは放置しておくと、すぐに砂に埋もれてしまうことがわかる。一八一八年に、カビリア大佐

は発掘のために砂を取り除いているが、一八八六年にはガストン・マスペロが遺跡を掘りだすため、再び砂を取り除かなければならなかった。それから三九年後の一九二五年までに、またも砂が吹き寄せられ、スフィンクスは首まで埋まっていた。この年エジプト考古学庁が砂を取り除き、本来の姿を復元している。(20)

このことは、スフィンクスが彫られた頃のエジプトの気候は、現在とは非常に違うことを示唆していないだろうか？ このような巨大な石像を造っても、それがすぐにサハラ砂漠の砂に埋もれてしまうのでは、何のために造ったかわからないではないか？ だが、サハラ砂漠は比較的新しい砂漠で、一万一〇〇〇年から一万五〇〇〇年前のギザはもっと湿気があり、比較的豊かな土壌だった事実があるので、別のシナリオを考えてみる必要があるのではないか？ スフィンクス一帯は遠い昔の緑があった時代に彫られたものではないのか？ 現在、風で砂が吹き上げられる砂漠となっているところに、まだ草や灌木があり、上部の地層は安定しており、現代のケニアやタンザニアを思わせる場所だった時代だ。

このような快適な環境で造られたとすれば、半分地中に埋もれたスフィンクスのような石像を建造することも、常識に反することではない。建設者は、台地が乾燥し砂漠化するとは予測していなかったのだ。

スフィンクスが彫られたのは、ギザにまだ緑があるころ・・・遠い遠い昔だったと想像するのは理にかなうことだろうか？

これから見ていくが、このような考え方は現代のエジプト学者からは、ひどく嫌われる。だが、

彼らも「スフィンクスの年代を直接知る方法はない。なぜならスフィンクスは自然の石を直接彫って造られているからだ」ということは認めざるを得ない(ギザ地図化プロジェクトの責任者、マーク・レーナー博士の言葉)[21]。レーナー博士はさらに次のように指摘する。客観的な調査ができないので、考古学者は、「年代は文脈において判断せざるを得ない。スフィンクスに関する記述と言えば、ギザ・ネクロポリスにあり、ここは有名な第四王朝の遺跡があるところだ。したがってスフィンクスもまた明らかに第四王朝に属するものだ」[22]

このような理由付けを、一九世紀の著名なエジプト学者たちは当然だとは思っていなかった。彼らは、スフィンクスは第四王朝よりも遥かに古いものだという確信に、一度はたどり着いていたのだ。

誰がスフィンクスを造ったのか?

一九〇〇年に出版された『遥かなる帝国』のなかで、トトメス四世の建てたスフィンクスの石碑を詳細に研究した、著名なフランスのエジプト学者ガストン・マスペロは、次のように書いている。

スフィンクスの石碑の一三行目の空欄にカフラー王のカルトゥーシュがでてくる・・・これはカフラー王の時代にもスフィンクスの砂が取り除かれ復元されたことを意味していると思う。したがって、スフィンクスはクフ王の時代やその前任者のころすでに砂に埋まっていたのだ・・・[23]。

同じように著名なオーギュスト・マリエットもこの意見に同意している。もっともマリエットは「インベントリー石碑」の発見者だから当然である（この石碑には当然のこととして、スフィンクスはクフ王の時代よりも遥かに昔から、ギザに建っていたと書かれている）[24]。同じようにこの見解に同意しているのは、ブルグシュ（『ファラオの下のエジプト』、ロンドン、一八九一年）、ペトリ、セースなどの当時の高名な学者たちだ[25]。ジョン・ワードのような旅行作家も、「スフィンクスはピラミッドよりも遥かに古いに違いない」と言っている。また一九〇四年まで大英博物館の古代エジプト遺跡の管理者を務め、尊敬を集めたウォーリス・バッジは、迷いもなく次のように明言している。

もっとも古くて素晴らしい、人間の頭とライオンの身体を持つ像は、ギザのスフィンクスだ。この素晴らしい石像は第二ピラミッドを建設したカフラー王の時代にすでに存在していた。当時すでに古いものとされていた・・・スフィンクスは何らかの形で外国人、あるいは外国の宗教と結び付いていると考えられる[26]。

二〇世紀の初めと終わりで、エジプト学者のスフィンクスの古さに対する見方は、急激に変わっている。現代の正統派のエジプト学者で、この点について議論したり、真剣に考える者は一人もいない。スフィンクスはカフラーの統治時代よりも数千年も前に彫られたのではないかという見方は、一昔前は常識であったが、現在では大胆で無責任な意見とされる。

たとえばエジプト考古学庁のギザとサッカラの責任者ザヒ・ハワス博士によると、このような理論はこれまで何度も述べられてきたが、「風と共に去った」のだという。なぜなら、「われわれエジプト学者がスフィンクスの年代がカフラー王の時代のものだという、確固たる証拠を持っている」からだという[27]。

同じようにカリフォルニア大学バークレー校の考古学者キャロル・レッドモントも、「スフィンクスはカフラー王よりも数千年は古いのではないか?」という見方には懐疑的だった。「それが真実である可能性はない。カフラー王統治時代よりも数千年前のあの地域の人々はそのような技術も、管理組織も、あのような建造物を建てる意志も持っていなかった」[28]。

この問題の調査を始めた頃は、ハワス博士が主張するように、否定できない何か新しい発見があって、スフィンクスの建設者が誰かという問題には決着がついているのだろうと推測していた。だがその推測は間違いだった。建設者不祥で碑文も彫られていない謎のスフィンクスが、カフラー王によって建てられたということが自信たっぷりに語られているが、その背景には「文脈」から見た、三つの理由しかないことがわかった。

理由❶トトメス四世の建てたスフィンクスの石碑の第一三行目にカフラー王のカルトゥーシュがある。

マスペロはこのカルトゥーシュの存在を見事に説明している。トトメス四世はスフィンクスを復元したが、そのときに、以前、同じことをしたファラオに敬意を示したのだ

という。それが第四王朝のカフラー王だ。この見方だと、カフラー王の時代にすでにスフィンクスは古い建造物だったということになる。だが、この見解は現代のエジプト学者からは拒否される。テレパシーでも働いているかのように同じ見解を述べるエジプト学者たちに言わせると、トトメス四世がカフラーのカルトゥーシュを石碑に刻んだのは、石像の建造者を賛えるためだというのだ（単なる復元者としてではなくて）。

石碑に残っているのはカルトゥーシュだけであり、前後の文章は欠けていた。したがって、このように確固たる結論を急いで出すのは時期尚早ではないだろうか？　第四王朝のファラオのカルトゥーシュが存在するというだけで（第一八王朝のファラオが建立した石碑に）、建設者不明の建造物の建設者を特定するとは、いったいどんな「学問」なのだ？　しかも、現在ではカルトゥーシュすらも、欠落してなくなってしまっている…。

理由❷隣にある河岸神殿もまた、カフラー王が建設したことになっている。

カフラー王が建設したという根拠は希薄だ（石像が見つかったからというが、これは後から持ち込まれたものかもしれない）。だが、この見方はエジプト学者たちから全面的に支持されている。彼らはついでにスフィンクスもカフラーが建造したことにした（スフィンクスと河岸神殿との間にははっきりとした関連性があるからだ）。

理由❸スフィンクスの顔が、河岸神殿の穴から発見されたカフラー王の石像の顔とよく似ている。

これはまったく個人的見解の問題だ。私は、この二つの顔がすこしでも似ていると感

じたことは一度もない。このことに関しては、ニューヨーク警察の法廷画家がモンタージュ写真を使い、スフィンクスとカフラー王の顔の比較を行なっているが、この画家も似ていないという[29]（この件は第7部で述べる）。

したがって、これらすべてを考えあわせると、一九九三年三月一六日の午後遅くにスフィンクスを眺めながら私が思ったのは、まだ判決が下りていないということだった。陪審員はこの建造物の建設者についてまだ検討中なのだ。カフラー王か、あるいは歴史が始まる前の、まだ知られていない高度な文明の建築家の作品なのか、どちらなのだろうか[30]？　エジプト学者の現在の好みがどうであろうと、はっきりしているのは、両方のシナリオがそれぞれもっともらしく見えることだ。したがって必要とされているのは、非常に強固で疑問の余地のない証拠であり、それによってどちらかに確定することだ。

第7部　永遠の支配者　エジプト2

第40章　エジプトに残された秘密

一九二二年一一月二六日の夕方、英国の考古学者ハワード・カーターとその資金提供者カーナーボン伯爵は、紀元前一三五二年から前一三四三年の間、第一八王朝を統治した若いファラオの王墓に入った。そのファラオというのは、その後世界中にその名を知られることになるツタンカーメンだった。

二日後の夜、一一月二八日、王墓の「宝庫」が破られた。そこは巨大な黄金の霊廟になっており、さらに奥に部屋があった。奇妙なことに、この部屋には目も眩むような高貴で美しい工芸品がたくさんあったが、扉がなかった。部屋の入り口は、まるで生きているかのような、ジャッカルの頭を持つ葬儀の神アヌビスの彫像が見張っていた。耳を立てた神は、犬のようにしゃがみ、前足は前に出し、金で装飾された木箱の蓋の上に置かれていた。箱の大きさは長さ一・二メートル、高さ九一センチ、幅六〇センチほどだ。

カイロ市エジプト博物館、一九九三年一二月

葬儀の神アヌビスは今も小箱の上に前足をのせているが、ガラスの展示箱の中に入れられている。神アヌビスを静かに長いこと見つめてみた。彫像はスタカード材を彫ったものだ。全体は黒い塗料が塗られ、そこに金や雪花石膏や方解石や黒曜石、銀などが散りばめられ、丹念な象嵌細工が施されている。銀は眼に使われており、特別な効果を出している。ギラギラ光る眼は用心深く、強烈さを秘め、明確な知性を感じさせる。またはっきりと描かれた肋骨と柔軟そうな筋肉は、秘められた強さとエネルギーと優雅さのオーラを放っている。

神秘的で強烈な力を感じさせる彫像に魅せられながら、世界中で見られる歳差運動の神話のことを思い出していた。これについて、私は過去数年間、研究を続けてきた。神話の中では、犬のような存在がたびたび出てくるが、まるでこれらの物語の背後にはある意図の下に組み立てられた筋書きが存在するかのようだ。犬や狼やジャッカルなどのシンボルは、遠い昔の神話の作者が、失われた科学的知識の秘密の貯蔵場所への迷路を案内するため、意図的に使用したのではないかと、私は考え始めていた。

それらの貯蔵場所の中に、オシリスの神話がある。これは単なる神話ではなく、古代エジプトでは劇になっており、神秘の劇として毎年演じられてきた。歴史が始まる前からの大切な伝承を伝える「筋のある」文芸作品だったのだ。[1]第5部でも見たように、この伝承は歳差運動を表わす数字を含んでいる。この数字は正確で、とても偶然のせいにはできない。またジャッカルの神が劇の中心であり、オシリスの精神的案内人となり、冥界の旅をするのも偶然ではないようだ。[2]また古代にお

いてアヌビスはエジプトの神官から、「秘密の神聖な書物を守る者」とみなされてきたことに、何か重大な意味があるのだろうか、と考えてもみたくなる。(3) 彫像が前足をのせている黄金の小箱の端の溝には「秘密を伝える」と書かれている。(4) この絵文字は別の翻訳によれば「秘密の上に座るもの」とか「秘密を守護する者」となる。(5)

エジプトにはまだ秘密が残されているのだろうか？

この地では一〇〇年にもわたる考古学的発掘が行なわれてきた。この古代の土地の砂は、まだ何か驚くべき秘密をその下に隠しているのだろうか？

ボーヴァルの星と、ウェストの石

一九九三年にある驚くべき新しい発見があり、古代エジプトからはまだまだ学ぶことがあることがわかった。だがこの発見は、事実をありのままに評価することのできないような考古学者が、古い砂をふるいにかけて発見したものではなく、専門外の人間による発見だった。天文学に詳しいベルギー人の建築技師ロバート・ボーヴァルが、天空とギザのピラミッドとの相関関係を明らかにしたのだ。地面にばかり気をとられていた専門家が見落とした分野だ。

ボーヴァルの発見とは、次のようなものだ。オリオン座の三つ星は、ギザの南の空に見えるが、一直線でないことは知られている。下側の二つの星、アルニタクとアルニラムを直線で結ぶと、三つめの星ミンタカは、その線から左側、つまり東の方向にずれているように見える。

興味深いことに(第36章で述べた通り)、ギザ台地の三つの謎のピラミッドもまったく同じ配置に

なっている。ボーヴァルはギザのネクロポリスを空から見ると、クフ王の大ピラミッドはアルニタクの位置にあり、カフラー王の第二ピラミッドはアルニラムの位置にあり、メンカウラー王の第三ピラミッドはこの二つのピラミッドを結んだ線の東側にあることがわかった・・・これで星の壮大な構図が完成する。

本当にギザのピラミッドはこのように配置されているのだろうか？　ボーヴァルのその後の研究の成果は、数学者や天文学者から全面的に支持されている。ボーヴァルの天才的な直感が正しいことが証明されたのだ。彼の証拠（第49章で詳しく解説する）によると、三つのピラミッドは、信じがたいほど正確にオリオン座の三つ星に対応しているという。[6] それぞれの星相互の位置関係だけでなく、光度までも（建造物の大小を通して）示しているという。[7] さらにこの天空図は南北に広がり、ギザ台地の他の建造物も含むものとなっており、やはり正確に天体の位置を示すものとなっているという。だが、ボーヴァルの天文学の計算がもたらした、真の驚きは別のところにある。ボーヴァルによると、大ピラミッドが天文学的に「ピラミッド時代」との関連性を示しているにもかかわらず、ギザの建造物全体の配置を見ると、それらが示している天空図は紀元前二五〇〇年の第四王朝の頃のものではなくて、紀元前一万四五〇〇年頃のものだという。[8]

今回エジプトに来たのは、ロバート・ボーヴァルと一緒にギザを訪れ、天体と一連の建造物との関係に関する意見を聞くことだった。さらに、そのような昔に、そういった科学的知識をもち、正確に星の位置を計測し、ギザ・ネクロポリスという数学的、野心的な計画を遂行したのは、どのような人々だったのか、といったことに対するボーヴァルの見解を知りたかったのだ。

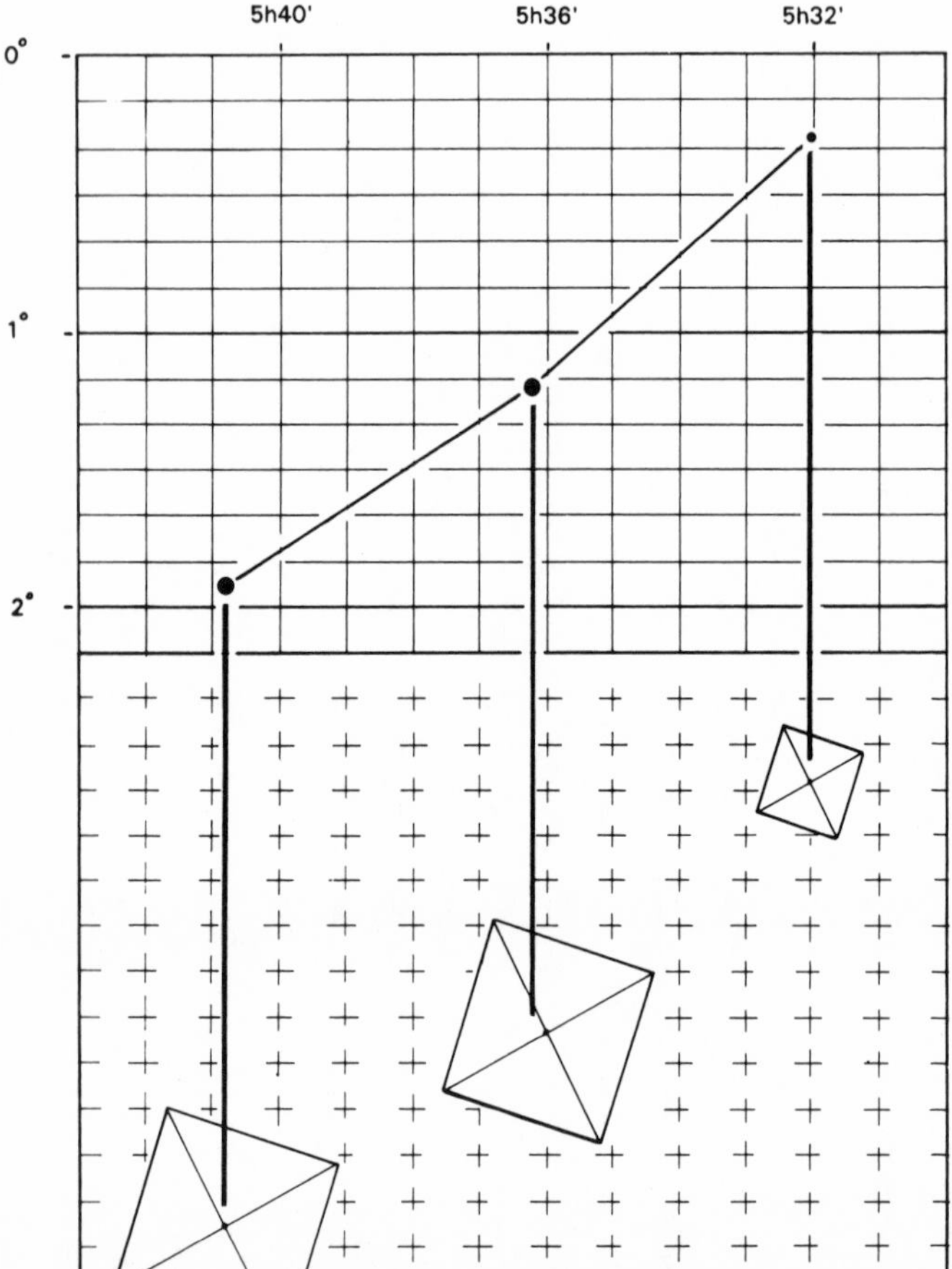

ギザの3つのピラミッドとオリオン座の三つ星の対置

今回の旅行のもう一つの目的は、古代エジプトの正統派年代学に挑戦した別の研究者に会うことだった。彼は根拠のしっかりした確実な証拠をあげて、ナイル低地には紀元前一万年前かそれよりも前に、高度な文明があったことを示した。ボーヴァルの天文学のデータ同様、証拠は常に存在していたが、そうしたものも権威主義的なエジプト学者の関心を呼ぶことはできなかった。その確実な証拠を一般の人々に知らせたのは米国の学者ジョン・アンソニー・ウェストだった。ウェストによれば、専門家たちはそれらの証拠を正当に評価することができなかったのだと言う。証拠を摑むことができなかったのではなく、見つけた証拠の解釈が間違っていたのだ。[9]

ウェストの示す証拠は、いくつかの鍵となる建造物に焦点を合わせたものだ。それはギザのスフィンクスと河岸神殿であり、さらに南のアビドスにある謎の建造物オシレイオンだ。ウェストは、これらの砂漠の建造物には、科学的に間違えることができないほどはっきりと、雨による磨耗の痕跡が残っているという。石を磨耗させるには、隆水量がなければならない。そのような大量の雨が降ったのは氷河時代最後の頃の降雨期であり、紀元前一万一〇〇〇年頃だという。[10]この特異できわめて明瞭なパターンを残す「降雨による」浸食現象の痕跡は、オシレイオン、スフィンクスその他の建造物が造られたのが、紀元前一万年以上前だということを示している。[11]

英国の報道ジャーナリストは次のようにまとめている。

ウェストの存在は、学者たちにとってはあってはならないような悪夢だ。なぜならこの学者は思いがけない所から現われ、綿密に考え抜かれ、見事にまとめられた、首尾一貫した理

論を提示したからだ。その豊富なデータには反論の余地がない。だが、その理論は、エジプト学者たちを窮地に追いやるものだった。学者たちはこれにどう対処するのだろうか？　無視するだろうか？　学者たちはこれが消えてくれればよいと思っている・・・だが、ウェストの示した証拠が消え去ることはない。[12]

「優れたエジプト学者連中」の反発を買ったものの、この新しい理論は、いかなる状況になっても消え去らない。なぜなら別の分野の学者たちから圧倒的な支持を受けているからだ。その学者たちとは、地質学者だ。ボストン大学の地質学者ロバート・ショック博士は、ウェストによるスフィンクスの建設時期の推定が正しいことを確定するのに、重要な役割を果たした。ロバート・ショック博士の見解は、一九九二年のアメリカ地質学会の年次総会において、三〇〇名の同僚から支持を受けた。[13]

それ以降、地質学者とエジプト学者の間で、激しい論争が巻き起こっているが、その多くは公開の場で行なわれている。[14]ジョン・ウェストを除くと、この問題に関してはっきりとした意見を述べる者は極めて少ない。だが、この論争で重要なことは、人類の文明の進化に関する定説が大幅な修正を迫られているということだ。

ウェストは次のように言う。

これまで人間の文明の進化は一直線だと教わってきた。洞穴に住む頭の悪い人間がいて、

その後現代になって、利口なわれわれが原子爆弾をもち、縞《しま》模様の練り歯磨きを使うようになったというわけだ。だがスフィンクスは考古学者が考えるよりも、何千年も古いという証拠が出ている。エジプト王朝よりも数千年も古いというのだ。ということは、すべての伝説の中で確認できるように、遥か太古の時代に高度で洗練された文明が存在していたということになる。⑮

私も過去四年間にわたる調査旅行と研究の結果、それらの伝説が正しいという、驚くべき可能性があることに、気付かされていた。そこでエジプトに戻り、ボーヴァルやウェストと会うことにしたのだ。それにしても、これまで互いに関連がないと思っていた調査⑯の数々が、見事に結び付き、天文学的あるいは地質学的な失われた文明の指紋が浮かび上がってきたのには衝撃を受けた。ナイル低地が本拠地ではないかもしれないが、紀元前一万一〇〇〇年頃には、この地にも失われた文明が存在していたようなのだ。

ジャッカルの道

アヌビス、秘密の守護者、埋葬室の神、ジャッカルの頭を持つ死者の道を開く者、オシリスの案内役兼道連れ・・・。

午後の五時、カイロの博物館は閉館の時間だった。サンサが黒く不気味な彫像の写真を撮り終えたとき、下の階の守衛が口笛を吹き、手を打ち鳴らして、最後の客をホールから追い出そうとして

いた。だが、百年前に建てられたこの建物の二階では、古代のアヌビスは数千年間そうしてきたように相変わらずうずくまったままで、警戒心を緩めることがなかった。静かで、すべてが停止していた。

薄暗くなった博物館を離れ、まだ陽光が眩しいカイロのタハーリル広場の雑踏に入り込んだ。

アヌビスは魂の案内人で、秘密の書物の保護者だったが、その仕事を別の神とともに行なっていた。その別の神のシンボルもジャッカルであり、その名前はウプワウトで「道を開く者」という意味だった。(17) この二者の犬神は太古の時代から上エジプトの古都アビドスと関連付けられてきた。アビドスの神ケンティ・イメンティウ（「最初の西洋人」という奇妙な意味）もまた、犬の一族であり、通常は黒い燭台に横たわっていた。(18)

アビドスでは、謎の象徴的な犬一族がたびたび発見されたが、何か意味があるのだろうか？　そこには、解かれるのを待っている重要な秘密があるのだろうか？　これは解明する価値があるようだ。なぜならアビドスの大規模な遺跡の中には、オシレイオンと呼ばれる建造物があり、これはジョン・ウェストの地質学的調査の結果、考古学者が考えるよりも、遙かに古いものらしいことがわかっているからだ。またウェストとは数日後、上エジプトの町ルクソールで会うことになっていた。ルクソールはアビドスから二〇〇キロほど南にある。最初はカイロから直接、ルクソールに飛行機で飛ぶという計画を立てていたが、自動車でも行けることに気がついた。そうすればアビドスのみならず、他の遺跡を訪れることもできる。

運転手、モハメッド・ワリリはタハーリル広場のそばの地下駐車場で待っていた。大柄で愛想が

よい年配のワリリは、古い白のプジョーのタクシーを所有していた。通常、ワリリはギザのメナ・ハウス・ホテル前のタクシーの列に並んでいる。ここ数年、たびたびカイロに調査旅行に訪れているが、その間にワリリとの間に友情が生まれた。今ではエジプトに来ると、必ずワリリのタクシーを利用するようにしている。しばらくの間、アビドスとルクソールまでの長いドライブの料金をいくらにするかを話し合った。多くのことを考慮に入れなければならなかった。通り道にはイスラム過激派のテロリストが攻撃目標としている場所もあった。結局どうにか合意に達し、翌朝早く出発することにした。

第41章　太陽の都、ジャッカルの部屋

モハメッド・ワリリは、まだ薄暗い朝六時にヘリオポリスのホテルに迎えに来た。道路脇の店で小さなカップに入った濃いブラックコーヒーを飲んでから、西に針路をとり、人気のないほこりっぽい道路をナイル河に向かった。モハメッドにはミーダン・アルマサラー広場を通るように頼んだ。最古のものと言われるエジプトのオベリスクがこの広場を見下ろしている。[1] 重さ三五〇トンのこのオベリスクはピンク色の花崗岩の一本石でできており、高さは二二・六メートルにもなる。ファラオ、センウセルト一世（紀元前一九七一年～前一九二八年）が建てたものだ。このオベリスクはもともとヘリオポリスの太陽の神殿の入り口の脇に立てられていたもので、二つで一組だった。それから四〇〇〇年たった現在、神殿は完全に消滅してしまい、もう一つのオベリスクも消えてしまった。古代ヘリオポリスの遺跡のほとんどは、すべて消滅し、美しい化粧石や建築材料も、何世代ものカイロ市民によって奪い去られてしまった。[2]

ヘリオポリス（太陽の都）は聖書のなかでは「オン」と呼ばれているが、もともとはエジプトの

言葉で「イヌ」または「イヌ・メルト」と呼ばれていた。これは「柱」または「北の柱」を意味する。(3) ここ一帯は極めて神聖な場所で、奇妙な九人の太陽と星の神と関係があった。センウセルト一世がオベリスクを建てたときには、ここはすでにとてつもなく古い歴史を持つ土地だった。ギザと同じように(また遠い南の町アビダス同様)、イヌ、あるいはヘリオポリスは、創造の時の最初の土地の一部だったと信じられている。太古の水から創造の時に出現した「最初の時」の土地で、神々が地上の支配を始めた場所だという。(4)

ヘリオポリスにまつわる創造の神話には、多くのユニークで興味深い特色がある。それによると、最初の時、宇宙は暗く、水以外に何もなくヌンと呼ばれた。この緩慢な宇宙の太洋(「形のない、黒く、最も暗い夜よりも黒い」と表現されている)の中から乾いた土地が現われた。太陽神ラーは、自分の化身としてアトムを創った(時々、杖によりかかるあご髭の男として描かれる)。(5)

空はまだ創られていなかった。地上は創られていた。だが、そこには地球の子供たちも爬虫類もまだいなかった・・・私、アトム一人きりだった・・・ともに働く人もいなかった・・・(6)

一人であることを感じていたこの祝福された不滅の神は、神聖なる子孫を創った。空気と乾燥の男神シューと湿気の女神テフヌートだ。「男根を、閉じた両手に入れた。そこに自分の種を出した。それを自分の口に入れた。排泄するとそれはシューとなり、放尿するとそこにテフヌートが現われた」(7)

生まれはこのように幸せなものではなかったが、シューとテフヌート(双子として語られ、とき

どきライオンとして描かれる）は大人になり、結ばれ子孫を創った。それが地の神ゲブと空の女神ヌートだ。この二人も結ばれ、オシリスと女神イシス、セットと女神ネフテスを創る。これでヘリオポリスの九体の神々の一団が揃う。九神のうちラー、シュー、ゲブ、オシリスは王として、エジプトを支配したと言われる。その後、ホルスが王となり、最後はコウノトリの頭を持つ知恵の神トトが三二二六年間統治した。(8)

これらの人々・・・あるいは生物、あるいは神々は、何者なのだろう？ 神官たちの想像の産物か、シンボルか、暗号か？ これらの話は、何千年も前に実際に起こったことの神話に形を変えた記憶か？ あるいは太古からの符合化されたメッセージで、時代を超えて伝わるように創られたものの一部か？ つい最近理解され、解読され始めたメッセージか？

このような考え方は風変わりに思える。だが、このヘリオポリスの伝承の中に、歳差運動の正確な計算が密かに組み込まれているイシスとオシリスの偉大な神話があったことを忘れることはできない。

さらにヘリオポリスの神官の責任は、これらの伝承を保護し守ることであり、彼らが優れた知恵を持ち、予言、天文学、数学、建築、魔術に習熟していたことはエジプト中で有名だった。また、彼らは「ベンベン」と呼ばれる強い力を持つ神聖な物体を持っていることでも知られていた。(9)

エジプト人はヘリオポリスを「イヌ」、つまり柱と呼ぶ。なぜなら伝承によると、遥か昔の太古の時代から保管されていたベンベンは、最初、荒削りの石柱の上に載せられていたからだ。

ベンベンは空から落ちてきたと信じられている。だが残念なことにベンベンは大昔に紛失してし

まい、紀元前一九七一年にセンウセルト一世が即位したときには、すでにその姿は忘れ去られていた。この時期（第十二王朝）に明確に記憶されていたのは、ベンベンがピラミッドのような形であったことだけだ。これが、その後にできたすべてのオベリスクの形の原型（ベンベンが載っていた柱を含め）となっている。その後ベンベンという名前はピラミッド型にすること、あるいはピラミッドの頂上に載せる頂上石を意味するようになった。[10] 象徴的な意味では、ベンベンは太陽神アトムとも直接的で密接な関係がある。古代の文書には「あなたは高貴になられた。不死鳥の住む邸宅のベンベン石の高さまで上がった」とある。[11]

不死鳥の住む邸宅とはヘリオポリスにあった神殿のことで、ここにベンベンが納められていた。これを見ると、この謎の石は伝説の不死鳥のシンボルでもあったわけだ。不死鳥は聖なる鳥ベヌーであり、この鳥が現われたり、消えたりすることは、宇宙の大きな周期および世界の崩壊と再生に関連していると信じられていた。[12]

関連と相似

朝六時三〇分にヘリオポリスの郊外を移動しながら、目を閉じ、神話の最初の時代において、風景がどのように見えたのかを想像してみた。最初の創造の島[13]――太陽神アトムの原初の小山――が洪水の水ヌンから顔を出すところだ。この想像上の風景と、アンデスの伝承にある、文明をもたらした神ビラコチャが、地上を滅ぼした洪水の後にチチカカ湖に姿を現わした話とを結びつけて考えてみたくなる。さらにオシリスという人物についても考える必要がある。特徴的なあご髭を生やし

た神だが、ビラコチャやケツァルコアトルによく似ている。オシリスもエジプト人に人食いの風習を廃止させ、農業を教え、家畜の飼育を教え、文字や建築学や音楽などの芸術を教えた[14]。

新大陸と旧大陸の伝承が互いに似ていることは、すぐに気がつくが、それをどう解釈するかは難しい。単なる気まぐれな偶然が重なった結果だとも言える。だがその一方で、太古のまだ発見されていない高度な文明が双方に残した指紋だと言うこともできる。中央アメリカの神話からも、アンデスの高山やエジプトの神話からも・・・同じ指紋が発見されたのだ。ヘリオポリスの神官は創造があったことを人々に語った。だが、誰が神官にそれを教えたのだ？　それらの物語はどこからともなく突然現われたのか？　あるいは、かれらの教義や複雑なシンボルは、長い時間をかけて洗練された宗教的思想なのだろうか？

もし後者だとしたら、いつこのような思想が発達したのだ？

外を見ると、すでにヘリオポリスは遥か後方にあり、われわれは、騒音と混雑の激しいカイロの繁華街を走っていた。ナイルにかかる「一〇月六日」橋を通り過ぎ、西岸に渡り、すぐにギザに入った。一五分後には重々しい巨大な大ピラミッドを右手に見ながら通り過ぎ、そこから針路を南にとり上エジプトに向かった。この道は世界で一番長い河の南岸に沿って走っており、椰子の木と緑の畑の周辺を、無慈悲な赤い砂漠が取り巻いている。

ヘリオポリスの神官の思想は、古代エジプトの俗世や宗教生活のあらゆる面に影響を与えている。だが、それらの観念は地元で発達したのか？　あるいはどこかよそからナイル低地にもたらされたのか？　エジプト人の伝承は、この質問に明確に答えている。ヘリオポリスのすべての知恵は遺産

であり、神から人間が相続したものだというのだ。

神からの贈り物？

大ピラミッドから一六キロ南のところで幹線道路を離れ、サッカラのネクロポリスを訪ねた。砂漠の端にそびえ立つ第三王朝のファラオ、ジョセル王の六段の階段ピラミッドが周囲を圧している。この高さ六〇メートルもある威圧的な建造物は、紀元前二六五〇年頃のものだという。このピラミッドは優美な壁に囲まれた敷地内に立っており、考古学者によると、巨大な石造りの建造物としては人類最古のものだという。[15]伝承によると、この建物は伝説的人物イムホテプによって建てられたという。イムホテプは、「魔術の巨匠」であり、ヘリオポリスの高貴な神官であり、そして、賢人、魔術師、天文学者、医者だったという。[16]

階段ピラミッドとその建造者については、後ほどまた述べる。だが今回、サッカラを訪問した唯一の理由は、ウナス王のピラミッドの地下に埋もれている部屋で時間を過ごしたかったからだ。ウナス王は第五王朝のファラオで、紀元前二三五六年から前二三二三年までこの地を統治している。[17]ここはすでに数回訪問しているが、この部屋の壁には床から天井にまで最も古いピラミッド・テキストが彫られている。この豪華絢爛な象形文字の彫りものは、多くの注目すべき思想を語っている。無言のギザの第四王朝ピラミッドとは、正反対だ。

第五王朝と第六王朝の時代にだけ残されたピラミッド・テキストは神聖な文書で、その一部は、ヘリオポリスの神官たちが紀元前三〇〇〇年の終わりに書いたと見られている。またその内容の一

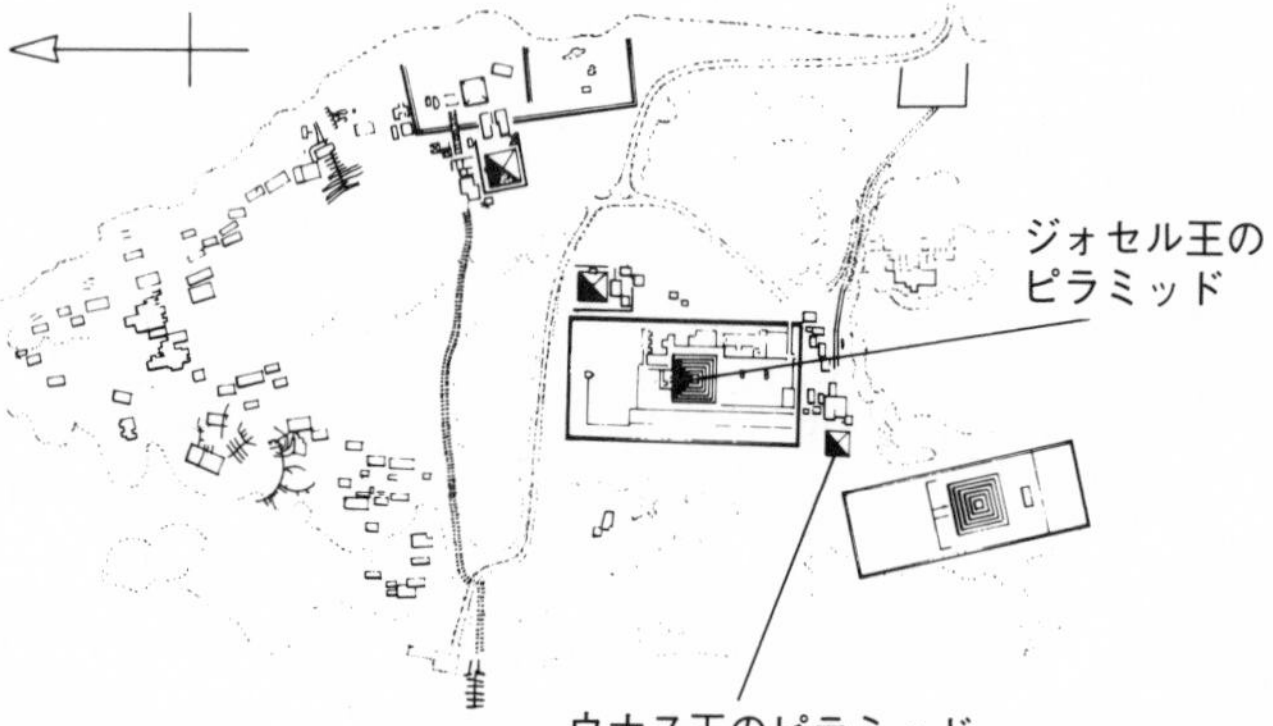

サッカラ

部は、神官たちが王朝時代が始まる前に受け継ぎ、伝えてきたものだという。[18] 数か月前からこのテキストの研究を始めているが、とくに興味をひかれたのは、テキストのなかでも、悠久の太古から伝えられたとされる部分だった。また、一九世紀のフランス人考古学者が、まるで案内されたかのように、秘匿されていたピラミッド・テキストを発見したエピソードも面白く、興味を覚えた。案内をしたのは、神話の中では「道を開く」役割を担っている動物だ。ある程度信頼できそうな資料によると、サッカラを発掘していたアラブ人の現場監督が夜明けに起きると、ピラミッドの側におり、そこには琥珀色の目を光らせた一匹のジャッカルがいたという。

　この動物は観察している人間を嘲笑しているようだった・・・まるで戸惑う男に、追いかけてこいと言っているようだった。

ジャッカルはゆっくりとピラミッドの北面の方へと進んだ。そこで少し立ち止まってから、北面の穴の中に消えた。好奇心をかき立てられたアラブ人は、ジャッカルの後を追いかけることにした。狭い穴を滑りながら降りたら、ピラミッドの暗い内部に入り込んでいた。やがて部屋に入った。ライトで照らしてみると、壁は上から下まで、彫られた象形文字の碑文で覆われていた。象形文字は洗練された工芸技術により、硬い石灰岩に彫られており、トルコ石と黄金で塗装されていた。(19)

現在でも、ウナスのピラミッドの象形文字が彫られた地下室に行くには、北面から長い道を降りて行く。この道は、アラブ人の現場監督が、驚くべき発見をした後、フランスの考古学者が掘らせたものだ。部屋は二つの四角い部屋で構成され、仕切り壁で分けられていて低い出入り口がある。二つの部屋の天井は切妻造りで、そこには無数の星が塗装されている。身体をかがめて窮屈な通路から飛び出たサンサと私は、最初の部屋に入り、出入り口を通り二つめの部屋に入った。これはまさに王墓だった。ウナス王の大きな花崗岩の石棺が西の端に置かれ、周囲の壁のピラミッド・テキストがその存在を奇妙なまでに誇示しているかのようだった。

直接語りかけてくるような（大ピラミッドが質素な壁、謎や数学的なパズルなどを通して語りかけてくるのとは明らかに違う）この象形文字は何を意味しているのか？　その答えは、参照する翻訳文によって異なってくる。なぜならピラミッド・テキストの言語には古代の字が多く、またなじみのない神話からの引用が多く、学者たちは不明な箇所を推測で埋めなくてはならないからだ。(20)だ

が一般的には、ロンドン大学の古代エジプト言語学の教授、故R・O・フォークナーの翻訳が、最も権威があるとされている。[21]

フォークナー教授の翻訳を、一行、一行研究してみたが、フォークナー教授は碑文について、「現存するエジプトの最も古い宗教と葬儀に関する文献であり、この種の文献としては最も信頼でき、エジプトの宗教を学ぶ者にとっては、基礎的な資料である・・・」と語っている。[22] この文書が非常に重要（多くの学者が同意しているように）だというのは、人類の記憶に残っているそう遠くない過去と、すでに忘れ去られているより遠い過去とを結ぶ、最後に残された、完全に開かれた道だからだ。「この碑文は失われた世界の思考と言葉を不完全ながらも、明らかにしている。有史以前の人類がその思考と言葉を、気の遠くなるような年月、地上に残して、ついに現代のわれわれにそれを伝えることに成功したのだ」[23]

このような感じ方に同意しないわけにはいかない。テキストは明らかに、失われた世界について語っている。だが、この失われた世界に関することで最も好奇心がわくのは、当時、野蛮な原始人だけではなく、宇宙の科学に精通した人々も存在していた可能性があることだ（悠久の太古では野蛮人しか存在していなかったというのが常識である）。全体的に見ると、両方の解釈ができる。ピラミッド・テキストには原始的な要素もたくさん含まれており、一方、高尚な法則に従った観念もある。それはともかく、エジプト学者が「古代の呪文」と呼ぶこのテキストに没頭すると、理解不能な厚い層の背後から、高度な知性が急に現われてくる奇妙な感じがして、感銘を受ける。経験から言うと、「太古の人類」がとても思い付くとは思えないような考えがそこに述べられているのだ。象

形文字で表されたピラミッド・テキストから受ける印象と、大ピラミッドに応用されたと思われる建築技術から受ける印象はよく似ている。両方の圧倒的な印象は、そこには時代にそぐわないような高度な技術が使われており、それに関する事柄が述べられているというものだ。人類の歴史における この時期には、技術などはまったく存在しなかったはずなのだが。

第42章　時代錯誤と謎

ウナスの部屋の灰色の壁を見渡していた。壁の上から下まで象形文字が彫られているが、これがピラミッド・テキストと呼ばれるものだ。書かれた言語はすでに失なわれてしまったものだ。それはともかく、この文書で繰り返し強調されているのは、永遠の生命だ。永遠の生命の獲得は、ファラオがオリオン座の星に生まれ変わることによって成就される。第19章でも述べたが（第19章ではエジプトの信仰と古代メキシコの信仰を比較した）、ピラミッド・テキストにはこの願望をはっきりと表現している個所がある。

王よ、偉大な星になり、オリオンの仲間として、オリオンとともに旅をするのだ・・・東の空から昇り、しかるべき季節に新生し、しかるべき時に若さを取り戻すのだ・・・(1)

疑いもなく美しい文章だが、特別に変わったところもなく、フランスの考古学者ガストン・マス

ペロが評価したように、「常に半野蛮だった」人々の作品だ、と言うこともできる。[2] さらにマスペロはウナスのピラミッドに入った最初の学者であり、[3] この碑文の権威とされていたので、彼の意見が、学会の意見となってしまったことも驚くに当たらない。マスペロは一八八〇年代からピラミッド・テキストの翻訳を出版しはじめている。[4] ジャッカルの助けを借りて、このピラミッド・テキストを世界に初めて紹介したのはマスペロである。その後、過去に関するマスペロの色眼鏡が、知識にかぶせるフィルターの役目を果たすようになり、不透明な謎の節を様々に解釈することを抑制してしまった。これが不幸なことだったのは確かだ。この結果、ギザの大ピラミッドが科学的・技術的な謎を提起しているように、テキストには驚くべきことを示唆する節があるにもかかわらず、学者たちは無視するようになってしまった。

それらの節は複雑な技術的・科学的な事柄を、まったく異なる語法で表現しようとしているように思えるのだ。単なる偶然かもしれないが、アインシュタインの相対性理論をチョーサー時代の英語で表現したり、超音速機を一二世紀のドイツ語で表現したりした結果得られるものと、似ている感じがするのだ。

失われた科学技術の描写?

たとえば、奇妙な道具や付属品を見てみよう。これらのものはファラオが星の中に永遠の場所を求める旅に出るときに使うものだ。

空にいる神々は降りてくる。地上にいる神々は集まってくる。彼らはあなたの下に手を置く。彼らは梯《はしご》を作ってくれる。あなたはそれに乗り空に昇る。空の扉は大きく開かれている。星が輝く天空の扉が大きく開かれている。(5)

空に昇っていくファラオは、「オシリス」と結び付けられ、たびたび同一視される。オシリスは、これまでも見てきたように、オリオン座とたびたび関連づけられている。オシリス・オリオンは、神の作った梯を昇った最初の人だ。またいくつかの節からはっきりしているのは、この梯は地上から天に伸ばされたのではなく、天空から地上に降ろされたことだ。梯は縄梯子(6)であると述べられている。また梯は天空に横たわる「鉄の板」からぶらさがっていると信じられている。(7)

われわれは半野蛮な神官の、奇怪な想像の産物と取り組んでいるのだろうか？　あるいは、このような比喩に対して、別の説明が可能だろうか？

二六一節には、「王は炎だ、風に吹かれて空の端から地上の端まで行く・・・王は空を旅し、地上を旅する・・・彼には空から昇るものが降ろされる」(8)とある。

三一〇節は以下のような対話から成る。

「視界が顔にあり、視界が頭の後ろにある者よ。これを持ってこい！」

「どのような渡し船を、お持ちしましょうか？」

「飛び、着陸するものを、持ってこい」(9)

三三二節は王の言葉とされているが、話し手は次のように打ち明けている。「私こそ、とぐろを巻いた蛇から逃れた者だ。向きを変え、炎の爆発の中へと上昇した。二つの空が私を追ってきた」(10)六六九節では「どこで王は飛べるようになるのだ?」と聞く。答えも与えられている。「あなたのところにはハヌの皮と(ハヌは意味不明)・・(テキストが紛失)・・ヘンの鳥(ヘンは意味不明)がもたらされる。それとともに飛ぶ・・・飛び上がり着陸する」(11)他の節も、もっと詳しく検討する価値があると思うのだが、学者たちは注目していない。いくつか例をあげよう。

父よ、偉大なる王よ、空の窓の入り口が、あなたのために開いている(12)

水平線にある空の扉があなたのために開いている。神々はあなたに会うのを楽しみにされている・・・この鉄の玉座にお座りください。ヘリオポリスにいる偉大な方のように。(13)

おお、王よ、お昇りください・・・空は旋回し、地上は揺れ、消滅することのない星もあなたを怖れています。(14)私はあなたのために来ました。おお、あなたの席は隠された、あなたを天空で迎えよう・・・

地上が語り、地上の神の門は開かれた。天空の神ゲブの扉はあなたのために開かれてい

る・・・どうぞ天空に移動してください。鉄の玉座に乗って。[15]

私の父、王よ、あなたは神となり行かれます。天空の主となって旅をされるのです・・・水平線の集いへと・・・また神々が驚くこの鉄の玉座に座ります・・・[16]

見逃しやすいが、何度も「鉄」という言葉が出てくる。これは謎だ。鉄は古代エジプトでは珍しい金属だった。とくにピラミッド時代には隕石のような形でしか知られていなかったとされている。[17]だがピラミッド・テキストでは、鉄があきれるほど頻繁に出てくる。空の鉄板、鉄の玉座の他に、鉄の笏《しゃく》（王位を示す杖）が六六五C節に出てくるし、王の鉄の骨（三二五節と六八四節と七二三節）も出てくる。[18]

古代エジプト語では鉄は「ブジャ」という名前であり、「天の金属」あるいは「神聖なる金属」を文字どおり意味した。[19]したがって鉄の知識は、神々からの贈り物の一つと考えられていたのだろうか・・・。

失われた科学の宝庫？

神々の指紋は、このピラミッド・テキストの他の個所にも残されているだろうか？[20]

テキストを読んでみたところ、最も古い節に、歳差運動の時間の比喩ではないかと思われる個所がいくつかあった。それらの比喩は、他の節からは際立っている。なぜならそこには明らかにおな

じみの明瞭な用語が使われているからだ。それは古代の科学的言語で、サンティラーナとデヒェントが「ハムレットの臼」で示したものだ[21]。

読者の方も覚えておられるだろうが、宇宙の「図形」における空を支える四つの支柱は、この古代言語が使う基本的な思考の道具の一つだ。その目的は、歳差運動による世界の年代を示す四つの想像上の線を視覚化することだ。これらを天文学者は「秋分・春分と夏至・冬至の分至経線」と呼ぶ。この経線は天空の北極から降りてきて、四つの星座を横切る。太陽はこれらの星座を背景に、二一六〇年間を一周期として秋分・春分の分点と夏至・冬至の至点から、一貫して昇り続ける[22]。

ピラミッド・テキストには、この天体上の動きを表わす図が数種類ほど収められているようだ。さらに実際にあった天文学的データを伝えているらしい古代神話によくあるように、歳差運動は、天空の劇的な崩壊のイメージと強く重なり合っている。「天空の臼の乱れ」は二一六〇年ごとに起こる十二宮の移動だが、呪われた環境にあるときは、天空の異変によって大災害を起こすようだ。

このような記述がある。

> 自らを創造した太陽神アトムは、もともと神々と人間の両方の王だった。だが、人類はアトムの支配に反抗した。なぜならラーがだんだんと年をとり、骨が銀色になり、筋肉は金色になり、髪の毛が群青色になってきたからだ[23]

何が起こり始めたかを理解した年寄りの太陽神（アステカの、血を求める第五の太陽の神トナテ

ィウを思い起こさせる）は、人類を滅ぼすことでこの反乱を罰することにした。人類を滅ぼすのに神が用いた手段は、時には荒れ狂うライオンとして表現された。また、時には恐ろしいライオンの頭を持つ女神セフメトが現われ、「身体から火を吹き」人類の虐殺を楽しんだ。[24]

恐ろしい破壊は長い期間続いた。それからようやく太陽神が仲介に入り、生き残った人々を救った。それが現在の人類の祖先だ。仲介の方法は洪水だった。咽が乾いていたライオンはこの水を飲んでから寝てしまった。目を覚ましたライオンは、すでに破壊することに興味を失っており、荒廃した世界に平和が訪れた。[25]

このころ太陽神は自分が創った人類から手を引くことにしている。「生きている間、人類とともにいることにうんざりした。ほとんどの人間たちを殺してしまった。したがって残った少数には興味がない・・・」[26]

それから太陽神は天の女神ヌートの背中に乗り天空に昇る。ヌートは雌牛に変身する（それに続く歳差運動の比喩のための存在）。それほど時間がたたないうちに、雌牛は「めまいがして、震えはじめた。あまりにも地上から離れていたからだ」[27]。これは、アムロディの荒々しく旋回する臼で「軸棒」が「震える」話と良く似ている。雌牛がラーにこの不安定な状態を訴えると、太陽神は命令した。「息子のシューをヌートの下に入れ、天空の支柱の守りとしよう。支柱は夕暮れとともに退場する。おまえの頭に雌牛を乗せ、雌牛の身体を安定させろ」[28]。シューが雌牛の下に入り、身体を安定させるや否や、「上の天空と下の地上ができた」。同時に、エジプト学者ウォーリス・バッジが古典『エジプト人の神々』で記したように、「雌牛の四本の足は、天空を四つの方位から支える四本の柱とな

った」[29]

ほとんどの学者同様、バッジはこの古代エジプトの伝承にある「四つの方位」とは単なる現実を表すものであり、「天空」というのはただの頭の上の空でしかないと、至極当然のように考えた。またこの話では、雌牛の四本の足は、東西南北の方位を示すにすぎないと思い込んだ。バッジは、「単純なヘリオポリスの神官たちは、実際に空の四辺には四本の柱があり、空を支えており、空を支える優れた者シューが、中央で柱になり全体を支えていると信じていた」と考えていた。今日でも、この意見に賛成するエジプト学者がほとんどだ。[30]

だが、サンティラーナとデヒェントの発見に従ってこの伝承を再解釈すると、シューと天空の雌牛の四本の足は、歳差運動による年代の区切りを表す古代の科学的シンボルであり、極軸（シュー）と分至経線（四本の足、または支柱で、太陽

す）のようだ。

さらにここでは、この物語がいつの年代を

雌牛がからんでいるので牡牛座の時代かも

わかる。もっと有力な候補は、象徴的な意味

紀元前八八一〇年だ。[31] 理由は、神話の中で人

からだ。困難に満ちた新しい世界の始まりを

よりも優れた方法があるだろうか？　とくに

で氷が溶けた時期だ。この時代には、地球上

人類は果てしない大洪水と、地震と急速な気候の変化から生き延びたが、おそらく、人口は大幅に減少し、環境もすっかり変わったことだろう。

太陽の従者とシリウス星の居住者

歳差運動について知っており、それを神話の中で説明できる能力があったとしたら、古代エジプト人は、過去のいかなる古代人よりも天体観測学に詳しく、太陽系の機構について深く理解していたことになる。[33] このレベルの知識が本当にあったとしたら、古代エジプト人はこうした知識を重要視し、世代から世代へと奥義として伝えていったことだろう。それはヘリオポリスのエリート神官が保管するもっとも重要な秘密となり、入門後の基礎知識の中で主に口承で伝えられてきただろう。[34] もしも必要に迫られ、奥義の内容をピラミッド・テキストに書き残すとしたら、その形式は引喩や寓話の形をとるのではないだろうか？

ウナスの王墓の間のほこりまみれの床をゆっくりと横切った。重くよどんだ空気を肌で感じながら、色褪せた青と金色の碑文に目をやった。コペルニクスやガリレオの生まれる数千年前に暗号で記されたこの碑文のいくつかは、地動説によって太陽系を説明したもののように思える。

たとえば太陽神ラーは鉄の玉座に座り、その周りを下位の神々が取り巻き、周期的に回っていて、「従者」と呼ばれている。[35] また別の個所にはこうある。「亡き王は二分された二つの空の頂点に立ち、神々の言葉の重みを量る。太陽神ラーの周りを回る年老いた神々の言葉だ」[36]

もしも「年老いた神々」と「周りの神々」がラーの周りを回っており、それが太陽系の惑星のこ

とを表しているとしたら、ピラミッド・テキストの著者たちは、高度な天文学的データを持っていたことになる。彼らは地球やその他の惑星が太陽の周りを回っており、その逆ではないことを知っていたことになるからだ。[37] ここで問題になるのは、どの年代の古代エジプト人も、その文明の後継者であるギリシア人も、あるいはルネッサンス前のヨーロッパ人も、このレベルの天文学的データを所有していなかったことだ。したがってこのような情報が、なぜエジプト文明の夜明けの時代に存在していたかが説明できなくなる。

もう一つの謎はシリウス星に関係したものだ。エジプト人はこの星をイシスと関連付けている。イシスはオシリスの妹であり配偶者で、ホルスの母だ。オシリスの言葉とされる以下の文は、ピラミッド・テキストにある。

妹イシスが来て喜び愛した。彼女は上になり、子孫を残すものが彼女の内部に入った。イシスは身ごもり、セプト（シリウス、狼座）のようになった。ホラス・セプトはセプトの住人ホラスの姿で生まれた。[38]

この文章の解釈はもちろんどのようにでもなる。だが興味を惹かれるのは、明らかにシリウスが「赤子を身ごもった」女性のような「二重の存在」と見なされていることだ。さらに生まれた後、ホラスは「セプトの住人」として留まったということが特別に明記されているが、これは母親と一緒にいることを意味しているようだ。

シリウスという星は不思議な星だ。北半球ではとくに冬の夜空でひときわ明るく輝く星で、二つの星で構成されている。ピラミッド・テキストが示すように二重の存在なのだ。大きい方の星はシリウスAで、地球から見えるのはこの星だ。もう一つのシリウスBは、シリウスAの周りを回っているが、小さいため肉眼で見ることは不可能だ。この星の存在は一八八二年まで知られていなかった。この年に米国の天文学者アルビン・クラークが、当時、最大の最新型天体望遠鏡を使って発見している。[39] ピラミッド・テキストの著者は、どこでシリウスが二つの星からなるという情報を得たのだろうか?

一九七六年に発行された貴重な本『シリウスの謎』のなかで、著者ロバート・テンプルは、この疑問に対して、奇抜な回答をしている。[40] テンプルの研究対象は、西アフリカのドゴン族の伝統的信仰だ。この部族はシリウス星を信仰しているのだが、彼らはそれが実は二つの星であることを知っていたという。それだけではなく、シリウスAの周りを回るシリウスBの周期が五〇年であることも知っていたという。[41] テンプルは力強く論じているが、それによると、この高度な科学情報は、古代エジプト文明から、ドゴン族に伝わったに違いないという。したがってシリウス星の謎を解く鍵は、古代エジプトにあるという。テンプルの結論では、古代エジプト人もシリウス近辺から来た異星人から情報を得たのだという。[42]

テンプルと同じように、私もエジプト科学の高度に発達し洗練された要素は、異なる文明の遺産とみなすことによってはじめて理解できる、と感じはじめていた。だがテンプルとは異なり、その遺産をもたらしたのが異星人であると早急に結論を出す必要は感じていない。ヘリオポリスの神官

たちは星に関する詳細な知識を所有していたようだが、失われた文明が悠遠の昔に高度な技術を発達させていたとしたら、説明が容易になる。シリウスBを発見できるような装置も、第1部で述べたような太古の地図を作成した科学者や探検家たちなら開発できるだろうと想像できる。また、古代マヤに驚くほど精密なカレンダーの遺産を残した見知らぬ天文学者や時間の計測者たちなら、このような装置を開発するのも難しいことではなかっただろう。彼らの残した天空の動きのデータベースは、何千年もかけて天体観測を行ない、正確な記録を取らなければ作れない。このような天文学的な数値は「原始的」な中央アメリカの王国よりも、もっと複雑に発達した技術を持つ社会の必要に応えるもののような気がする。(43)

数百万年の旅と星の動き

天文学的な数字はピラミッド・テキストにも出てくる。たとえば太陽神は、暗くて空気のない宇宙空間を「何百万年もかけて」旅する。(44) 知恵の神トト（天空で星の数を数え、地上を計測する者として知られている）には、死んだファラオに何百万年の命を与える力がある。(45) オシリスは「永遠の神、永久の支配者」だが、その人生において何百年間ものあいだ、旅を続けたと述べられている。(46) また「一〇〇〇万年もの月日」（何百万年もの月日の一〇〇万倍という果てしない数字も出てくる）(47) という言葉がたびたび出てくることから考えても、古代エジプト文化の少なくともその一部に、科学的な観点を持った人々がいて、巨大な時間が存在することを洞察していたと思われる。

そのような人々は、当然、正確なカレンダーを必要とするだろう。それをもとに複雑で正確な計

算ができるカレンダーだ。したがってマヤのものと同じようなカレンダーが古代エジプトに存在していても驚くには当たらない。だが、古代エジプト人のカレンダーに対する理解は、年月とともに進歩せず、むしろ後退してしまっている[48]。これを見ると、悠久の昔に相続した知識の集大成が、時の経過とともにゆっくりと衰退していってしまった、と考えたくなる。しかもこの見方は、古代エジプト人の支持を受けている。古代エジプト人はカレンダーは遺産だと信じており、そのことは秘密でもなかった。古代エジプト人はカレンダーを「神々から」授かった、と信じていたのだ。

以下の章で、これら神々の実像に可能なかぎり詳細に迫ってみる。彼らが誰であっても、長い時間をかけて星を観測したことは確かだ。とくにシリウスに関しては高度で特別な知識を集積したはずだ。その証拠は、神々がエジプト人に授けたと言われる非常に便利な暦の概念、シリウス周期(古代エジプト暦で一四六〇年。太陽暦の一四六一年に当たる)だ[49]。

シリウス周期は「再びシリウス星が太陽と同じところから昇るまでの周期」である。この星は一定の季節のあいだ姿を消していて、ある日、東の空から太陽が昇る直前に昇ってくる[50]。シリウスの場合、この現象が起こるのは、正確に三六五・二五日ごとだ。数学的には端数がなくて扱いやすく、太陽暦の一年よりも一二分長いだけだ[51]。

シリウスに関して興味深いのは、肉眼で見える二〇〇〇の星のうち、正確に三六五日と四分の一日で太陽と一緒に昇る星は、この星だけだということだ。これはシリウスが「ちょうど良い動き」(宇宙を動くこの星の速度)をしているからであり、歳差運動の結果である[52]。さらに、シリウスが太陽に先立って昇る日は、古代エジプト暦では元旦になるが、この日はピラミッド・テキストが編

纂された ヘリオポリスの地で事前に計算され、ナイル低地の主要な神殿に伝えられた。[53]
ピラミッド・テキストではシリウスのことを「新年の名前」と呼んでいる。[54] その他の節から見ても(六六九節)[55]、シリウス周期をもとにした暦は、少なくともピラミッド・テキストの内容と同じくらい古いと考えられる。[56] したがってその起源は、悠久の太古の霧に包まれている。大きな謎は、このような悠久の太古に、誰が三六五・二五日ごとに必ずシリウスが太陽とともに昇ってくることを観察し、記録を取るという手法を知っていたかだ。フランスの数学者R・A・シュワレ・ド・リュビクによれば、シリウス周期は「まったく例外的な天体現象」だと言う。[57]

このような偶然の現象を発見できる偉大な科学を持っていたことに、ただただ敬服するしかない。シリウスの二重星が選ばれたのは、無数の星のなかで、必要な距離を正しい方向で動いた星が他にはないからだ。この事実は数千年前から知られており、最近まで忘れ去られていたわけだが、この現象を発見するためには相当な長期にわたる天体観測が必要である。[58]

長期間にわたる正確な天体観測と科学的記録などが、歴史の夜明けにエジプトが受け取った遺産のようであり、それがピラミッド・テキストにも反映されているようだ。

ここにもまた謎がある。

写本か翻訳か

大英博物館のエジプト遺跡の管理者で、権威ある象形文字の辞書を作ったウォーリス・バッジは[59]、亡くなった年、一九三四年に以下のような率直な告白をしている。

ピラミッド・テキストの研究にはあらゆる種類の困難がつきまとう。この中に書かれている多くの言葉の意味は不明だ・・・文章の構成は翻訳しようとする者を困惑させる。まったくわからない言葉が入っていると、解決できない謎となってしまう。これらの文章が葬儀の時に使われたのだろうと想像するのは理屈にあっている。だが、これがエジプトで使われたのは、たかだか一〇〇年ほどの間であったことも明白だ。なぜ第五王朝で突然使われ始め、第六王朝の終わりには使われなくなったのかは、説明できない。[60]

なぜ短期間しか使われなかったのかと言えば、それは、ピラミッド・テキストが古い資料を写したものであり、第五王朝の最後のファラオ、ウナス王と第六王朝の後継者であった何人かのファラオが、自分たちのピラミッドの王墓の石に刻み、永遠に残そうと試みたものにすぎなかったからではないだろうか？　バッジはそう考えた。また、元になった資料のいくつかは、大変に古いものだとバッジは感じていた。

いくつかの節からわかるのは、資料を元に写本を作った人は、書いた内容を完全には理解

していなかったことだ。その写本を元に職人が碑文を彫っている・・・全体的な印象は、この写本を書いた神官は、いくつかの異なった時代に書かれた、内容も異なる文献から引用していることだ・・・[61]

このことから想像できるのは、元の文献が何であれ、古代エジプトの言語で書かれていたことだ。だが、バッジが見過ごしている別の可能性がある。神官たちは、単に書き写したのではなく、別の言語で書かれたものを象形文字に翻訳していたのではないだろうか？　その別の言語の中に専門用語が含まれていたり、原文の中で古代エジプトには存在していなかった道具や考えが述べられていたとしたら、ピラミッド・テキストに出てくるいくつかの節の奇妙な印象が説明できる。さらに、原典からの翻訳あるいは写本が、第六王朝の終わりには完成したとすると、それ以降、ピラミッド・テキストが彫られなくなった事情もわかりやすくなる。神聖な文献を、象形文字にして永久に記録を残すという翻訳プロジェクトが終わり、目的が遂げられたのだ。神聖な文献はウナス王が統治を始めた紀元前二三六五年頃には、すでに年月を経て擦り切れそうになっていたのだろう。

「最初の時」の最後の記録

日が暮れる前に、なるべくアビドスに近づいておきたかったのでサンサと私は、しかたなく道路に戻ることにした。最初は数分間だけこの場所を訪問する予定だったのだが、ウナスの王墓の厳粛な暗闇と、古代からの声に引き止められて、到着してからすでに二時間も経っていた。背をかがめ

て王墓を離れ、急勾配の通路を登り、出口に向かった。出口では、目を厳しい午前の陽光に慣らすためしばらくたたずんでいた。目を慣らしながらピラミッド本体を見ることができたが、完全に崩れて荒廃しており、元の姿を思い浮かべることもできない。ただの大量の瓦礫になっている主要な石は、明らかに粗末な造りで、まだ残っている化粧石すら、もっと古いギザのピラミッドに比べると粗雑に造られている。

歴史の常識から言えば、説明するのは難しい。通常の進化が、エジプトの建築技術の発達にも適用されるとしたら、反対の結果になるはずだ。つまり、ウナス王のピラミッドの設計や石細工や建築技術のほうが、それよりも二〇〇年も前に建てられたと正統派エジプト学者が主張するギザのピラミッド群よりも優れていなければならない。[62]

だが、事実は逆で、ギザの方がウナスよりも優れている。この事実がエジプト学者に難問を提示することになったが、満足できる解答は出されていない。中心的問題を再度強調しておこう。ギザの驚くべき見事な三つのピラミッドは、何百年、何千年の建築技術と建築経験が蓄積されて生まれたものだろう。だが、考古学的に見ると、ギザのピラミッド群は、エジプトで最も初期に造られた建造物になる。つまり、この国のピラミッド建設の技術においては、成熟した時代の作品ではなく、異常なことに赤子の時代の作品だということになる。

さらに解くべき謎がある。ギザの三つの素晴らしいピラミッドによって、第四王朝は永遠の巨大建造物を造ったことになる。前例がないほどの巨大な石を使い、何十メートルもの高さに積み上げ、何百万トンにもなるピラミッドを造った。さらに、多くの非常に優れた特徴も備えている。だが、

これらのピラミッドに匹敵するピラミッドは、その後、造られていない。そのすぐ後に小さくて粗末な第五王朝と第六王朝のピラミッドが造られたが、古代の文献の写しあるいは翻訳を納め永久に残すための殿堂だったようだ。これらの文書もまた前例がなく、象形文字の芸術としては最高のもので、それを超えるものは出ていない。

つまり、ギザのピラミッド同様、ピラミッド・テキストは先行するものを持たず、突然現われ、舞台の中央で一〇〇年ほど主役を演じ、その後、引退したが、これを超えるものは造られていない。

これらのことを行なった古代の王や賢人は、自分たちが何をしているかを知っていたと見ていいだろうか？　もしそうなら、彼らには計画があったはずだ。当然、当の文書も残されていない（しかし優れた建築技術が用いられている）ギザのピラミッドと、見事な碑文が残された（しかし建築技術は劣っている）第六王朝のピラミッドの間には、強いつながりが見えるようにしているはずだ。

答えの一部は、サッカラから十五分ほどの所にあるダハシュールのピラミッド群に隠されているのではないかと私は考えている。ここには「曲がった」ピラミッドと「赤い」ピラミッドがある。この二つのピラミッドは(保存状態はよい)、クフ王の父、スネフル王によって建造されたことになっているが、数年前から見ることができなくなっている。近くに軍事基地ができ、訪問できなくなってしまったのだ。いかなる事情があっても許可はおりない。

南への旅を続けた。十二月の鮮やかな色彩を目にしながら、ナイル低地では人類にとって重大な多くの事が起こってきた、ということを嫌というほど思い知らされた。しかも人類の歴史が書き残される、遙か前からだ。エジプトのほとんどの古代の文献と伝承は、その時代の出来事について触

れている。この時代は神々が地上を支配していた。寓話的にその時代はゼプ・テピ、すなわち「最初の時」と呼ばれている。[63] 次の二章で、それらの記録を探ってみよう。

第43章　最初の時を求めて

古代エジプト人は神々が統治していた最初の時「ゼプ・テピ」について、次のように言う。まずそれは黄金時代で、[1]混沌とした世界を覆った水が引き、原始の暗闇が消え去り、人類が陽光を浴び、文明の贈り物を授かったという。[2]また神々と人間を仲介したウルシュという存在があったという。ウルシュは下位の神で「見張る者」という意味だった。[3]また、神々の思い出も生き生きと保存されている。神々はネテルと呼ばれる美しく力に満ちた存在で、人間とともに地上で生活していた。彼らはヘリオポリスとその他のナイル低地の聖地から、人類を統治しはじめた。あるネテルは男性で、別のネテルは女性だったが、すべてが超能力を持っていた。思い通りに、男や女、あるいは獣や鳥、蛇や木や草の姿で現われることもできた。だが、彼らの言葉や行動には人間的な感情や関心事が表れていた。ネテルは人間よりも利口で強い存在として描かれているが、ある一定の状況の下では病気にもかかるし、死んだり殺されることもあると信じられていた。[4]

歴史以前の記録

考古学者たちは、古代エジプト人が「最初の時」と呼んでいる神々の時代の物語は、単なる神話に過ぎないと頑強に主張する。だが、現代人よりも過去の情報を豊富に持っていた可能性のある古代エジプト人たちは、そうは思っていない。彼らは歴史的記録を重要な神殿に保存しており、その中にはすべての王朝のファラオの名前を書いた資料もあったが、それらの名前は、現代の学者も確認している。[5] そのようなリストのいくつかはさらに長いもので、第一王朝の歴史からさらに昔にさかのぼり、悠久の太古にまで達している。

このような長大なリストが、時代の流れに耐え、二つ現存しているが、エジプトから運び出され、ヨーロッパの博物館に収められている。このリストについては、後ほどさらに詳しく検討する。この二つのリストとはパレルモ石（第五王朝、つまり紀元前二五〇〇年頃のもの）とトリノ・パピルスだ。トリノ・パピルスは、第一九王朝の神殿の資料で、神官文字として知られる草書体の象形文字で書かれており、紀元前一三〇〇年頃のものだ。[6]

さらにヘリオポリスの神官マネトーの証言がある。紀元前三〇〇年に神官マネトーは高い評価を受けている総合的な「エジプト史」を書いている。この中ではすべての王朝の王の名前が網羅されている。またパレルモ石やトリノ・パピルスと同様に、マネトーの歴史は、悠久の過去にさかのぼり、神々がナイル低地を支配した時代にまで言及している。

この書物の写本は九世紀頃まで流布していたと思われるが、[7] マネトーの書いた文書の全体は残っていない。だが、思いがけないことに、マネトーの本の内容は様々な人々の書物に引用されていた。

ユダヤ人の年代記録者ヨセフス(六〇年)、キリスト教徒の作家であるアフリカヌス(三〇〇年)、エウセビオス(三四〇年)、ジョージ・シンセルス(八〇〇年)などの書物である[8]。南カロライナ大学の故マイケル・ホフマン教授によれば、これらの資料は、「エジプトの過去を研究するにあたっての枠組み」を提供するという[9]。

これは本当のことだ[10]。だが、エジプト学者はエジプトの歴史を研究するにあたってマネトーの著書の王朝時代の部分は採用するが、有史以前の、「最初の時」の黄金時代の内容について言及している奇妙な個所については無視している。マネトーを信頼しているなら、なぜこのような態度をとるのだろうか。「歴史的」な三十王朝は認めて、それより前の時代を拒否をする論理的根拠は何だというのか? さらに、マネトーの年代史のうち王朝時代に関しては、すでに考古学的な裏付けがある[11]。そうならば、王朝時代が始まる前の年代に関しても、まだ発掘による証拠があがっていないからといって、マネトーが間違っていると推定するのは、時期尚早ではないだろうか[12]。

神々、半神たちと死者の魂

マネトーの考えを知りたかったら、彼の著作の断片が保存されている書物に頼るほかない。その中でも最も重要なのは、エウセビオスによる「年代記」のアルメニア版だ。この本の冒頭には、マネトーの著書から内容を抜粋したことが明記されている。「マネトーのエジプトの歴史書から内容を抜粋したが、元の本は三巻ある。この本はエジプトを支配した神々、半神たち、死者の魂、この世の王たちについて書かれている・・・」[13]。エウセビオスは、マネトーの記述を直接引用し、神々の

名前を列記している。主にそれらはおなじみのヘリオポリスの九体の神、すなわちラー、オシリス、イシス、ホルス、セットなどだ。[14]

エジプトを最初に統治したのは彼らだった。その後、王位は途切れることなく継承されていった・・・一万三九〇〇年の間だった・・・神々の後は半神たちが一二五五年間統治した。またそれから別の王たちが一八一七年間統治した。それから三〇人の王が一七九〇年間統治した。その後一〇人の王が三五〇年間統治した。それから死者の魂が支配したが・・・五八一三年間だった。[15]

この期間を全部合計すると二万四九二五年になる。これは聖書の天地創造の年（紀元前五〇〇〇年代）[16]よりも遥かに古い時代にさかのぼることになる。つまり聖書の年代が間違っているということになり、キリスト教の神学者であるエウセビオスは困ってしまった。だが少し考えて、エウセビオスは妙案を思いついた。「一年というのは月のことを言っているのだろう。つまり三〇日間だ。われわれが一月と呼んでいるのを、エジプト人は一年と呼んでいたのだろう・・・」[17]

もちろんエジプト人はそのような数え方をしていない。[18]だが、この巧妙な手段によって、エウセビオスとその他の学者たちは、マネトーがいう王朝時代前の二万五〇〇〇年を二〇〇〇年程度に縮小することができた。これならば、正統派のキリスト教神学で認めているアダムの誕生から大洪水までの期間二二四二年がうまく収まる。[19]

だがマネトーの厄介な年代的示唆を無意味なものとして片付けてしまう方法はほかにもあった。それは修道士ジョージ・シンセルス（八〇〇年頃）のやり方だ。この修道士は罵倒するだけだった。「マネトーはエジプトの呪われた神殿の高位の神官だが、存在もしていない神について語っている。彼によるとその神々なるものは一万一八九五年間エジプトを統治したという・・・」[20]

マネトーの著書の断片には、そのほかにも興味深い矛盾する数字が出てくる。とくにマネトーが繰り返し述べているのは、神々から最後の第三〇王朝の人間の王までのエジプト文明の歴史の長さは三万六五二五年ということだ[21]。この数字は、もちろんシリウス周期の一年三六五・二五日の数字だ（前章で述べたが、シリウスが再び太陽の直前に空を昇るまでの期間）。またこの数字は偶然ではなく計算の上で出されたのだと思うが、シリウス年一四六〇年の二五周目にあたる。太陽暦では一四六一年周期の二五周目だ（古代エジプト暦のカレンダーは、不正確な三六五日ちょうどを一年としていた）[22]。

これらのことに、何か意味があるだろうか？　はっきりとはわからない。だが、数字や解釈の混乱の中で、マネトーが間違いなく伝えていることがひとつだけある。これまで歴史は順調に発展してきたと教えられてきたが、それにもかかわらずマネトーは、紀元前三一〇〇年に第一王朝が生まれる前の悠久の太古に、文明をもった人々（神々あるいは人間）が、存在したというのだ。

ディオドロス・シクルスとヘロドトス

この主張に関して、古代の学者たちはマネトーを支持している。

たとえばギリシアの歴史家ディオドロス・シクルスは、紀元前一世紀にエジプトを訪問している。ディオドロスの作品の最も最近の翻訳者C・H・オールドファーザーは、「資料を集め、優れた原典にあたり、批判を加えずそれを忠実に再現している」[23]とディオドロスを褒めているが、これは本当だ。簡単に言うと、ディオドロスは集めた資料に、自分の偏見や先入観を押しつけなかったのだ。したがって彼の資料には特別な価値がある。なぜなら、その情報の中には、エジプト神官がこの国の謎の過去について語った部分が含まれているからだ。神官は次のように話している。

最初の神々と英雄たちは、一万八〇〇〇年近くエジプトを支配した。最後に統治した神はイシスの息子ホルスだった・・・人間が王となってからは五〇〇〇年近くになる、と彼らは言う・・・[24]。

「批判を加えず」にこの数字を見てみよう。合計すると何年になるだろうか。ディオドロスがこれを書いたのは、紀元前一世紀だった。そこから人間の王が支配していた五〇〇〇年ほど戻ってみると、紀元前五一〇〇年になる。さらに「神々と英雄の時代」にまでさかのぼると、世界がまだ氷河時代の最中だった紀元前二万三一〇〇年となる。

ディオドロスよりもかなり前に、エジプトを訪ねた別の歴史家がいた。紀元前五世紀に生きていた、ギリシアの有名なヘロドトスだ。ヘロドトスもまた、神官に会っており、悠久の昔にナイル低地に高度の文明があったという伝承について尋ねた。ヘロドトスは、歴史以前の遥かなる太古にあ

ったエジプト文明に関する伝承について、『歴史』の第二巻に書いている。同じ文献の中にはヘリオポリスの神官から得た重要な情報があるが、ヘロドトスは何もコメントせずにこれを掲載している。

彼らによると、この期間に、太陽がいつもと違う場所から昇ることが四回あったという……二回は現在沈むところから昇り、二回は現在昇るところに沈んだ。[25]

これは何を意味するのか？　フランスの数学者シュワレ・ド・リュビクによると、ヘロドトスが伝えているのは（おそらく気付かずに）、遠まわしに表現された「時の期間」を示したものだと言う。「時の期間」とは、春分の時の日の出が、星座を背景として黄道帯（十二宮）を一回半ほど回る期間だという。[26]

これまでも見てきたように、昼夜平分時（春分または秋分）の太陽の位置は、だいたい二一六〇年かけて十二宮の一つの星座を過ぎる。それが一二星座あるので、一周するには二万六〇〇〇年かかる（十二×二一六〇年）。それが一周半だと、三万九〇〇〇年になる（十八×二一六〇年）。

ヘロドトスの時代には、春分の太陽は夜明けに真東から、牡羊座を背景に昇った。一方、真西には天秤座があり、一二時間後、太陽はここに沈む。歳差運動の時計を半分ほど戻すと、十二宮のうち六つの星座が動き一万三〇〇〇年前にさかのぼる。このときには太陽の昇る場所は逆になる。つまり、春分の夜明けに、太陽は天秤座を背景に真東に昇り、牡羊座を背景にして真西に沈む。さらに一万三〇〇〇年戻ると、この位置が逆転する。春分時の太陽は再び牡羊座を背景にして昇り、天

秤座を背景にして沈むのだ。

これでヘロドトスの時代の二万六〇〇〇年前までさかのぼったことになる。

さらに歳差周期の半分である一万三〇〇〇年ほど戻ると、ヘロドトスから三万九〇〇〇年前となる。このときの春分の日の出は再び天秤座を背景にし、牡羊座を背景に沈む。

要点を言おう。三万九〇〇〇年という期間に、太陽が「沈むところから昇る」ことが二回あり（「沈むところ」はヘロドトスのときなら天秤座で一万三〇〇〇年と三万九〇〇〇年）、「昇るところに沈む」ことが二回あるのだ（「昇るところ」はヘロドトスの時代なら牡羊座で一万三〇〇〇年と三万九〇〇〇年）。[27]もしもシュワレの解釈が正しいとすると――その可能性は十分だが――ギリシアの歴史家がもたらした神官の情報は、少なくとも三万九〇〇〇年ほど前からの太陽の歳差運動の正確な記録だと言うことになる。

トリノ・パピルスとパレルモ石

三万九〇〇〇年という数字は、トリノ・パピルス（現存する第一王朝前の古い時代にさかのぼる古代エジプトの王名表の一つ）の証言とも驚くほど一致する。

サルデーニャの国王が所有していたこの堅いがもろい三〇〇〇年前のパピルスの小片は、箱に入れられて梱包もされずに、現在の保管所トリノ博物館に送付された。小学生でも気がつくだろうが、パピルスは到着したとき、壊れて無数の断片になっていた。学者たちは数年間かけて断片をつなぎ合わせ、意味がわかる程度にまで修復した。かれらは見事な仕事をした。[28]だがそれでも、この貴重

な資料の半分以上の内容が再構成できなかった[29]。

トリノ・パピルスが完全な形で残っていたら、「最初の時」について何がわかっただろうか？　再生された断片からは興味深いことがわかる。たとえばある記録では、一〇人のネテル（半神）の名前が読め、それぞれにカルトゥーシュが付けられているが、これらは王朝時代の王に付けられたものと良く似ている。それぞれのネテルの統治した期間も書かれているが、数字のほとんどは資料が損傷していて判読できない[30]。

別の欄には上エジプトや下エジプトを支配した人間の王の名前が書かれているが、神々の支配の後、紀元前三〇〇〇年にメネス王が諸王国を統一する前の王たちの名だ。メネス王は第一王朝の最初のファラオである。現存している断片には、先王朝時代の九人のファラオの名が書かれている。「メンフィスの尊王」「北の尊王」「シェムス・ホル（ホルスの仲間、または従者の意）」などだ。「シェムス・ホル」の統治はメネス王の時代の直前まで続いたという。この欄の最後の二行は、王名表のまとめのようだが、とくに衝撃的だ。そこには「・・・尊王シェムス・ホルの統治は一三四二〇年、シェムス・ホルの前各王の統治は二万三二〇〇年。合計三万六六二〇年」とある[31]。

有史以前の時代について言及しているもう一つの王名表はパレルモ石だ。だがこの王名表はトリノ・パピルスほど古い時代を扱っているわけではない。現存している最古の記録は、王朝時代が始まる前の上エジプトと下エジプトを支配した一二〇名の王たちの頃のもので、紀元前三一〇〇年にこの国が統一される直前までの時代の記録だ[32]。しかし、残念なことに、この石に他のどのような情報が含まれていたかはわからない。たとえば、悠久の太古の時代についても、この謎の黒い玄武岩

の板に記録が彫られていたかもしれない。この石もまた全部が揃ってはいないのだ。一八八七年以来、この石の断片の最大のものはシシリー島のパレルモ博物館に保存されている。二番目に大きな断片はエジプトのカイロ博物館に展示されており、三つめの一番小さな断片は、ロンドン大学のペトリ収集館にある。[33] 考古学者の考えでは、この断片は一本石が割れたもので、元の板の大きさは、長さ二・一メートル、高さが六〇センチ（長いほうが下になる）ほどだったという。[34] ある専門家は次のように言う。

この計り知れぬほど貴重な記念碑の断片は、まだたくさん残っている可能性がある。おそらく残っているだろう。ただ、どこを探せばよいのかがわからないのだ。現在発見されている右の断片だけでも、十分に興味深い。古代に存在したすべての王の名前が記録され、統治した期間とそのあいだに起こった主な出来事が彫られているのだ。これらの出来事の記録は第五王朝の時に編纂されている。国が統一されてから七〇〇年しか経っていない頃だ。したがって間違いの確率は、非常に小さいだろう。[35]

これは故ウォルター・エメリー教授の言葉だ。エメリー教授が語る古代というのは、紀元前三二〇〇年から紀元前二九〇〇年のことだ。[36] この時代が、教授の専門分野だからだ。だが、パレルモ石がすべて揃ったら、もっと古い時代について知ることができるかもしれない。「ゼプ・テピ」と呼ばれる神々の黄金時代だ。

エジプトの過去の記憶や神話に深く入り込み、「最初の時」に近づけば近づくほど、我々を取りまく風景は奇妙なものに見えてくる。この後、それについて見てみよう。

第44章　最初の時の神々

ヘリオポリスの神学によると、エジプトの最初の時に現われた九体の神々は、ラー、シュー、テフヌート、ゲブ、ヌート、オシリス、イシス、ネフティスそしてセットだった。これらの神から生まれた子孫には、よく知られているホルスやアヌビスがいる。さらにほかにも神々がいる。メンフィスやヘルモポリスの神々である。そのほか非常に古くから存在する重要な信仰があり、プタハやトトといった神々が崇《あが》められてきた。(1)これら最初の時の神々は、皆創造の神だ。聖なる意志を持って混沌の世界に形をもたらした。混沌の中、聖なるエジプトの地を創り、(2)人間社会を創り、何千年もの期間、人々のあいだで神聖なるファラオとして君臨した。(3)

「混沌」とは何だったのか？

ヘリオポリスの神官は、紀元前一世紀にギリシアの歴史家ディオドロス・シクルスに、示唆に富む見解を述べている。それは洪水だというのだ。ディオドロスは、この洪水をデウカリオーンの地球を滅ぼした大洪水と同一視した。デウカリオーンというのは、ギリシア版のノアである。(4)

彼らによると、一般的にデウカリオーンの時代に起こった洪水で、ほとんどの人間が死滅したという。だがエジプト南部の住民は、比較的多く生き残ったようだ・・・あるいは、別の人々が主張するように、生物は完全に滅び、地上には新しい動物が出現したかもしれない。だがいずれにせよ、最初の生物の創造はこの国で行なわれたという・・・(5)

なぜエジプトはこのように幸運なのか？　ディオドロスが受けた説明によると、エジプトの気候が幸いしたのだという。エジプト南部の多くは太陽の灼熱にさらされている。また神話に出てくる巨大な洪水の後は大雨が降ったという。「人々の上に降った大量の雨から湿気が発生し、それがエジプトの灼熱と混ざった・・・それで最初の生物が成長するのにちょうど良い温度となった・・・」(6)

興味深いことに、確かにエジプトは特に有利な地理的状況にある。よく知られているように、大ピラミッドのすぐそばを通る緯度と経度（北緯三〇度、東経三一度）のあたりは、どこよりも非常に乾燥した土地だ。(7)さらに面白いことに、氷河期の終わりに北ヨーロッパの何百万平方キロにもわたる氷河が溶け、世界中の海面が高くなり沿岸に洪水をもたらした。この氷原が溶けるのに伴い大量の水蒸気が大気に舞い上がり雨となって落ちてくる間、エジプトは数千年にわたり、非常に湿気の多い豊饒な風土となった。(8)このような気候が、「最初の生物が成長するのにちょうど良い温度となった」として記憶されていても不思議ではない。

ここでも疑問がわく。ディオドロスから受け取った過去の情報は、どこから来ているのか？　ま

た氷河期の終わりにエジプトが経験した快適な気候とぴったり一致する描写が残っているが、これは偶然か、あるいは遙かな太古の伝承が伝わったのか？　それは最初の時の記憶ではないのか？

神聖なる蛇の息吹

ラーは最初の時の最初の王であったと信じられており、古代の神話によれば、ラーが若くて活力に溢れていた間は、平和に統治できたという。だが長い年月が過ぎ、若さが失われ、治世の終わり頃にはしわだらけの老人になり、ふらふら歩き、震える口から唾液が絶え間なく垂れていたという。(9)

ラーの後にシューが地上の王位を継いだが、シューの統治も策略や紛争などの問題が多かった。シューは敵を滅ぼしたが、最後には病気になり荒々しくなり、最も誠実な部下も反逆するようになった。「統治に疲れ、シューは退位し、王位を息子のゲブに譲った。恐ろしい天変地異が起こり、九日間続いた後シューは天空に避難した・・・」(10)

三番目のファラオ、ゲブは順当にシューを継いで王となった。だがゲブの統治も難航した。神話のいくつかには、ピラミッド・テキストに出てくるような奇妙な表現がある。つまり直截な技術用語がないため、複雑な技術・科学イメージの表現に苦しんでいるようなのだ。たとえば、ある特別に印象的な伝承では、「黄金の箱」について語られている。この箱にはラーがいろいろな品物を収納していた。「棒」(あるいは杖)、髪の毛を留めるもの、蛇形章(頭をもたげるコブラの形をしており、黄金製で、王冠に飾られた)などだった。(11)

強力で危険な魔除けであったこの箱は、ラーが天空に去ってしまった後、長い間その奇妙な品物

とともにエジプトの「東の端」の要塞に収納されていた。ゲブが権力を握ったとき、「黄金の箱」を取り寄せ、ゲブの面前で開けるよう命令した。この箱が開けられたとたん、炎の稲妻が(『神聖なる蛇の息吹』と書かれている)飛び出てきて、ゲブの仲間を殺傷し、神の王ゲブも大火傷を負ったという[12]。

ここで述べられているのは、人間が作った機械が故障した話ではないかと、疑いたくなる。失われた文明の科学によって作られた巨大な装置に、畏敬の念にうたれたことの回想ではないだろうか? このような過激とも思える推測に信憑性を与えるのは、太古の世界において破壊的で予測のつかない機械らしきものは「黄金の箱」だけではないからだ。この箱はヘブライ人の謎の「契約の箱」と多くの面で非常に良く似ている(契約の箱も炎の稲妻のエネルギーで無実の人々を殺傷している。また「黄金で装飾」されており、十戒の銘板二枚だけでなく、神聖な食物マナの入った黄金のポットと、アロン祭司長の杖」が納められていたという)[13]。

これらの薄気味悪く素晴らしい箱の意味するところを考察するのは、本書の主題の範囲を越えている(古代の伝承に出てくる他の「技術」についても同じである)。ここでは、ヘリオポリスの九体の神々の多くには、危険で機械のような不思議な力を持つ装置の奇妙な雰囲気が付きまとうことを指摘しておくだけでよいだろう。

たとえばイシス(オシリスの妹であり妻、ホルスの母親)には、どう見ても科学研究者を思わせる強い雰囲気がある。大英博物館にあるチェスター・ビーティ・パピルスによると、イシスは「賢い女性・・・他の多くの神々よりも知性があった・・・天空のことであろうと地上のことであろう

と、知らないことは何もなかった」という。[14] 妖術と魔術に優れていたイシスは、特に「言葉に強かった」ことで古代エジプト人に知られていた。これは力のある言葉を使いこなしていたことを意味する。「正確な発音を知っており、話によどみがなく、命令においても言葉の使い方においても完璧だった」[15]。簡単に言うと、イシスは言葉を発しただけで現実を変えることができ、物理の法則を超えることができたのだ。

同じような、しかしもっと強力な力を、知恵の神トトも持っていたという。トトはヘリオポリスの九体の神々には含まれないが、トリノ・パピルスやその他の古代の資料にはエジプトを支配した六番目（ときには七番目）の神聖なファラオとして記録されている。[16] 神殿や墓の壁にコウノトリとして描かれたり、あるいはコウノトリの頭を持つ人間として描かれているトトは、天空に関する計算や解釈の責任者であり、支配者であり、時間を増やす能力を持ち、文字の発明者であり、魔術の保護者であった。トトはとくに天文学、数学、測量、地理に詳しく、「天空の計算をし、星の数を数え、地上を計測した」[17]。また「大空に隠されたすべて」の謎を理解する神とされ、選んだ人間に知恵を授ける能力があった。トトは持っている知識を秘密の本に書き込み、地上に隠したという。それらが未来の世代によって発見されることを狙ったが、特に「価値ある人々だけ」が発見できるようにしたという・・・発見したものを人類の利益のために使用する人々だ。[18]

トトに関してはっきりしていることは、この神が古代の科学者であると同時に科学の保護者であり、文明をもたらす者であったことだ。[19] この面ではピラミッド・テキストの高位の神で、エジプトの第四番目のファラオであったオシリスとも良く似ている。「（オシリスの）名前はサア（オリオン）

となった。脚は長く、歩幅は広い、南の土地の主・・・」[20]

オシリスと永遠の王

文章の中では時々、ネブ・テムとか「宇宙の主」と呼ばれているオシリスは、[21]人間、あるいは人間を超えた存在として、また、困難に出会いながらも指導者としての威厳を保った者として、さらに二元性があり、天空を支配（オリオン星座として）しながら人々の王として地上にも君臨する。アンデスのビラコチャや中央アメリカのケツァルコアトルのように、オシリスのやり方はとらえがたく謎に満ちている。また彼らと同じように非常に背が高く、必ず波打つあご髭を持つ姿で描かれる。[22]超能力を操ることができたが、なるべくそれを使うのを避けていたという点も似ている。[23]

第16章で、メキシコの人神ケツァルコアトルが、蛇の筏に乗って中央アメリカから東の海へ去ったと信じられていることを述べた。こうした点から言っても、エジプトの「死者の書」を読むと、既視感《デジャヴュ》を覚えることは避けられない。オシリスの住居は、水の上にあり、壁は「生きている蛇」でできているのだ。[24]少なくとも、地理的に遠く離れた二人の神のシンボルが一致していることには驚かされる。

他にも共通するところがある。オシリスの主な物語は前の方の章で詳しく述べたから、ここでは繰り返さない。読者の方もオシリスが、ビラコチャやケツァルコアトルのように、光明をもたらし文明化に尽した人類の保護者であったことを忘れてはいないだろう。[25]たとえばオシリスの業績としては、食人の風習を止めさせたことがある。また、エジプトに農業をもたらした。とくに小麦と大

麦の栽培を教えた。さらに農具の作り方も教えた。またオシリスは上等のワインが大好物だった（神話はどこでワインの味を覚えたかには触れていない）。「人類にワインを伝え、葡萄を栽培し、ワインを保管する方法を教えた・・・」[26]。人々に良い生活を教えただけでなく、「惨めで野蛮な生活態度」から人々を引き離し、法律を与え、エジプトに神々の信仰をもたらした[27]。

シルクスの聞いたところによれば、すべての仕事が順調に行なわれた後、オシリスは王国をイシスに任せて、エジプトを去り、何年間も世界中をさまよったが、その目的は一つだったという。

人々の住むところを訪問し、ワインの作り方や小麦や大麦の栽培方法などを教えた。なぜなら、人々に野蛮な行ないを止めさせ、上品な生活の仕方を教えれば、巨大な恩恵を与えたことになり、不朽の名誉が得られるからだ・・・[28]

オシリスはまずエチオピアに赴いた。そこで会った原始的な狩猟民族に耕作や家畜の飼い方を教えた。また大規模な治水工事を行なった。「運河を造り、水門、調整装置を造った・・・川岸に土を盛り、ナイルが氾濫しないようにした・・・」[29]。その後アラビアに向かい、そこからインドに行き、たくさんの都市を建設した。次に古代トラキア（バルカン半島のエーゲ海北東岸の地方）に赴き、オシリス風の統治のシステムに従わない野蛮な王を殺した。これはオシリスらしくない行ないだ。エジプト人の描くオシリスの人物像は次のようなものだからだ。

彼は人々に何かを強要することはなかった。優しく促し、理屈に訴えることでオシリスが信じることを人々に行なわせるのに成功した。彼の多くの賢い廷臣たちは聞く人々に詩と歌を披露したが、それには楽器の伴奏がついた。[30]

ここでもやはりケツァルコアトルやビラコチャとの共通点が見られる。暗黒で混沌とした時代――洪水と関係がある可能性が強いが――にあご髭の神または人間がエジプトに出現した（ボリビアやメキシコにも）。その人物は実用的で科学的な技術に通じていた。それは成熟した高度に発達した文明が持つ技術であったが、それを無私の心で人類の利益のために使った。彼は元来優しい性格の持ち主だったが、必要とあれば、厳しくもなれた。常に目指す目的に向かって邁進し、ヘリオポリス（あるいはティアワナコ、テオティワカン）に本拠地を定めてから、選ばれた仲間たちを引き連れ、世界中を巡って失なわれた秩序を取り戻した。[31]

ここで、彼らが人間であったのか、神であったのか、あるいは幼稚な想像の産物で架空の人物なのか、あるいは実在の人物なのかはさておき、これらの神話は、文明をもたらした者には仲間がいたという点でも共通している。ビラコチャにも仲間がいたし、ケツァルコアトルとオシリスにもいた。また、ときには仲間内で熾烈な闘争が起こった。これはたぶん権力闘争なのだろう。セットとホルスの争い、ケツァルコアトルとテスカティルポカの闘争などが、その明らかな例だ。またこれらの事件が中央アメリカで起ころうと、アンデスやエジプトで起ころうと、結果はほぼ同じだ。文明をもたらす者が策略にはまり、追放されるか殺されてしまう。

神話ではケツァルコアトルもビラコチャも戻ってこなかった（すでに見たように、スペインが征服した時期に、戻ってくると思われていた）。だがオシリスはエジプトに戻った。世界中を回り、「人間の野蛮な行為を止めさせる」大仕事を終えた後、すぐにセットに殺されはしたが、オリオン座に再生することで、強力な冥界の王として永遠の命を得た。その後、霊魂に審判を下すようになり、責任ある慈愛に富んだ王の不滅の見本として、オシリスは古代エジプトの宗教および文化を支配したが、それは知られているエジプト人の歴史時代の間も続いた。

平和な安定

アンデスやメキシコの文明にも、エジプトのように強力な継続性があったら、人々は何を成就していただろうか？　この点でエジプトはユニークなのだ。ピラミッド・テキストや古代の文献には、混乱があったことが記されており、セットの王権強奪があった（七二名の「歳差運動的」共謀者もいた）。だが、ホルスやトトやその後のファラオたちへの統治権の委譲は比較的に円滑に行なわれ、問題がなかった。

この王位継承のスタイルは数千年間も、人間の王たちによって受け継がれた。王朝の始めから終わりまで、ファラオたちは神々の子孫であると自覚し、現世に生きるホルスであり、オシリスの息子だと考えていた。世代から世代にわたり、死んだファラオは天空に生まれ変わり、「オシリス」となり、王座につく後継者は「ホルス」になると考えられたのだ。[32]

この素朴で洗練され、安定した考え方は、第一王朝が始まる紀元前三一〇〇年頃にはすでに完成

しており、この通り実施されていた[33]。学者たちもこれには同意している。また学者の大多数は、この宗教が高度に進歩しており洗練されていることにも同意している[34]。だが奇妙なことに、この宗教がいつどこで形成されたのかについて、疑問を持つエジプト学者や考古学者は非常に少ない。

オシリス信仰のような、よく発達した社会的、寓話的思想が、紀元前三一〇〇年に突然完璧な状態で生まれたというのはもちろん理屈にあわない。また、王朝時代の前の三〇〇〇年間でこのような完璧な姿に発展した、と考えるエジプト学者もいるが、これも理屈にあわない[35]。こうしたものを完成させるには、それよりも遙かに長い時間が必要なのだ。数百年ではなくて、数千年の単位の時間が必要だ。さらに、すでに見てきたように、すべての現存する古代エジプトの記録の中で、過去について語る古代エジプト人は、すべて彼らの文明は「神々」からの遺産であり、神々が「最初にエジプトを支配した」と言っている[36]。

これらの記録には細かく言えば一貫性のない個所もある。ある記録は他の記録よりもエジプト文明が生まれたのはもっと古いという。だがすべての記録は、明らかにもっと遠い過去の時代に関心を持つよう促している。第一王朝が始まる八〇〇〇年から四万年前の時代に。

考古学者は、そのような早い時期に発達した文明が存在したことを示すような工芸品が、エジプトでは何も見つかっていないと強調するが、それは必ずしも真実ではない。第4部で見たように、いくつかの品物や建造物の年代が、まだ科学的に確定されていないのだ。

古代都市アビドスにも、非常に風変わりな、時代が特定できていない謎の建造物がある・・・。

第45章　人々と神々の仕事

古代エジプトの神殿遺跡の中に、天井が保存されている（これは極めて珍しいことである）だけでなく、素晴らしい浮き彫りが残されている遺跡がある。ナイル河から西一三キロにあるアビドスのこの遺跡は、セティ一世の葬祭殿だ。栄華をほこった第一九王朝の王セティは紀元前一三〇六年から前一二九〇年のあいだ君臨している。[1]

セティはラムセス二世（紀元前一二九〇年～前一二四四年・聖書の物語の中でイスラエル人が出エジプトを決行したときのファラオ）の父親として有名だ。[2]だがセティはエジプトの国境を越えて、軍勢を送り出した歴史上の重要人物でもある。いくつかの素晴らしい建造物を造る一方で、多くの古い建物を注意深く良心的に修復している。[3]アビドスにあるセティの葬祭殿は「何百万年もの家」と呼ばれており、「永遠の支配者」オシリスを祭っている。[4]ピラミッド・テキストには次のように書かれている。

あなたは去った、だが戻ってくる。あなたは眠った、だが目を覚ます。あなたは死んだ、だが生き返る・・・水の上にのり、上流に向かい・・・神があなたのものと定めた聖霊の姿でアビドスに旅する[5]。

アーテフ冠

朝の八時だった。この緯度ではすでに明るく活気溢れる時間だ。だが、セティ一世の葬祭殿の中に入ると、そこは静寂で薄暗かった。壁の一部は床に置かれた弱い電球の光で照らされている。これがなければ、ファラオの建築家の設計どおり、いくつかの光の束が外側の石造りの隙間から、聖なる放射線のように差し込むだけだ。光の束の中ではほこりの粒子が踊り、中は重たい静寂が垂れ込めている。この多柱式ホールの天井を支えている巨大な柱の間を歩いていると、オシリスの聖霊が今ここにいる気がする。これは単なる幻想でもない。なぜなら、周りの壁には見事に調和のとれた様々な姿のオシリスが浮き彫りで飾られ、実在しているからだ。浮き彫りは、文明をもたらしたこの王を、死者の王として描いている。死者の王は王位につき、美しい謎の妹イシスが付き添っている。

ここにいるオシリスは色々な形の凝った作りの冠をかぶっている。これらの浮き彫りを一つ一つ見て回った。王冠は、古代エジプトのファラオにとっては服装の重要な一部だった。少なくとも浮き彫りに描かれているところを見るとそう思える。ところが奇妙なことに、いくら発掘が進んでも、王冠は、その破片すら一度も発見されたことがない。もちろん「最初の時」の神々が使用していた、

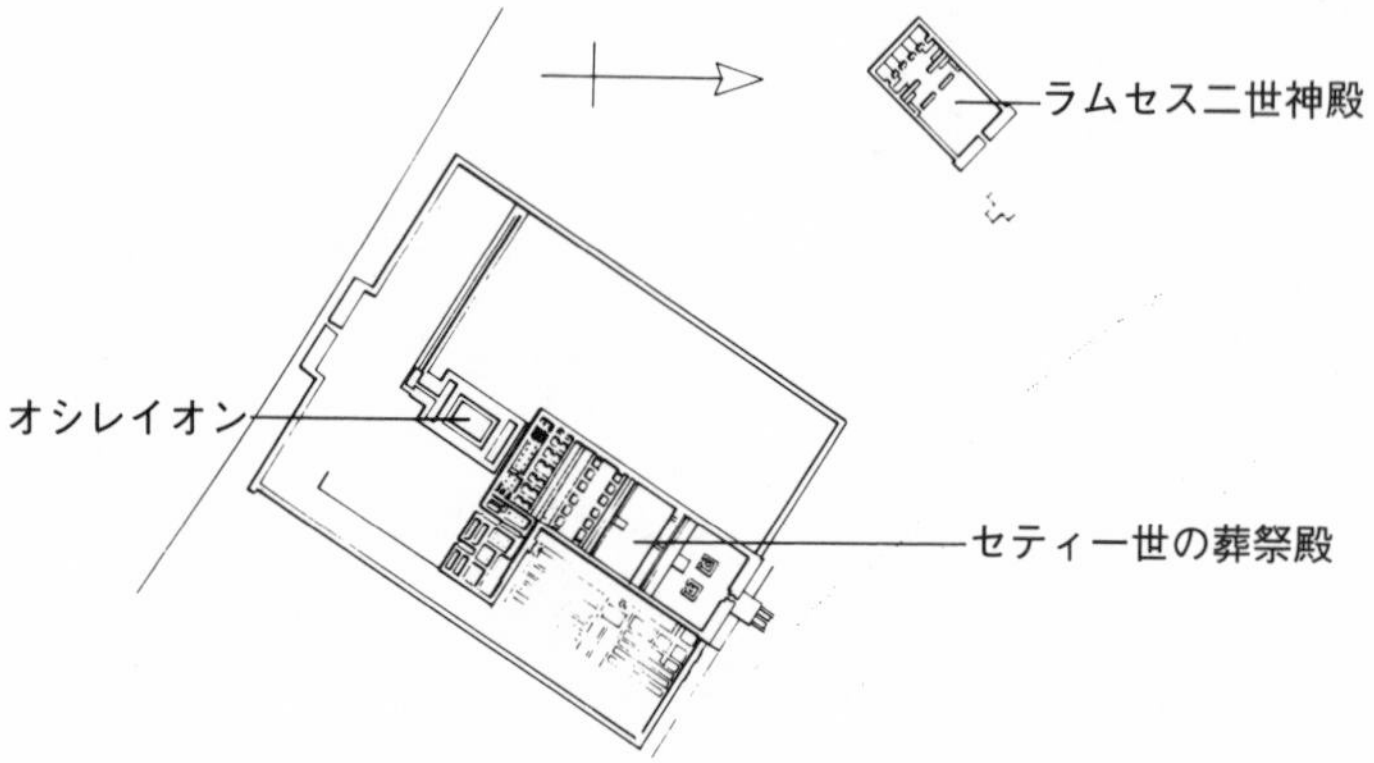

アビドス

渦巻き状の儀式用頭飾りも見つかっていない。(6)

とくに興味深いのはアーテフ冠だ。この冠には王家のシンボル、蛇形章（メキシコではガラガラヘビだったが、エジプトでは今にも飛びかかりそうに首を持ち上げたコブラ）がついている。この奇妙な冠の中心には上エジプトの白い戦闘用の兜《かぶと》が描かれている（これも浮き彫りでしかその姿を確認できない）。この中心の両側から立ち上がっているのが二つの薄い金属片だ。また正面には二つの波打つ刃で作られた装置がついている。学者たちはこれらを一組の雄羊の角と呼んでいる。(7)

セティ一世の葬祭殿の浮き彫りの中には、アーテフ冠をかぶっているオシリスの姿がいくつか描かれている。冠の高さは六〇センチぐらいあるようだ。古代エジプトの「死者の書」によれば、この冠はラーからオシリスに贈られたものだという。「だが初めてこの冠をかぶった日、オシリスは頭が非常に痛くなった。ラーが夕方、帰ってくる

と、オシリスの頭がアーテフ冠の熱で腫れていた。ラーは膿と血を取った」(8)

当たり前のように書かれているが、考えてみると、熱を放射し、皮膚を炎症させ、膿を出させるような冠とは、どんなものだろうか?

一七世紀におよぶ王たち

さらに深い闇の中に入って行った。そこは王たちの通廊だった。それは葬祭殿の入り口から六〇メートル内部に入った、多柱式ホールの東端にあった。

この通廊を通ることは、「時」を通過するのと同じだった。左側の壁には古代エジプトの一二〇の神々の名前が書かれており、その主な聖地が記載されている。右の壁にはほぼ六平方メートルの領域に、セティ一世の前までの、王位についた七六名のファラオの名前がある。それぞれの名前は楕円形のカルトゥーシュの中に、象形文字で書かれている。

この絵画的な書き物は「アビドスの王名表」として知られている。熱された黄金のような光を放つ王名表は左から右に読むように配置されている。また縦五段、横三段に区切られている。この表は一七〇〇年という長い年月を網羅しており、紀元前三〇〇〇年頃の第一王朝最初のメネス王から始まって、セティの統治、紀元前一三〇〇年で終わっている。左端には二人の人物がくっきりと見事に浮き彫りされているが、それはセティと若い息子、未来のラムセス二世だ。

地下室

トリノ・パピルスやパレルモ石と同様に、貴重な歴史資料であるこの王名表は、伝承が継続されてきたことを雄弁に語っている。この伝承に欠かせないのは、悠久の昔、神々がエジプトを支配していた、「最初の時」の信仰であり記憶だ。神々の中心はオシリスだった。したがって王たちの通廊の先に通路があり、葬祭殿の裏側にある素晴らしい建造物オシレイオンにつながっているのは納得がいく。この建物はエジプトの記録が書かれ始めた時からオシリスと結び付けられている。[9] ギリシアの地理学者ストラボ（紀元前一世紀にアビドスを訪問した）は次のように述べている。「硬い石で造られた驚くべき建造物・・・（その奥）深くに泉があり、そこに行くには、巨大な石で見事に造られた丸天井の通廊を下る。そこにはナイル河から水をひいた運河がある・・・」[10]

ストラボの訪問から数百年たったころ、古代エジプトの宗教は当時の新興宗教キリスト教にとって代わられ、河のシルト（砂より細かく粘土より粗い沈積土）と砂漠の砂が少しずつオシレイオンに流れ込み、やがて柱やまぐさ石（入口の上の横石）を完全に埋めてしまい、この場所は忘れ去られてしまった。しかし、二〇世紀になって考古学者フリンダーズ・ペトリとマーガレット・マレーが発掘を始めた。一九〇三年の発掘で、ホールと通廊の一部が出てきた。セティ一世の葬祭殿の南西六〇メートルのところだった。だが、このホールと通廊は第一九王朝の建築様式のものだった。同時に、このホールと葬祭殿の後側の間には、巨大な地下建造物があった。[11] マーガレット・マレーは「この地下室はストラボが述べている場所ではないかとペトリ教授は推測した。ストラボの泉として知られている地下室だ」と書いている。[12] ペトリとマレーの推測は正しかった。だが資金不足のため、埋もれた建造物があるという

推測の検証は、一九一二年から一九一三年の発掘まで延期されなければならなかった。今度はエジプト発掘財団のナビル教授の指揮のもと発掘が行なわれ、長い横向きの部屋が出現したが、北東の端には巨大な花崗岩と砂岩で造った石の入り口が見つかった。
ナビルは次の発掘シーズンの一九一三年から一九一四年に、現地で六〇〇人の作業員を雇い、丹念に壮大な地下建造物を掘り出した。ナビルは次のように書き残している。

発見されたのは、長さ三〇メートル、幅一八メートルの巨大な建造物で、エジプトで見られる最大の石が使われている。取り囲んでいる四方の壁には一七の小さな室があるが、天井の高さは人間の背丈ほどで、内部に装飾は一切ない。建物は三つの通廊に分かれており、中央の通廊が脇の通廊よりも広い。通廊を隔てているのは二列の柱だが、巨大な花崗岩の一本石で造られており、同じ大きさの軒縁石を支えている。(13)

ナビルは建物の北側の通廊の角にある、長さ八メートル近くもある石を計測して感嘆している。(14) 同じように驚いたのは、壁に造られている小さな室には床がなかったことだった。床の部分を掘ると湿った砂と土が出てきた。
小さな室は幅六〇センチから九〇センチの狭い土台でつながっていた。反対側の小さな室も同じだった。だが床がまったくないのだ。床のところを三・六メートルも掘ったら、水が浸み出てきた。

奥の入り口の下にも床がなかった。これらのことから推測すると、かつてここには水が張られており、小舟で小室まで入ったのだろう。[15]

エジプト最古の石造建築物

水、水、水ばかりだ。一九一四年にナビルと作業員たちが発掘した、大きな穴の底に横たわるオシレイオンの建物のテーマは、水のようだ。この建物はセティ一世の葬祭殿の床からは一五メートルも下、ほとんど地下水面と同じ高さの所に位置する。現在は南西の位置に近代的な階段が取り付けられており、そこから降りることができるようになっている。この階段を降りてから、ナビルとストラボが述べていた入り口の巨大なまぐさ石（入口の上の横石）の下をくぐった。そこを通り抜けると、幅の狭い木造の橋があり、巨大な砂岩の台座に渡ることができた。

長さ二四メートル、幅一二メートルのこの台座は非常に大きな舗道石で構成されており、周りは水で囲まれている。台座の中央の軸に沿って二つのプールが造られている。一つは長方形で、もう一つは正方形だ。また、軸の端には階段がついており、水の表面から三・六五メートルも下っている。さらに台座はナビルの報告にもあった大規模な柱廊も支えている。一つの柱廊は五つの短くて太い薔薇色の花崗岩の柱で構成されているが、[16]柱の寸法は四面が二・四メートル幅で、高さが三・六五メートルあり、重さは一〇〇トンほどだ。この壮大な柱の上には、花崗岩の横石が横たわっていて、昔は建物全体に天井があったことは間違いないだけでなく、もっと大きな一本石の横石もたくさん使われていたようだ。[17]

オシレイオンの構造を正しく理解するには、この建物の真上に居ると想像して、下を見るのがよい。建築当初の屋根がなくなっているので、この建造物の構造を心に描く作業は、やりやすかった。また、現在では水が浸み出ており、建物のプール、小さな室と運河を満たし、台座の数センチ下まで貯まっているのも助けとなった。これでオリジナルの設計者の構想が実現したようだ。[18]

この角度から見下ろすと、台座が三メートル幅の濠に囲まれた四角い島になっていることがわかる。濠は巨大な壁に四方を囲まれ、壁の厚さは六メートルほどある。[19] 大きな赤い砂岩の石を積み上げて造られた壁は、多角形のジグソーパズルで構成されている。厚みのあるこの壁にはネビルの報告書にあった小さな室が十七室ほど設置されている。東に六室、西に六室、南に二室、北に三室だ。三つの北側の中央の室の奥には長い長方形の部屋があり、石灰岩の屋根がついている。南側にある入り口の巨大な門の奥にも似たような長方形の部屋があるが、石灰岩の屋根はすでになくなっている。こうして、この構造物全体が石灰岩の外壁で囲まれている。したがって外側から、壁、壁、濠、台座と、長方形の階層になっている。

オシレイオンのもう一つ非常に変わったところは、方位がずれていることだ。メキシコのテオティワカンの死者の道のように、真北の少し東を向いているのだ。古代エジプトの文明は正確な方位で建物を建てることができたし、建てることが多い。したがってこのように歪んだ建て方をしたのにには理由があったに違いない。さらに、一五メートルも上にあるセティ一世葬祭殿も、オシレイオンとまったく同じ方位で造られているが、これも偶然ではないだろう。問題は、どちらの方が古い建物かということだ。オシレイオンの方位が先に決められ、それに葬祭殿を合わせたのか、あるい

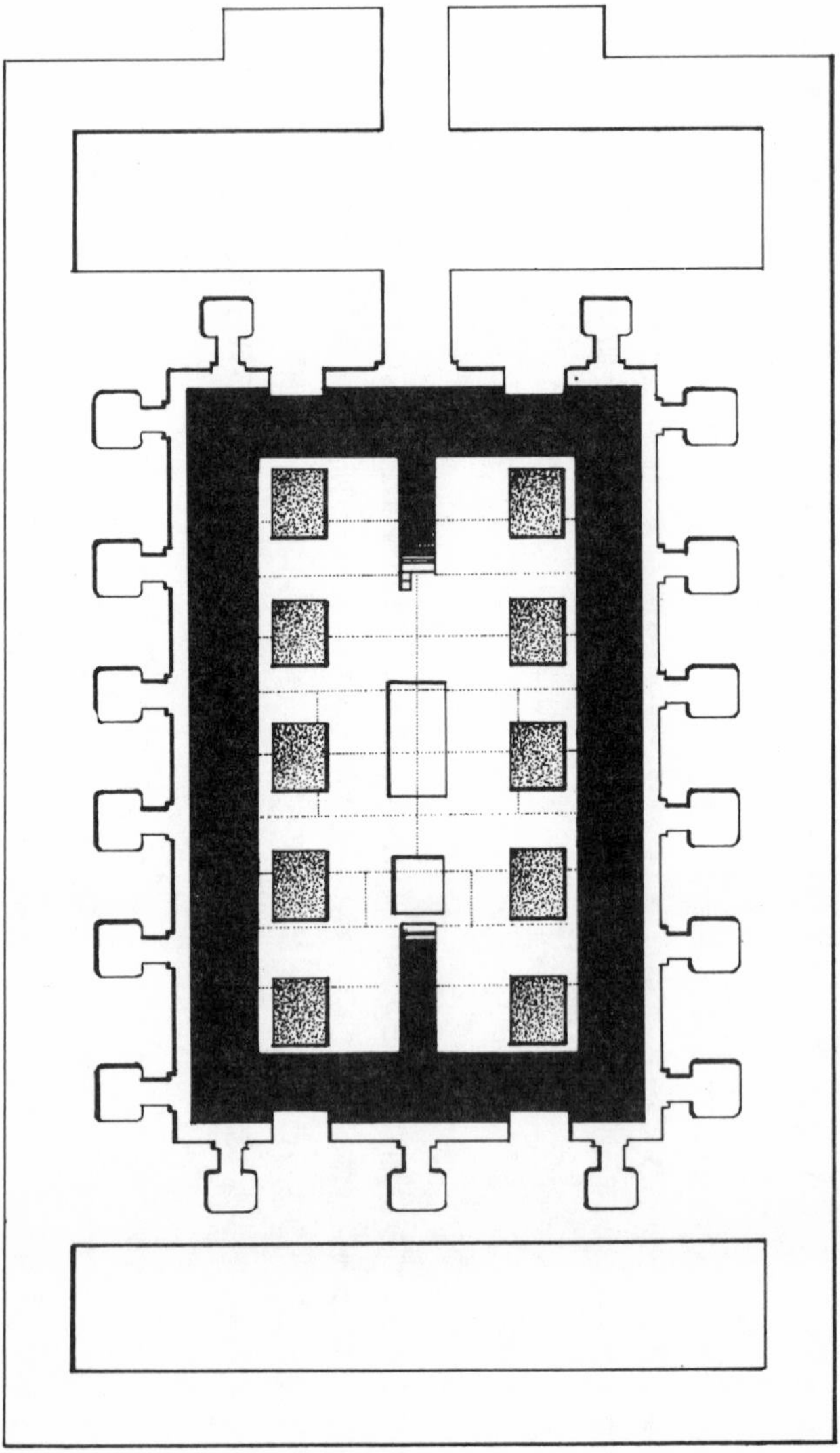

オシレイオン

はその逆だろうか？　この問題は、今ではすっかり忘れられてしまっているが、昔、大論争を呼び起こしたのだ。この論争は、ギザのスフィンクスや河岸神殿の建造年代とも深いかかわりを持っている。最初、著名な考古学者たちは、オシレイオンを大変に古い建造物だと断定した。一九一四年三月一七日のロンドンの『タイムズ』に掲載された、ナビル教授の見解を見てみよう。

この建造物はいくつかの重要な疑問を提起している。まず建造時期だが、この建物はスフィンクス神殿（当時の河岸神殿の名前）と非常によく似ており、同じ時代のものだと思われる。この時代の建物は巨大な石で造られ、装飾がまったくないという特徴がある。これがエジプトで最も古い建造物の特徴だ。この建物はエジプト最古の石造建築だといってもいいだろう。[20]

素晴らしい花崗岩の一本石が使われた建物の中央ホールの「壮麗さと徹底した単純さ」、また「このような巨大な石を運び込み建設した古代人」に深い感銘を受けたナビルは、オシレイオンの機能について提言をしている。「この建物は、ナイルの水が溢れたときに、水を貯めておく巨大な貯水池だったに違いない・・・建築の歴史の初期のものと思われる建造物が、神殿でも墓でもなく、巨大なプール、給水設備であったというのは興味深い・・・」[21]

確かに興味深いし、さらに調査をする価値が十分にあった。ナビルも次のシーズンに調査を行なう予定だった。だが、残念なことに、第一次世界大戦が勃発し、エジプトにおける考古学の発掘調

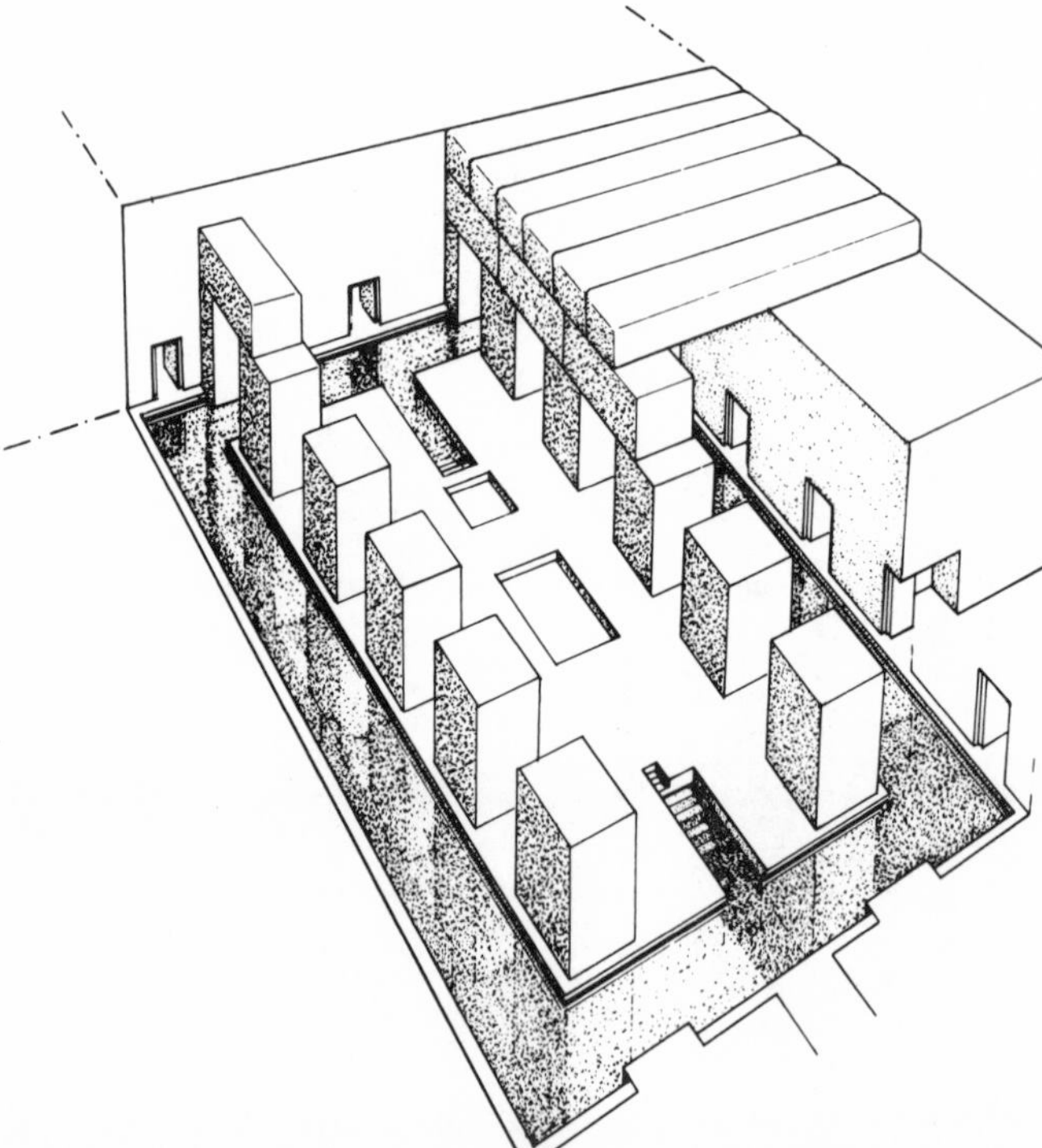

オシレイオンの復元図

査は数年間中断することになった。その結果、エジプト発掘財団が調査団を派遣するのが一九二五年まで遅れることになった。この調査団を率いたのはナビルではなく、若いエジプト学者で、名前はヘンリー・フランクフォートといった。

フランクフォートの事実

フランクフォートは、後にロンドン大学の古代以前の時代を専門とする考古学の教授となり、名声を獲得し大きな影響力を持つようになった人物だが、一九二五年から一九三〇年にかけて毎年のようにオシレイオンを徹底的に発掘し再調査した。この作業の間に多くの発見をしたフランクフォートは、「建物の建造時期は確定された」と考えた。

❶花崗岩でできたあり継ぎ（凸凹をつくり差し込む方式）が中央ホールに入る主要ゲートの南端の上に見られるが、そこにセティ一世のカルトゥーシュが彫られていた。
❷似たような「あり継ぎ」が中央ホールの東壁内部で見つかった。
❸北側の横長の部屋の天井に、天文学的な光景が描かれ、セティ一世の碑文が浮き彫りにされていた。
❹南側の横長の部屋に残っていた遺跡にも似たような光景が描かれていた。
❺文字が刻んである石灰岩の破片が入り口通路で見つかったが、そこには「セティはオシリスに仕える」と書いてあった。[22]

読者は「レミングの集団自殺」（繁殖が極に達したとき、海に向かって大移動し溺死するタビネズミ）のような行動が起こったことを覚えているだろう。それは、スフィンクスと河岸神殿の古さに対する学者たちの意見が、反対方向に大移動して、集団自殺した事件だ（原因はいくつかの石像とカフラー王のカルトゥーシュが一つ見つかり、カフラー王となんらかの関係があることがうかがわれたため）。フランクフォートの発見も、オシレイオンの古さに関して似たような一八〇度の方向転換を引き起こした。一九一四年には「エジプト最古の石造建築」だったものが、一九三三年には、紀元前一三〇〇年頃のセティ一世統治時代のものとされ、死者の記念碑だと信じられるようになったのだ[23]。

その後一〇年も経たないうちに、エジプト学の教科書には、オシレイオンの建設はセティ一世の業績だということが、まるで経験や観察に基づく事実のように書かれるようになった。だが、これは事実ではなく、発見した証拠に基づくフランクフォートの個人的見解に過ぎない。

実際は、まったく謎の建造物で、確かなことは、セティによって残されたいくつかの碑文や装飾が発見されたということだけだ。もっともらしい説明の一つは、フランクフォートが提言するように、セティ一世によって建てられたというものだ。しかし、フランクフォートが発見したみすぼらしい装飾やカルトゥーシュや碑文が、オシレイオンに入り込んだのは、セティの時代に修繕・修復が行なわれたためかもしれない（そうなるとナビルが言うようにこの建造物は、セティの時代にはすでに古かったことになる）。

オシレイオンの起源について（A）エジプト最古の建物、（B）新王朝時代の新しい建物、と二つ

の相反する見解が出ているわけだが、それぞれの都合の良い点はなんだろうか？

エジプト学者が認めているのは、（B）のセティ一世が建てた死者の記念碑という見方だけだ。だが、詳細に検討してみると、この見解はカルトゥーシュや碑文という状況証拠だけを基礎にしており、なにも証明していない。しかも証拠の一つはフランクフォートの見解と矛盾している。文字が刻んである石灰岩の破片には「セティはオシリスに仕える」とあったが、これは、建造者への称賛の言葉というよりも、最初の時の神オシリスのものとされる太古の建造物を修復したり、追加改造した修復者への称賛の言葉のように思える。さらに厄介なことが見逃されている。それは、セティ一世による装飾と碑文があった北と南の「横長の部屋」は、建物の装飾のない巨大な中心部を取り巻く厚さ六メートルの壁の外側にあることだ。このことにナビルが疑問を抱いたのも自然なことだ（だがフランクフォートは無視することを選んだ）。ナビルは、この二つの部屋は「建物本体とは違う時代のもの」であり、セティ一世の時代に増築されたのだと考えた。「おそらく自分の葬祭殿を建てたときに、一緒に建てたのだろう」と見ている。[24]

要約すると、見解（B）はフランクフォートの、後から付け足されたかもしれない色々なものだけを取り上げた、信頼できそうもない解釈を基礎としているということになる。

見解（A）は、オシレイオンの中心的建造物は、セティの時代よりも数千年前に建てられたものとしているが、その根拠は建築様式そのものからきている。ナビルが言うように、オシレイオンはギザの河岸神殿との類似点が多く、「巨大な石で建築が行なわれた、同じ時代のものであることを示している」。同じように、マーガレット・マレーは亡くなるまで、オシレイオンは死者の記念碑では

ない（少なくともセティ一世のものではありえない）と確信していた。マレーは言う。

この建物はオシリスの秘跡を賛えて造られており、エジプトに現存している建物の中でも極めてユニークなものだ。年代が古いことも明白だ。なぜなら大きな石を使って造るのは古王朝時代の特徴だ。建物が素朴なのも昔の時代のものであることを示している。装飾はセティ一世が追加したものだ。その時にセティは建物に名を残した。多くのファラオが前任者の建物に自分の名前を書いて、自分の建造物だと言っている。だから名前があったことはそれほど重要ではない。エジプトの建造物の年代は、建築の様式、石工技術の種類、石切り細工の具合から知ることができる。王の名前からではない。[25]

この忠告に、フランクフォートはもっと耳を傾けられたはずだ。なぜなら、彼も死者の記念碑には困惑の言葉を残しているからだ。「第一九王朝の建物には、似たものが存在しないことを認めざるをえない」[26]

実のところ、これは第一九王朝の問題だけではない。オシレイオンに似た建物は、河岸神殿とギザのその他の巨大石の建造物以外に、エジプトの長い歴史上どこにもない。古王朝に建造されたことになっている巨大な石で造られたわずかな数の建造物は、どうも特別な種類に入るようだ。これらはお互いに良く似ているが、他の建築スタイルからはかけ離れている。またいずれの建造物も、誰が造ったかについて疑問符が付けられている。

このような建物こそ、ファラオの時代ではなく、歴史の始まる前に建てられた建造物にふさわしくはないだろうか？　スフィンクスや河岸神殿もそうだったが、今度はオシレイオンまでもファラオの名前（カフラーとセティ一世）と、あいまいに結び付けられることも謎に満ちていないだろうか？　それも、ファラオが建設したという、議論の余地がないような明白な証拠が一度も示されたことがないのに、結び付けられている。だが、このような希薄な結びつきは、建造者よりも（誰であろうと、いつの時代に生きていようと）、太古の由緒ある建造物と結びつきを求めた修復者の仕事を思わせるものではないだろうか。

砂と時間の海に帆を張る

アビドスを去る前に、もう一つ確認しておきたい謎があった。謎は砂漠に埋まっている。場所はオシレイオンから一キロほど北西、砂で埋まった塚がゴロゴロ転がり、散乱している古代の墓場だ。墓の多くは王朝時代初期およびそれ以前のものだ。伝統的にジャッカルの神アヌビスとウプワウトが支配した時代だ。道を開くもの、死者の魂の守護者は、オシリスの謎にまつわる物語において中心的役割を果たしており、毎年、アビドスでこの物語に基づく儀式が演じられていたが、それは古代エジプトの歴史が始まって以来、続いていたものである。

なにやら、死者の魂の守護者たちはまだ多くの謎を守護しているように感じる。オシレイオンは壮大な未解決の謎であり、もっと学者たちは綿密に調査すべきではないだろうか？　学者の仕事とは、そのような謎を解くことではないのか？　また、砂漠に十二隻の高くそびえる舳先《へさき》を持つ海洋

船が埋まっているが、これも謎解きを切に待ち焦がれているのではないだろうか。
ジャッカル神の墓場を通り、船が埋められている場所に行ってみた。

ガーディアン紙、一九九一年一二月二一日
五〇〇〇年前の王の船の艦隊がナイル河から一二キロ内陸で発見された。アメリカ人とエジプト人の考古学者が、一二隻の巨大な木造船をアビドスで発見したのだ・・・専門家によると、船は一五メートルから一八メートルの長さで、五〇〇〇年前に建造されたものと見られる。エジプト最古の王船であり、世界的にも最古の船だろう・・・九月に発見された艦隊はたぶん葬儀に関係があり、ファラオの魂を運ぶためのものだろうと言う。「このような艦隊が見つかるとは思っていなかった。とくにナイルからこんなに離れているところで・・・」と、ペンシルバニア大学博物館エジプト部門の部長であり発掘の責任者デイビッド・オコナーは言う[27]。

艦隊が埋もれていたのは巨大な泥レンガの囲いの陰だった。この囲いは紀元前二七〇〇年頃にエジプトを統治した、第二王朝のファラオであったカムケムイ王の葬祭殿だと思われている[28]。だがオコナーの考えでは、艦隊はカムケムイ王と直接的関係がなく、「第一王朝初期のファラオ、ジェル王のために造られた王墓（ほとんど崩壊している）」と関連しているという。「船の墓はこれよりも前に造られたということはないだろう。ジェル王のために造られたようではあるが、しかし、これも証

明する必要がある」(29)

突然、砂漠を渡る強風が吹き付けて、砂が舞い上がった。そこでカムケムイ王の囲いの壁の風下に避難した。そこは、ペンシルバニア大学の考古学者が一九九一年に発見した一二隻の船を、防護するという理由でもう一度埋め戻した場所のすぐそばだった。彼らは一九九二年に戻って、再び発掘をする予定だった。だが、様々な事情で、一九九三年になっても再発掘は延期された状態になっている。

本書の調査をしている段階で、オコナーは一九九一年の発掘の公式報告書を送ってくれたが(30)、その際に船のいくつかは長さが二二メートルあるかもしれないと、教えてくれた(31)。さらに艦隊の船はそれぞれ、船の形をした煉瓦の墓に、入れられており、初期の王朝時代には、砂漠の中で壁を形づくるように林立していたと思われ、造られて間もないころは壮観だったに違いないという。

それぞれの墓が造られたときには、泥のしっくいが厚く塗られ、白く塗装されていた。したがって、一二隻（あるいはそれ以上）の巨大な「船」が砂漠に停泊しており、エジプトの輝く太陽の下で光を放っていたことになる。停泊させるという意識は非常に強かったようで、形が不統一の玉石がいくつかの墓の船首と船尾の下に置かれている。これらの玉石は自然にあったとか、偶然にあったとかということは考えられない。位置を考えても意図的に置かれたとしか思えず、でたらめではない。これらは船を停泊させておくための「錨」として置かれていたと思える(32)。

ギザの大ピラミッドのそばで発見された四三メートルの高性能の海洋船と同じように（第33章参照）、アビドスの船に関してもはっきりしていることがひとつある。外洋の海の悪天候の激しい荒波を乗り越えられる、高度な設計が施されているのだ。テキサス州A&M大学の海洋考古学者シェリル・ホールデーンによると、これらの船には「高度な技術が使われており、その姿も優雅だ」という[33]。したがって、ピラミッドの船と同じように（少なくとも五〇〇年ほど前のものではあるが）、アビドスの艦隊が示唆しているのは、長期にわたって蓄積された航海の伝統が存在し、人々はそうした航海技術を使いこなすことができたということだ。それもエジプトの三〇〇〇年にわたる歴史の初期に、である。さらにナイル低地で発見された最古の壁画は、アビドス艦隊よりも一五〇〇年は古いものだが（紀元前四五〇〇年前）、そこでは同じように流線形の高性能の大型船が水の上を進んでいる様子が描かれている[34]。

いつだかはわからないが、正式な記録が始まる紀元前三〇〇〇年よりも前に、古代の航海の経験が豊富な人々とナイル低地の土着の先住民との間には接触があったのではないだろうか。そうだとすれば、エジプトの砂漠に船が出てくるという奇妙な、しかも長期にわたって現われるパラドックスが説明できるのではないだろうか（ピラミッド・テキストにも洗練された船のようなものが描写されているが、その長さは六一メートルもあったという）[35]。

船がファラオの魂を運ぶために造られたのではないかと学者たちが繰り返し指摘しているように、古代エジプトに宗教的象徴主義があったことは疑っていない。だが、そのような象徴主義では、

高度な技術の下に造られた埋蔵された船の問題を解決できない。なぜならこのような洗練された設計が生まれるには、長期にわたる発達の過程が必要だからだ。したがって、ギザやアビドスの船が、古代エジプト人のように自分たちの土地を愛し、河のそばに定住し、農業を行なっていた人々ではなく、高度に発達した航海民族のものだという可能性を追求する必要があるのではないだろうか？私の見解を否定するためだけだとしても、調査する価値があるのではないか？

そのような航海者たちは当然、星を見て方角を知ることもできただろう。また、正確な地図を作る技術も発展させ、航海するのに必要な海図も作ったかもしれない。同時に建築家で石工でもあり、その建築の特徴は、河岸神殿やオシレイオンのように多角形の巨石を使うことではなかったか？

また、これらの人々はなんらかの形で「最初の時」の神々と関係があるのではないだろうか？なぜなら神々はエジプトに文明や天文学や、建築学や数学や文字をもたらしただけでなく、そのほかにも多くの役にたつ技術をもたらしたと言われている。その中でも重要だったのは、農業の贈り物だった。

ナイル低地では驚くほど太古の時代に農業が発展し、栽培の実験が行なわれた証拠が残っている。それは北半球における氷河期の終わりにあたる。エジプトのこの「飛躍」は、どこか別の場所から新しい考えが入ってきたことを暗示している。

第46章　紀元前一万一〇〇〇年

オシリスの真に迫るような神話がなかったら、また人々を文明化し、科学や法律をもたらしたこの神が、遠い昔の寓話の時代「最初の時」にナイル低地に農耕を導入していなかったら、エジプトで紀元前一万三〇〇〇年から前一万年にかけて「早咲きの農業発展」があっても、それほど興味を引くものではないだろう。(1) この農業発展は、歴史学者が発見した世界最古の農業革命だと言われている。

前の章で検討したパレルモ石やマネトーの資料やトリノ・パピルスのような資料は、いくつかの異なった年代や、矛盾する年代を示している。だが、これらの資料の年代に共通することは、オシリスの「最初の時」・・・神々がエジプトを支配した黄金時代・・・が非常に古いということだ。さらにこれらの資料は、紀元前一万一〇〇〇年をとくに重視している点では一致している。(2) 歳差運動でいえば獅子座の時代であり、北半球の巨大な氷原の最後の大規模な溶解が進行していた時期だ。偶然かもしれないが、一九七〇年代からマイケル・ホフマン、フェクリ・ハッサン、フレッド・

ウェンドルフ教授などの地理学者、考古学者、先史学者たちが発掘調査で確認したのは、紀元前一万一〇〇〇年がエジプトの先史時代において、非常に重要な時期だったことだ。この時期にナイル低地では、大規模で破壊的な洪水が何度も発生している。[3] フェクリ・ハッサンの推測では、この長く続いた災害が紀元前一万五〇〇〇年頃に次第に猛威を増すようになったため（その後紀元前九〇〇〇年頃まで、何度も災害が繰り返された）、初期の農業実験が突然終わってしまったのではないかという。[4]

いずれにせよ、実験は終わってしまい、その後、五〇〇〇年間実験は行なわれずじまいである。[5]

はじまり

エジプトの「先史農業革命」と呼ばれるものには謎が含まれている。以下は教科書からの引用だが（ホフマン著『ファラオの前のエジプト』とウェンドルフ・シルド共著『ナイル低地の先史時代』）、氷河時代の終わりに起きた、詳細不明で不可解な「飛躍」に関して、主な事実を列挙してみよう。

❶紀元前一万三〇〇〇年のすぐ後、石臼と先端部分が光輝く小鎌の刃が、旧石器時代の道具類の中に現われる（小鎌の刃に石英が粘着している）・・・石臼は野菜料理を準備するためのものに違いない。[6]

❷まったく同じ時期、多くの川岸において、魚が主要な食料源ではなくなっているが、それは魚の残骸がほとんどないことでわかる。「魚が食料源でなくなったのは、地上の穀物という新

しい食料が現われたためだ。花粉を調べると、この穀物とは大麦である可能性が強い。また興味深いことに、大麦の花粉はこの地域に定住者が現われる直前に姿を現している・・・」(7)

❸旧石器時代後期のナイル低地に最初の農業が盛んになったのも劇的だったが、衰退も劇的だった。誰にもわからないのは、なぜ、紀元前一万五〇〇年頃になって、それまでの小鎌の刃や石臼が消えてしまい、エジプト全体で旧石器時代よりも前に使われていたような、狩猟と魚取りと採集に使う石器が現われたかだ。(8)

証拠が十分とは言えないが、全体的に示唆していることは明らかだ。エジプトは紀元前一万三〇〇〇年頃に穀物が豊富な黄金時代を満喫したが、紀元前一万五〇〇〇年頃、突然この文化が失なわれてしまったということだ。飛躍はすでに栽培植物化された大麦がナイル低地にもたらされたことによって起こったようだ。その後、多くの農耕民が定住し、新しい方法を活用した。定住者たちは素朴だが非常に効率的な農業用具類を使っていた。だが紀元前一万一〇〇〇年以降になって、より原始的な生活に逆戻りしてしまったのだ。

このような資料を前にすると、謎を説明するために、想像力が働く。だがそのような説明はすべて推量に過ぎない。はっきりしているのは旧石器時代に起こったエジプトの「農業革命」は、土地の人々よって始められたという証拠が何もないことだ。むしろ、どこか他の場所からもたらされたかのような感じを強く受ける。この農業革命は突然始まり、環境が変わると、同じくらい突然に中止された。古代エジプトの定住農業は、紀元前一万一〇〇〇年の大規模なナイルの洪水の後、滅び

てしまったようだ。

気候の変化

そのころの気候はどんなものだったのだろうか？

前の章で述べたが、サハラ砂漠は比較的新しい砂漠で、この地域は紀元前一万年頃までは緑のサバンナだった。このサバンナには光輝く湖があり、上エジプトのほとんどは狩猟の宝庫であった。北のデルタ地帯は沼地で、多くの実り豊かな島があった。全体的に気候は現在よりもかなり涼しく、曇りがちで、雨が多かった[9]。紀元前一万五〇〇〇年の前の二〇〇〇年、あるいは三〇〇〇年間と、後の一〇〇〇年の間は、連日のように雨が降った。それから生態環境の転機が訪れたかのように洪水が起きた。洪水が去った後、今度は乾燥が強まった[10]。この乾燥の時期は紀元前七〇〇〇年頃まで続いた。その後一〇〇〇年にわたる新石器時代の準多雨期があり、続いて三〇〇〇年の穏やかな気候が続き農業には理想的な環境となった。「その間、砂漠には花が咲き、その後多くの人口を支えられなくなった地域まで、人間社会は植民地化した」[11]

だが、紀元前三〇〇〇年にエジプト王朝時代が誕生したころ、また天候が変わり、再び乾燥しはじめ、それが現在まで続いている。

これが大まかに見たエジプト文明の謎が演じられた舞台の環境だ。紀元前一万三〇〇〇年から前九五〇〇年の間は雨と洪水の時代で、紀元前七〇〇〇年までは乾燥の時期だった。その後、紀元前三〇〇〇年まで雨が降り、次第に雨が少なくなり、また乾燥の時代が訪れ、現在に至っている。

膨大な年数を考慮しているわけだが、神々の黄金時代があった「最初の時」がいつなのかを探すとすると、誰でも当然、不可解な農業の実験が行なわれ、豪雨から洪水へと移り変わった紀元前一万三〇〇〇年から紀元前一万五〇〇〇年の時代に注目するだろう。

見えない結び付き?

この時代は古代エジプト人だけでなく、他の様々な場所に住む多くの人々にとっても重要な時だった。第4部で見たように、この時代には気候が劇的に変化し、海面が急上昇し、地面が動き、洪水があり、火山が爆発し、軟炭の雨が降り、空が暗くなった。世界中に存在する多くの大災害の神話も、この時代を描いたものが多いと思われる。

この時期には、伝説にあるように、本当に神々が人間たちの間を歩いていたのだろうか?ボリビアの高原では、それらの神々はビラコチャと呼ばれ、壮大な巨石の都市ティアワナコと結び付けられている。ティアワナコは紀元前一万一〇〇〇年頃の大洪水の前に建設されていたかもしれない。アーサー・ポスナンスキー教授によると、大洪水の後、水は引いたが、「高原の文化は二度と高度に発展せず、全面的に衰退の道をたどった」という。[12]

もちろんポスナンスキー教授の結論は、論議を呼ぶものであり、しっかりと理論的に評価検討されなければならない。だがそれにしても、ボリビアの高原とエジプトの双方とも紀元前一万一〇〇〇年に、大洪水に飲み込まれたのは興味深い。また双方の場所で、奇妙な農業的実験が行なわれていた証拠がある。この農業は明らかにどこか他の場所から導入されたものだが、実験が試みられた

後、消え去っている。[13] また両方の場所で遺跡の年代に疑問が持たれている。たとえばティアワナコにあるプーマ・プンクやカラササヤは、紀元前一万五〇〇〇年前頃に建造された可能性があると、ポスナンスキー教授は主張している。[14] 一方、エジプトでは、オシレイオンやギザの大ピラミッド、スフィンクスや河岸神殿などは、ジョン・ウェストやボストン大学の地質学者ロバート・ショックによって、地質学的に見て紀元前一万年よりも前のものだとされている。

これらの美しい謎の建造物と、紀元前一万三〇〇〇年から前一万年にかけての変則的な農業実験、そして神のように人々に文明をもたらしたオシリスやビラコチャは、見えない糸で結ばれているのだろうか?

文明の他の部分はどこにあるのか?

アビドスからルクソールに向かった。ルクソールでジョン・ウェストと会うためだ。いろいろ考えていたら、建造物の古ささえ確定できれば、その他のことは、おのずと解決されていくことに気がついた。つまりジョン・ウェストの地質学的検証が正しければ、人類の文明の歴史は書き直されなければならないのだ。ウェストはスフィンクスが造られたのは、一万二〇〇〇年以上も昔だと言っている。それさえ証明できれば、世界中に現われている奇妙で時代を間違えたような神々の指紋のことも、無関係に見える文明を互いに結び付けていると思える古代の「導きの手」のことも、理解できるようになるだろう。

ウェストが調査結果を発表したのは、一九九二年のアメリカ先端科学協会の年次総会だった。こ

のときはシカゴ大学のエジプト学者でギザ地図化プロジェクトの責任者、マーク・レーナーが出席して公開討論が行なわれている。そのとき、出席者全員が衝撃を受けている。なぜなら、ウェストの論文にたいしてレーナーは説得力ある反論ができなかったからだ。レーナーは以下のように結論した。

スフィンクスの年代が紀元前九〇〇〇年とか紀元前一万年などと言うならば、当時、スフィンクスを造れるような非常に高度な文明があったことになる。そこで考古学者は疑問に思うだろう。それは、そのときにスフィンクスが造られたとしたら、その文明の他の部分はどこにあり、その文化の他の部分はどこにあるかだ。(15)

レーナーは考え違いをしている。

スフィンクスが紀元前九〇〇〇年とか紀元前一万年に造られていたとしても、高度な文明があったことを証明するのは、ウェストの仕事ではない。むしろエジプト学者や考古学者たちの仕事であり、なぜこのように長いあいだ、執拗に考え違いをしていたのかを説明しなければならない。

では、ウェストはスフィンクスの古さを証明できたのか?

第47章　スフィンクス

「エジプト学者ほど、例外の存在を認めるのを嫌がる人々はいない」とジョン・ウェストはいう。もちろん、エジプトには例外はたくさんある。ウェストがここで言っているのは第四王朝ピラミッドのことだ。なぜそれが例外かというと、第三、第五、第六王朝のピラミッドとは建て方が違うのだ。たとえばサッカラにあるジョセル王（第三王朝）の階段ピラミッドは偉容を誇っているが、使われている石は比較的小さく、五人から六人の人間で十分に扱える。さらに内部の部屋の構造はお粗末だ。第五と第六王朝のピラミッドの内部からは、素晴らしいピラミッド・テキストなどが発見されているが、ピラミッド本体はあまりにもお粗末な造りで、完全に崩壊しており、現在ではただの瓦礫の山になっている。だが第四王朝のギザのピラミッドは素晴らしい造りで、何千年の歳月に耐え、現在にいたるまでほぼ原形を保っている。

この建築技術の変遷が何を意味するのか、エジプト学者はもっと関心を払うべきだ、とウェストは言っている。「筋書きがおかしいのではないでしょうか。構造的にお粗末な、がらくたのようなピ

ラミッドを建てた後、突然、構造が非常に優れている信じがたいピラミッドが建てられた。その直後に、再び構造的にお粗末なピラミッドが建てられた。これは不可解です。これは、たとえば自動車産業が箱型モデルTフォードを発明して製造した後、突然、九三年型ポルシェを製造しはじめ、数台造り、その後造り方を忘れ、初期のモデルTフォードを造り始めるのと同じようなものです。文明はこのように変遷するものではありません」

「ということは、第四王朝ピラミッドは、第四王朝が建てたものではないということですか?」と私は尋ねた。

「そのとおりです。周りにあるマスタバ古墳とはまったく違うものだという気がします。それだけでなく、その他の第四王朝時代のものともまったく違っています・・・まったく調和がとれていない・・・」

「スフィンクスも同じだということですか?」

「そうだが、大きな違いがあります。スフィンクスの場合は直観を働かせる必要などありません。スフィンクスは第四王朝よりも遥か昔に造られたことは立証できるからです・・・」

ジョン・ウェスト

エジプト旅行を開始して以来、サンサも私もジョン・ウェストのファンになってしまった。ウェストの書いた旅行案内書『旅行者の鍵』は、この古代の土地の謎を知るのには素晴らしい案内書で、今でも肌身離さず使っている。同時に、ウェストの学術書『空の蛇』を読んで、エジプト文明がナ

イル低地だけで発達したのではないかもしれないという革命的な可能性に開眼させられた。エジプト文明の遺跡からは、その時代にそぐわないと思える高度な科学の痕跡らしきものがたびたび発見されている。これらはまだ知られていない「王朝時代のエジプトよりも遥かに古く、すべての知られている文明よりも数千年古い」優れた文明の遺産かもしれないのだ。(1)

背が高く、がっちりとした体格のウェストは六〇代の前半だった。白いあご髭をきれいに揃えたウェストは、カーキ色のサファリ服を着て、一九世紀的な特徴ある日よけ帽をかぶっていた。態度は若々しくエネルギーに溢れ、眼は輝いていた。

われわれ三人はナイルの巡航船の上部甲板の椅子に座っていた。船はルクソールのウィンター・パレス・ホテルから数メートル下流の岸に停泊していた。西を見ると河の向こう岸に空気の屈折で大きく膨らんだ赤い太陽が、王家の谷の絶壁の間に沈みかけている。東には崩壊しながらも高貴さを保っているルクソールの遺跡とカルナック大神殿が見える。足元からは、遠い河口デルタへと続く河の流れが船底から伝わってくる。

ウェストが初めてスフィンクスというテーマを持ち出したのは『空の蛇』の中であった。この本ではフランスの数学者R・A・シュワレ・ド・リュビクの業績を詳しく解説している。シュワレの一九三七年から一九五三年にかけてのルクソール神殿の調査で、エジプトの科学と文化が、それまで学者たちが認めていた以上に高度で洗練されていたことを証明する数学的証拠が発掘された。だがこの証拠はウェストが言うように、「途方もなく複雑で、難解な言葉で書かれており・・・そのままシュワレの著作になじめる読者はわずかだった。例えて言えば、まるで事前に十分に基礎知識を

学ぶことなく、高エネルギー物理学を学ぶようなもの」だった。

シュワレの主要な著作は、フランス語で書かれており、一つは、分厚い全三巻の『Temple de l'Homme』三巻であり、もう一つは一般向けの『Roi de la theocratie Pharaonique』である。一般向けの本の方は英語に翻訳されており『聖なる科学』という題名が付けられている。この中で、シュワレは紀元前一万一〇〇〇年に恐ろしい洪水があり、雨が降ったため、エジプトが荒廃したことに触れ、次のように書いている。


大洪水の前には、エジプトには偉大な文明が存在していたに違いない。したがってギザの西の崖の岩に彫刻されたスフィンクスもまたすでに存在し、スフィンクスのライオンの身体には、頭を除いて、明らかに水による浸食の跡が見られる、という結論に導かれる。(2)


『空の蛇』を書いているときに、ウェストはこの文章に衝撃を受け、追跡調査をする決心をしたという。「もしもシュワレが何気なく推察したことを、直接調査を行なって正しいと証明できたら、まだ確認されていない高度な文明が太古に存在したという不動の証拠となるからです」

「なぜ?」

「スフィンクスの浸食が水によるものだと確定されれば、その答えは子供でもわかるくらい簡単です。『ナショナル・エンクワイアラー』や『ニュース・オブ・ザ・ワールド』のような雑誌を読める人なら誰でも説明できる。あきれるほど簡単なことです・・・。スフィンクスは紀元前一二五〇〇

年頃カフラー王によって建立されたと考えられてきました。だが、紀元前三〇〇〇年頃に王朝時代が始まってから、ギザにはあまり雨が降っていない。だがスフィンクスの身体には、大量の雨による浸食の跡が残っている。この規模の浸食を起こすためには莫大な雨量を必要とするが、エジプトにそのような気候があったのは紀元前一万年よりも前のことです。したがってスフィンクスは紀元前一万年よりも前に造られたに違いない。さらにその壮大で洗練された芸術作品を見れば、高い文明を持つ人々によって建てられたに違いないと考えられるわけです」

「でもジョン」とサンサが聞いた。「どうして浸食が雨の水によるものだと、それほど確信を持って言えるんでしょう？　砂漠の風も同じように浸食できないかしら？　正統派のエジプト学者ですら、スフィンクスは五〇〇〇年近く存在していることを認めてるし、これだけの期間を経過したとすれば、風による浸食も考えられるのでは？」

「その可能性は、一番最初に除外した要素の一つです。風による浸食の例を見せられるといいのだが・・・、風や砂では、現在のスフィンクスのようにはならないのです。それに、風や砂で説明がつくなら、最初から水による浸食の可能性は追求していません」

ロバート・ショックの地質学――スフィンクスの謎を解く

鍵となる問題は、スフィンクスを取り囲む深くて細長い溝だということになってきた。「スフィンクスはそこにあった岩をくり抜いて造られたため、放置すると数十年ですぐに首まで砂で埋まってしまう」とウェストは言う。「歴史的に見ると放置されていた時代が長かったことがわかる。カフラ

ーが建てたとされる時期から四五〇〇年経っているが、その期間のうち三三〇〇年間は砂の中に首まで埋まっていたことが、文献や歴史的な既成事実から証明できる。[3] したがってスフィンクスが風と砂による浸食にさらされていた時期は累積しても一二〇〇年程度だということになる。それ以外の時期は砂に覆われて、砂漠の砂嵐からは保護されていたのだ。また、もしもスフィンクスが古王朝のカフラーによって建てられたもので、風がこのように急速に浸食をするなら、古王朝の似たような石灰岩でつくられた他の建造物も、同じように浸食されていなければならない。だが何も起こっていない。さらに、象形文字と碑文が多く発見された確実に古王朝時代の墓だといえるものがあるが、そこにはスフィンクスにあるような浸食の跡はまったく残っていない」

確かに残っていなかった。ボストン大学のロバート・ショック教授は岩の浸食を専門とする地質学者だが、ウェストの証拠の正当性を立証するのに重要な役割を果たした。ショック教授もこの結論に納得している。スフィンクスとその周りを囲む石壁の浸食は、風によるものではなく、古王朝時代よりも遙か昔の数千年間の豪雨によるものなのだ。

一九九二年のアメリカ地質学総会[4]で、専門分野の同僚の説得に成功したショック教授は、一九九二年のアメリカ先端科学協会の年次総会で、様々な分野を専門とする聴衆を前にして研究成果を説明した(エジプト学者もいた)。このときショック教授が参加者に最初に指摘したのは、「スフィンクスの身体と周りを取り囲む壁には風雨によって浸食された深い溝がある。この浸食は場所によっては数メートルの深さになっている。少なくとも壁はそうだ。これは非常に深く、私の意見では非常に古いものだ。その結果、うねり、波打つような外観を見せている・・・」という事実だった。[5]

このように波打つ外観は、地質学者や考古人類学者にとってはおなじみの、「雨による浸食」の結果起こるものだった。サンサ・ファイーアの撮ったスフィンクスやその周りの壁の写真を見るとわかるが、この浸食は深い縦の裂け目と水平に波打つ窪みをつくっている。ショック教授の言葉では「典型的な教科書的事例であり、石灰岩が数千年にわたり雨に激しく打たれるとできるものだ・・・このような浸食の跡は明らかに雨が降ることでつくられたものだ」(6)

風と砂による浸食は、水平方向に鋭くえぐられた筋をつくり、まったく別の外観を形づくる。岩の柔らかい層だけが磨耗するからだ。したがってスフィンクスを囲む壁にあるような、縦型の溝の原因となることはありえない。縦型の溝は「水が壁を伝って流れてつくられた」ものなのだ。(7)大量の雨がギザ台地から傾斜地を滝のように流れ、スフィンクスの囲みに流れ込む。「その水が岩のもろい個所だけを浸食した。それで細く深い溝ができた」とショック教授は言う。「地質学者として言うなら、これらの証拠は明白であり、この浸食は雨によるものだ」(8)

過去数千年間の修復者が取り付けた石があり、場所によっては判別しにくいが、スフィンクスの身体全体にえぐられた、波打つ、貝殻状の窪みがあり、まったく同じ現象が観察できる。これも雨による浸食の特徴だ。長期にわたる豪雨が巨大なスフィンクスの上部に降りそそいだ（それが両脇に滝のように流れた）結果、このような形状となったのだ。これがさらに確認できるのは、スフィンクスが彫られた石灰岩の層だ。当然、この層の中で硬いところの方が浸食されにくいはずなのだが、硬い層のほうが深くえぐられているところが見つかる。(9)このようなことは風による浸食では起こり得ない（柔らかい層だけが削られる）。だが、雨により上から水が流れる浸食ではこうしたこと

が起こる。「上部の岩は硬くても雨の影響を受けやすく、削られる。ところがもっと下側の柔らかい層は保護されており、浸食される度合いが低い」[10]

アメリカ先端科学協会でショック教授は次のように結論している。

スフィンクスの囲みはすぐに砂で覆われてしまうことはよく知られている。サハラ砂漠のせいで数十年で埋まってしまう。したがって時々掘り起こさなければならない。これが古代から続いてきた状況だった。だが、それでも、スフィンクスの囲いの壁には劇的な波打つ浸食の外観が残っている・・・したがって簡単に言うと、スフィンクスの身体や周りの壁に見られるこの波打つ形状は、極めて古い時代に残されたということだ。ギザの台地にもっと雨が降り、もっと湿度が高かった時代につくられたものだ[11]。

ショック教授は、自分が「スフィンクスの身体に降雨による奇妙な浸食の跡が見られる[12]」ことを発見した最初の地質学者ではないと自ら述べている。だが、この浸食が暗示する歴史的問題に関して公開討論した最初の学者ではある。ショック教授の立場は、あくまでも地質学を専門として研究することだ。

何度も何度も聞かされたことは、王朝時代よりも前のエジプト人たちは、スフィンクスを彫るような技術も、社会組織も持っていなかったはずだということだ・・・だが地質学者と

して、そのことを問題にしようとは思わない。重荷を他の人々に背負わせようというわけではないが、誰が彫ったかを探しだすのは、エジプト学者や考古学者の責任だ。もしも私の発見が、それらの人々の文明の起源の理論と合わないというなら、その理論自体を見直す時期がきたのだろう。私は、スフィンクスがアトランティス人によって彫られたとも、火星から来た人々、あるいは異星人によって彫られたとも言っていない。私は科学を追究しているだけで、科学的事実に導かれるままに進んでいる。その結果導きだされた結論が、スフィンクスが建造されたのは、これまで考えられていた年代よりもずっと古いということだ・・・⑬

伝説の文明

どのくらい古いのか?

ジョン・ウェストは、ショック教授とスフィンクスの古さについて「友好的な議論を続けている」という。「ショックは少なくとも紀元前五〇〇〇年か紀元前七〇〇〇年(新石器時代の降雨期)の昔だとしています。手に入る資料から導かれる最も保守的な結論ですが、有名大学の地質学教授としては、保守的見解を取らざるを得ない立場にあるのです。また事実、紀元前五〇〇〇年から紀元前七〇〇〇年に雨は降っています。だが、私は学術的に見ても、直感から推測しても、もっと古いと考えています。スフィンクスの雨跡は紀元前一万年よりも前に、そのほとんどがつくられた・・・率直に言うと、もしも紀元前五〇〇〇年や紀元前七〇〇〇年程度の昔の出来事だったら、スフィンクスを彫った文明の証拠が他にもすでに発見されているはずだと思います。エジプトではその時代

の遺品がたくさん見つかっています。その中には確かに例外的なものも見つかっていますが[14]、ほとんどの遺品は、まだ稚拙なものです」

「王朝時代の前のエジプト人でないとすると、誰がスフィンクスを建てたのですか？」

「これは推測ですが、すべての謎は、世界中の多くの神話に語られている伝説の文明につながっていると思います。例の、大災害があってごく少数の人々が生き残り、世界を放浪して多くの知識が色々なところに残されたという話です。・・・直感では、スフィンクスはそれらのことと関連があります。いつごろ造られたかに賭けるとしたら、氷河期の終わる前です。たぶん紀元前一万年よりは古いでしょう。いや、紀元前一万五〇〇〇年よりも古いかもしれない。確信しているのは・・・いやわかっているのは、スフィンクスは遙か昔につくられたことです」

この確信を、今では私も共有している。そういえば一九世紀のほとんどのエジプト学者も同じ確信を抱いていた。だが、スフィンクスの姿がこの直感の防げとなっていた。頭の部分が間違いなくファラオのもののように見えるからだ。そこでウェストに聞いてみた。「もしそのように古いものなら、なぜ彫刻家は頭の部分に王朝時代の頭飾りや蛇形章をつけたのでしょう？」

「そのことはあまり気にしていません。それより、エジプト学者たちがスフィンクスの顔がカフラー王の顔に似ていると言っているのを知っているでしょう。それを根拠の一つとして、カフラー王がスフィンクスを建てたと言っている。ショックと私は、この点も、注意深く調べました。胴体の大きさと頭の大きさの比率から見て、頭は王朝時代に彫り変えられている・・・だから王朝時代のものに見えるのです。だが、それでもカフラー王の顔にしたわけではないと思います。調査の一

環として、ニューヨーク警察の法廷画家フランク・ドミンゴ警部補にエジプトまで来てもらい、スフィンクスの顔と、カイロ博物館にあるカフラー王の石像の顔とを精密に比較してもらいました。彼の結論は、スフィンクスの顔はカフラー王の顔に似るようには造られていないというものでした。単に顔が違うというだけでなく、おそらく人種も違うということです。(15) 元々は人間の顔ではなかったかもしれない。ライオンの身体にライオンの顔があったのかもしれないのです」。

マジェランと最初の恐竜の骨

ギザを訪ねた後でもあり、ウェストが、他の建造物の年代に対する正統派の見解をどう受けとめているかについても、知りたいと思った。とくに河岸神殿に興味があった。

ウェストは「まだほかにもたくさん古いものがあると考えている」という。「河岸神殿だけでなく、丘の上の葬祭殿やメンカウラー王の遺跡群やカフラー王のピラミッドも関係があるようです・・・」

「メンカウラー王の遺跡群としては何があるのですか?」

「葬祭殿があります。それに断っておきますが、ピラミッドには王の名前を付けているけど、便宜的にそう呼んでいるだけですから・・・」

「わかりました。ではギザのピラミッドはスフィンクスと同じくらい古いと見ていいのでしょうか?」

「簡単には言えませんが、ピラミッドの位置から見た幾何学的関係も考慮に入れると、何らかの関係があるように思えます。スフィンクスは全体計画の一部だからです。その面から言うと、カフ

ラー王のピラミッドが興味深い。なぜならこのピラミッドは二段階で造られているからです。気がついたかもしれませんが、土台の部分の数段は、巨大な石で造られています。この石が、河岸神殿の巨大な石にそっくりなのです。一方で、その土台の上に積まれている石はすべて小型だし、形も精密に造られていません。観点を変えてそれらの石を見ると、二段階にわたって造られていることがはっきりします。土台の部分の巨大な石がより古い時代に造られたような気がしてなりません。それもスフィンクスと同じ時代に建造されたと思えてくるのです。その後、上部構造が造られたようですが、それもカフラー王の時代である必要はありません。この件は調べれば調べるほど複雑になってきます。たとえば、中間的な文明が存在したかもしれない。そうなるとエジプトの古代の文献と話が一致します。彼らは現在の前に二つの長い時期があったといいます。最初は神々であるネテルが統治した時代で、二番目はホルスとその仲間たちが統治した時代です。したがって、問題はどんどん複雑になる一方です。だが有り難いことにひとつだけ確実なことがあります。スフィンクスはカフラー王が建てたものではないということです。地質学がそれを証明しました。もっと古いものなのです」

「だが、エジプト学者はそれでもまだ認めようとしていない。あなたに対する反論の一つはマーク・レーナーによるものです。たしか『スフィンクスが紀元前一万年よりも前に建てられているなら、それを建てた文明の残りを見せてくれ』と言っていた。つまり、ギザのいくつかの建造物以外にも、伝説の失われた文明の証拠を見せてくれ、というわけです。これに対してはどう返答するのですか？」

「第一に、ギザ以外にも建造物はあります。あなたが通ってきたアビドスのオシレイオンがその一つです。あの驚異的な建物はスフィンクスと関係があると、私は思っています。たとえオシレイオンがなくて他に証拠がなくても、別に心配することはありません。他に確証となる証拠がまだ上がっていないことを大袈裟に扱い、スフィンクスの古さの論争から逃げるのはまったく非論理的な態度です。それでは歴史上最初に世界一周をしたマジェランに、『世界を一周した者は、他に誰もいない。だから地球は平らだ』というようなものです。あるいは一八三八年に初めて恐竜の骨が見つかった時にも、彼らなら『もちろん巨大な動物が絶滅したなどということはありえない。ほかの骨はどこにあるのだ？　一個しか見つかってないじゃないか』などと言い出しかねない。だが、数名の人がそのような骨が死滅した動物の骨だと気付いた後、二〇年後には世界中の博物館が完全な姿の恐竜の骨で一杯になってしまった。こんな具合です。まだ誰も正しい場所を探していないだけなのです。たとえば古代ナイルの岸とか、人々が正しい場所を探しさえすれば、すぐにでも色々な証拠が見つかるのは確実です。昔のナイルは現在の位置から数キロ離れていました。あるいは氷河期の最後までは陸地だった地中海の底に何かあるかもしれません」

伝達の謎

エジプト学者や考古学者は、なぜスフィンクスが人類の歴史の失われた部分の謎を解く鍵だとは考えないのだろうか？　と、ジョン・ウェストに聞いてみた。

「その理由は、文明は一直線に進化してきた、という考えに固執しているからだと思います。だ

から一万二〇〇〇年以上も前に、現代人よりも洗練された人々がいたかもしれない、という考えにはなじめない。地質学はスフィンクスの古さを証明しました。またスフィンクスを造った技術には、多くの面で現代人にも真似できないものがあります。そうなると、文明も技術も一直線で進化してきたという信念が否定される・・・なぜなら、現代の最新技術を駆使しても、スフィンクスを造るプロジェクトを遂行するために必要な仕事のいくつかはできないのです。スフィンクスだけなら、たいした離れ業ではありません。彫刻師さえたくさんいれば、数キロの石像でも彫れるでしょう。技術が必要なのは、石を切り出し、スフィンクスを基盤から切り離し、さらに切り出した石を運んで数十メートル離れたところに河岸神殿を建設する仕事です・・・」

これは初耳だった。「河岸神殿の壁に使われている二〇〇トンもある大石は、スフィンクスの近辺で切り取られた石だというのですか？」

「疑う余地はありません。地質学的にまったく同一の石の層から切り出されています。それらの石は切り取られ、神殿のそばまで運ばれた・・・方法は、神のみぞ知る、というところです。次に一二メートルの高さにまで壁として積み上げた・・・これも方法はわかりません。私が言っているのは中心部にある巨大な石灰岩のことで、花崗岩の化粧石のことではありません。花崗岩は後から取付けられたのでしょう。カフラー王の仕事だったかもしれません。だが中心部の石灰岩を見るとわかりますが、スフィンクスに見られるのとまったく同じ雨による浸食の跡があります。だからスフィンクスと河岸神殿の中心部分は同じときに同じ人々によって建設されたのです。誰が建設したにしろ・・・」

「その人々と、王朝時代のエジプト人とは、何らかの形で結ばれていたのでしょうか。『空の蛇』の中では、遺産が受け継がれたのではないかと示唆されていますが・・・」

「遺産の件はいまでも示唆に過ぎません。スフィンクスを調べてはっきり言えることは、非常に高度な技術を持つ洗練された文明が悠久の昔に存在し、この巨大なスケールのプロジェクトを遂行したということだけです。それから大雨が降った。それから数千年たって、同じ場所にすべての様式を整えた王朝文明が、すべての知識を突然花開かせたが、これらの知識や様式がどこから来たのかはわかりません。ここまでは確実です。だが、古代エジプトが所有していた知識が、スフィンクスを造った知識と同じものなのかについては、わかりません」

「こういうことは考えられないでしょうか?」と推論を提示してみた。「スフィンクスを造った文明の本拠地はここではなかった・・・少なくともその発祥の地は・・・エジプトではなかった。その文明はスフィンクスをここに造ったが、ここは居留地あるいは測地拠点にすぎなかったのではないでしょうか・・・」

「可能性は十分にあります。その文明にとってのスフィンクスは、王朝文明にとってのアブ・シンベル(ヌビア地方にある)だったというわけです」

「その高度な文明は、何らかの大規模な災害を受けて滅びた。そのときに高度な知識という遺産が相続されたのではないでしょうか・・・なぜなら、ここにはスフィンクスがあり、彼らはエジプトについては知っていた。場所を知っていたし、土地柄も知っていた。ここに関係があったからです。文明が絶滅したときに生き残った人々がいて、彼らがここに来たのではないでしょうか・・・

この考えをどう思いますか?」

「可能性はあると思います。再び世界の神話と伝説に戻りますが、その多くが大災害と生き残った人々について語っています。ノアの話は数知れない文明で語られています。誰かが知識を保ち、それを伝達したのです。だが私の見たところ、最大の問題は伝達の過程にあると思います。スフィンクスが造られた時代から、数千年たって王朝時代が花開くまで、それらの知識はどのようにして伝えられてきたのでしょう。理論的には行き詰まってしまう・・・違いますか? 知識は長期間保存され、伝達されなければなりません。これは簡単にできることではありません。だが一方、伝説は何世代をも通して、一言一句伝達されてきている。実のところ、口承の伝達の方が、書いたものの伝達よりも確実だと言えます。なぜなら言語は変わってしまうが、話し言葉なら、その時代ごとに合った表現を使って語られていく・・・だから五〇〇〇年経っても、最初の形が保たれている。だから方法はあるのかもしれません・・・たとえば秘密結社とか宗教の一派とか、あるいは神話を使って知識を保存し、もう一度花開くまで保っていけるのかもしれない。大事なことは、このように複雑で重要な問題に関しては、あらゆる可能性に門を開いておくことです。それが最初はいかに馬鹿げたことのように思えようと、綿密な、非常に綿密な調査を行なうまでは、決して否定すべきではないのです・・・」

第二の証言

ジョン・ウェストはルクソールで、エジプトの聖地を研究するグループを引率していた。翌朝、

ウェストは学生たちを連れてアスワンとアブ・シンベルへ向かった。サンサと私は北に向かい、スフィンクスとピラミッドの謎の地、ギザを目指した。ギザでは考古天文学者ロバート・ボーヴァルと会う約束があった。これから見ていくが、ボーヴァルの星座の研究は、ギザの茫洋たる古さに関する独自の驚くべき地質学的な証拠を提供している。

第48章　地球の計測

次の通り、注意深く線を引いて欲しい。

まず白紙に縦に二本の平行線を引く。長さは一八センチ、二本の線の間隔は七・六センチだ。さらにもう一本の縦線を、この二本の平行線の中央に同じ長さで平行に引く。つぎに三本線の上に「南」と書き（紙の上端）、下端に「北」と書き、左右にも「東」と「西」を書き込む。向かって左が「東」になり、右が「西」となる。

これはエジプトの幾何学的地図だが、現代の地図とは異なり、上が「南」になっている。上を「南」にする地図を描いたのは、太古の地図製作者たちだが、彼らは地球の大きさも形も科学的に把握していたようだ。

この地図を完成するには中央の線の下の端から二・五センチ上のところに印を付ける。さらにこの印と両脇の二本の線の下端とを結ぶ。つまり北西、北東に向けて斜線を引くことになる。

これで南北に長い長方形ができた。長さは一八センチで、幅は七・六センチで北側（下側）には

三角形が作られた。この三角形はナイルのデルタ地帯を表わし、三角形の頂点の位置は、北緯三〇度〇六分、東経三一度十四分で、大ピラミッドの位置と極めて近い。

測地拠点

昔から多くの数学者や地理学者は、大ピラミッドの持つ一つの機能は、測地拠点だと考えていた(測地学とは、地球の正確な寸法と形を計測する学問)[1]。このことがわかったのは一八世紀の終わりに、ナポレオン・ボナパルトがフランス革命軍を率いてエジプト侵略を行なった時だ。ナポレオンはピラミッドの謎に深い関心を持っており、一七五名の学者を引き連れて、エジプトに遠征した。学者たちは様々な大学から集められ、「古代エジプトに深い知識を持つ」と言われていた学者や、もっと役立ちそうな数学者や地図製作者や測量士が含まれていた[2]。

学者たちの仕事の一つは、占領後、エジプトの詳細な地図を作成することだった。この作業の過程で学者たちは大ピラミッドが正確に東西南北に面していることを発見した(第6部で述べた)。その結果、謎の大ピラミッドは三角測量の極めて便利な拠点となった。そこで大ピラミッドの頂点を通る子午線(天空の経度を示す線＝経線)を基準として、すべての計測が行なわれることになった。その結果、近代で初めての正確なエジプト地図が作成された。学者たちは地図を作り終わったとき、大ピラミッドの子午線が、ナイルのデルタ地帯の中央を通り、それを半分に分割していることに、興味をひかれた。さらに、大ピラミッドの頂点から北西と北東に向かう線をそのまま伸ばして地中海に到達させると、それによってできる三角形が、ぴったりとデルタ地帯全体を覆うことにも気が

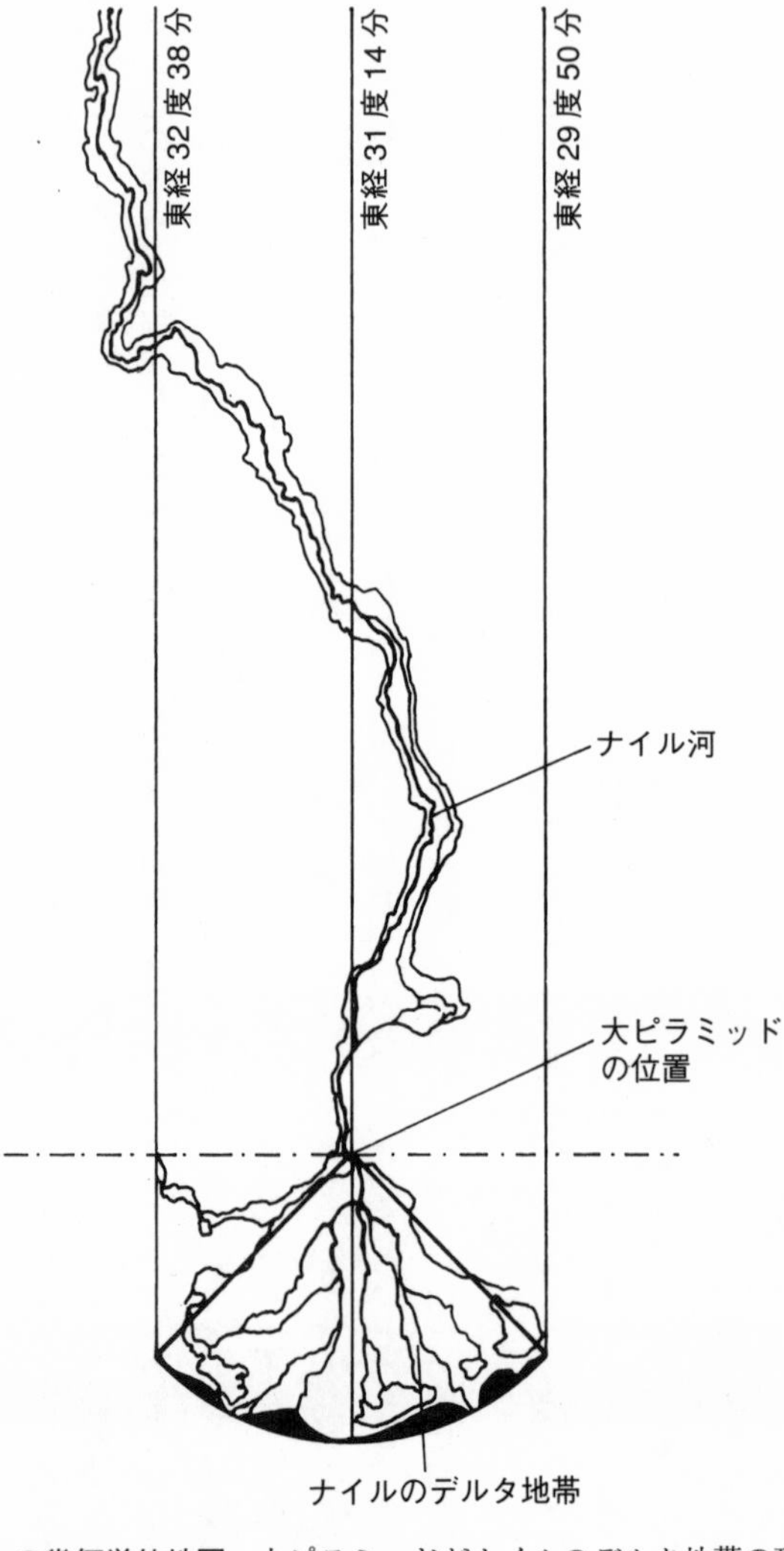

エジプトの幾何学的地図　大ピラミッドがナイルのデルタ地帯の頂点にある。エジプト人は伝統的に南を上と見ていた。

ついた。[3]

そこで、いま作成した地図に戻ろう。この地図にもデルタ地帯を示す三角形がある。平行する三本の線は子午線だ。東の子午線は東経三二度三八分を示す線であり、古代エジプトの王朝時代初期からの正式な国境線だ。西の子午線は東経二九度五〇分で、古代エジプトの正式な国境線になっている。中央の子午線は東経三一度一四分で、左右の線の中央にある(一度二四分ずつ離れている)[4]。

この地球上に描かれた帯は、正確に二度四八分の幅を持っている。それではこの帯の長さはどのくらいだろうか? 古代エジプトの南北の正式な国境線は、北緯三一度〇六分と北緯二四度〇六分だ(必ずしも居住地域とは一致していない)[5]。北の国境北緯三一度〇六分は、ナイルの外側の二つの河口を結んでいる。南の国境北緯二四度〇六分は、アスワンのエレファンティネ島の上を通る。アスワンにはエジプトの歴史が始まって以来、天体観測所が設けられている。[6]どうやら、この古代からの神々が創造し、みずから住んでいた聖なる土地は、北緯三一度から二四度の間に存在する、長方形の幾何学的な土地から成っていたようだ。

この構想の中で、大ピラミッドはデルタの頂点に位置する測地拠点として慎重に選ばれたようだ。デルタの頂点の位置は北緯三〇度〇六分、東経三一度一四分でありカイロの北のナイル河の中となる。一方、大ピラミッドの位置は北緯三〇度(大気の歪みを調整したとき)、東経三一度〇九分だ。したがって、デルタの頂点からはずれている。だが、このずれはピラミッド建築者がいいかげんな仕事をしたことを意味しない。この辺りの地形を良く見ると、場所の問題があったことがわかる。天文学的観測には正確な設計が必要で、地質的にも六〇〇万トンの重さに耐え、一三エーカーの広

さを必要とした。

ギザ台地はすべての面でぴったりだった。デルタの頂点の近くにあり、ナイル低地よりも高い台地にあり、硬い石灰岩の素晴らしい地盤がある。

徐々に行なう

ルクソールからギザに向かった。モハメッドの運転するプジョー五〇四は、緯度で見ると北緯二五度四二分から北緯三〇度まで、四度以上の間を旅することになる。アシュートの町からエル・メニアの町までは紛争地域で、ここ数か月間、イスラム教徒過激派とエジプト政府軍が戦闘を交えていた。そこで政府軍の武装兵士が護衛をしてくれることになった。モハメッドの隣の助手席には私服の軍人が座り、ピストルをもてあそんでいる。他の兵士は一二名ほどで、AK四七ライフルで武装し、二台の小型トラックに分乗し、プジョーを前後から挟んだ。

アシュートの町で車を止められ、護衛を待つように言われたとき、「危険な連中がいるからね」と、モハメッドは言った。その後、今度は護衛の車の速度が速いのでモハメッドは慌てていたが、サイレンを鳴らし、フラッシュを光らせ、幹線道路の遅い車を追い越しながら蛇行して走る目立つ護衛隊の一部になり、それを誇りに思って喜んでいる様子だった。

車の窓から外を覗き、ナイルの変わらぬ風景を眺めていた。緑の両岸の数キロ先には砂漠が見える。これが、昔から変わらぬ生きたエジプトだ。この生きたエジプトは、地図が示す奇妙な架空の長方形の緯度にして七度の長さを持つ「正式な」エジプトと重なりあっている（現在はもっと先ま

で広がっているが)。

一九世紀の著名なエジプト学者ルートビッヒ・ボルヒャルトは、「古代人が経度や緯度の概念を利用していたという可能性は、絶対に排除すべきだ」と述べたが、この意見は現在のエジプト学者によっても支持されている。[7]しかし、この判断はだんだんと怪しいものになってきている。誰がギザ・ネクロポリスを設計し、造りあげたにしろ、彼らは現代人同様に地球が丸かったことを知っていたし、地球を三六〇度に分割していた。

その証拠としては、象徴的な「国」が正確な緯度の国境線で区切られていたこと、大ピラミッドが測地拠点にあり、正しい方位を持つことなどがある。すでに第23章で述べたように、大ピラミッドの底辺の長さの合計と、高さが二πの関係にあり、この建造物自体が四万三二〇〇分の一に縮小された北半球の「投影図」になっていると思われるのも、証拠の一つだ。

大ピラミッドは四つの三角面を持つ投影図だ。頂上は北極で、底辺は赤道を意味している。だから底辺の長さと高さの関係が二πになっているのだ。[8]

ピラミッドと地球の比

ピラミッドにπが使われていることは、すでに述べたので繰り返さない。[9]だが正統派のエジプト学者たちは、これを偶然であるとし、論争もしていない。[10]ところでこの建造物が北半球の四万三二〇〇分の一に縮小された投影図になっているという話は、本当に信頼できるのだろうか? そこで

数字を検討してみよう。

現代の最新の計測値は人工衛星を使って得られたものだが、地球の赤道周囲の長さは、四万〇〇六八・〇四キロメートルで、北極からの半径は六三五五・四二キロメートルになる。[11]一方、大ピラミッドの底辺の周囲の長さは九二一・四五メートルで、高さは一四六・七三メートルだ。[12]これらの比率を調べると、完璧な数字は得られないが、近似値にはなる。さらに地球が赤道で膨らんでいることを考慮すると、四万三二〇〇分の一の縮尺に限りなく近くなる。

どのくらい近いのか？

地球の赤道周囲の長さ四万〇〇六八・〇四メートルを四万三二〇〇で割ると、九二七・五メートルになる。大ピラミッドの底辺の周囲の長さは九二一・四五メートルなので、誤差はわずかに六メートル、あるいは〇・七五％だ。だが、これまで見てきたピラミッドの建設者たちの精度はもっと高い。この誤差はどこから生まれてきたのだろうか？　赤道周囲の長さを二六〇キロ以上も短く計算していたことになるが、これはピラミッド建築上の間違いではなく、たぶん赤道のふくらみを過小計算したのだろう。

次に北極からの半径六三五五・四二キロメートルを検討してみよう。この数字を四万三二〇〇で割ると、一四七・一一メートルになる。これを大ピラミッドの高さ一四六・七三メートルと比べると、三八センチほど違っている。〇・二％の誤差だ。

このくらいの誤差ならば、大ピラミッドの底辺の長さの合計は、赤道周囲の四万三二〇〇分の一であると言ってよいだろう。同じように大ピラミッドの高さも、北極から地球の中心までの半径の

四万三二〇〇分の一だと言える。つまり近代文明は長いこと地球のサイズを知らなかったが、忘れていただけなのだ。またその知識を思い出すためには、大ピラミッドの底辺の長さと高さを四万三二〇〇倍するだけで良かったのだ。

これが「偶然」に起こる確率というのはどの程度のものか。

常識から言えば、「偶然はまずありえない」だろう。理性のある人には、これが意識的に注意深く計算され、計画された決断に基づくものだということは、明白だ。だが、常識は、エジプト学者たちに高く評価されていない。したがって、四万三二〇〇という数字が、単なる気まぐれで生まれたのではなく、知性と知識に基づく目的を伴った表現であることを証明する必要がある。

比率だけをみても、すでに証明したようなものだ。なぜなら四万三二〇〇という数字は、適当に選ばれた番号ではないからだ。これは一連の数字の一つであり、歳差運動と関係があり、世界中の古代神話に仕組まれている数字の一つなのだ。第5部を見ていただければわかるが、ピラミッドと地球の比率は、神話の中にたびたび出てくる。時にはそのまま四万三二〇〇だが、それが四三二〇であったり、四三二〇、四三万二〇〇〇、四三二万だったりする。

二つの驚くべきことが明らかになったわけだ。大ピラミッドが地球の北半球の正確な縮小モデルであったこと。また、もっと驚くのは、その縮尺として地球の歳差運動の鍵を握る数字を使っていたことだ。これは地球の軸の両先端が永遠に弧を描き、旋回することから生まれる。その結果、黄道帯のところにある春分点の位置が、星座の上を、次から次へと移動していく。一回転を三六〇度として、一度動くのに七二年かかり、星座一つ分となる三〇度動くには二一六〇年かかる。星座二

つ移動するには六〇度動くことになり、四三二〇年かかる。(13)

古代神話にこのような歳差運動の数字が繰り返し出てくるのは、偶然ということもありえる。ピラミッドと地球の比率四万三二〇〇も、これだけ独立してみると、偶然かもしれない（だがその確率は天文学的な数字で低い）。だが歳差運動の数字を、古代神話と古代の建造物という、二つの異なった分野で見つけると、これらがすべて偶然だと軽々しく言うことはできない。さらに、北欧神話のヴァルハラ（最高神オーディンの殿堂）の壁から狼と戦う戦士が出ていく描写から（第33章で見たとおり、五〇〇に四〇を加え八〇〇を掛ける）、歳差運動の四三万二〇〇〇という数字が導かれているが、同じように大ピラミッドでも、まず π の数値が出てきて、地球の北半球の大きさと関係があるのではないかと推理させ、その結果、縮尺を計算させるように仕組まれている。

指紋は合うか？

エル・メニアで護衛の車は去ったが、私服の軍人はそのままカイロまで同行した。途中、喧噪《けんそう》に包まれた村でアラブ風サンドイッチの遅い昼食を取り、また北に進んだ。

道中、相変らず大ピラミッドのことを考えていた。このように大きくてよく目立つ建造物が地理的、測地的に重要な位置にあり、しかも世界でも珍しい緯度七度の幅で長方形に区切られた国の重要な場所にあるのが偶然とは思えない。だが、もっと興味をひかれたのは、ピラミッドが北半球を示す三次元の投影図であるという点だった。なぜなら第1部で述べた古代の高度な技術を駆使した地図と重なるからだ。それらの古代地図は球形三角法を使って測地され、いくつかの洗練された投

影法を使用しており、チャールズ・ハプグッド教授は具体的な資料を提示して、地球に関する深い知識を持った高度な文明が氷河時代の最後に繁栄していたと主張している。さて、大ピラミッドには北半球の地図の機能があり、その見事な投影図となっているというが、専門家は次のようにいう。

ピラミッドの平らな各面は北半球の四分の一曲面、あるいは九〇度の球形四分円を示すように設計されている。球形の四分円を平らな三角形に正確に投影するためには、四分円の弧あるいは土台を三角形の底辺の長さと同じにしなければならない。また両者は同じ高さである必要がある。これを実現するには、子午線がピラミッドを二分する頂点が、土台と高さが π の関係を作る斜面角度で決められなければならない・・・[14]

生き残った古代地図写本の原図や、ピリ・レイスが使った古代地図は、地球に関する知識を大ピラミッドの寸法に（そして古代エジプトの幾何学的な国境線に）巧妙に織り込んだ文明が製作した原地図だったのだろうか？

チャールズ・ハプグッドとその研究班は、何か月もかけて、ピリ・レイスの使った地図が、どこを起点としているかを調べた。その結論はエジプトであり、とくに上エジプトのアスワンだった。[15]ここにはすでに述べたが、重要な天体観測所が南の公式の国境である北緯二四度〇六分に設置されていた。

言うまでもないが、地球の計測をしたり緯度を知るのに天体観測は欠かせない。[16]だが、古代エジ

プト人たちとその祖先は、歴史が始まるどのくらい前から観測を続けているのだろうか？　また伝承がたびたび伝えるように、彼らとともに生活していた神々から、その技術を学んだのだろうか？

何百万年の船の航海士

古代エジプト人は、祖先に天文学の原理を教えた神はトトだと信じていた。[17]「トトは、天国では星を数える者、地上に何があるかを調べる者、地上を計測する者とされていた」

コウノトリの仮面をかぶった男として描かれるトトは、古代エジプト文明が始まり、それが終わるまで宗教生活を支配した「最初の時」の神々の中でも、エリートグループに属していた。その偉大なる神々とはネテルたちだった。ネテルたちは自らを創造したと信じられていたが、一方、彼らは別の土地と特別な関係を持っていることでもよく知られていた。その土地というのは寓話に登場するような素晴らしい国で、遠方にあり、古代の文献ではタ・ネテル「神々の土地」と呼ばれている。[18]

タ・ネテルは地上に実在し、古代エジプトから遙かに遠い南にあり、海を越え、太洋を越えた場所で、香料で有名なパント（おそらく東アフリカのソマリアの沿岸）よりも先にあると考えられていた。[19]だが、パントもまた時々「聖なる土地」あるいは「神の土地」と呼ばれているので、混乱してしまう。この場所は神々が好む、甘い香りがする香料ミルラと乳香の産地なのだ。[20]

また、ネテルに関連していると言われた謎の楽園に関する話もある。そこは「神聖な居住地」で、優れた人類が時々そこに連れていかれた。そこは「遠く水を隔てた所」だと信じられていた。ウォ

ーリス・バッジは『オシリスとエジプトの復活』という重要な著作の中で、次のように述べている。
「エジプト人はこの国に行くには船に乗っていくか、あるいは気に入った人々を連れていく神々の個人的な支援がないと行けないと信じていた・・・」[21]。その国に入れた幸運な者たちは、信じがたいような庭園に到着した。そこには「島々があり流れる運河で結ばれている。土地は常に緑に覆われている」[22]。その島々では「小麦は五キュービット（一キュービット＝ひじから中指の先端までの長さ＝四六から五六センチ）の背丈があり、穂は二キュービットで、茎は三キュービットの長さだった。大麦は七キュービットの高さで、穂は三キュービットで、茎は四キュービットの長さだった」[23]

　エジプトに農業をもたらしたオシリスは、このような見事に灌漑され、科学的に農耕が営まれていた場所から来たのだろうか？　オシリスの肩書きは「南の土地の頭」だったが[24]、最初の時の夜明けの時代にエジプトまで海を渡ってきたのだろうか。またコウノトリの仮面をつけたトトも、船でしか渡れないこのような土地から太洋を越えてやって来て、歴史が始まる前のナイル低地に住んでいた原始的生活を営んでいた住民に、天文学や測量の貴重な贈り物を届けたのだろうか？

　伝承の背後にある真実がどのようなものであろうと、古代エジプト人は、数学、天文学、工学を発明したのはトトだと記憶しており、この神を崇拝してきた[25]。ウォーリス・バッジによると、「トトの意志と力で天と地の均衡が保たれていると信じられていた。宇宙の基《もと》となり、それを維持する法則を運用していたのは、トトの偉大な天空の数字に関する技術だった」[26]。トトはまた、エジプト人の先祖に幾何学と測量と医学と植物学の技術を教えたと言われている。またトトは「数字と文字とアルファベットと、読み書きの方法を開発した」とも信じられている[27]。さらに偉大な魔術の神であ

り[28]、声の力で物を動かすことができ、「神々と人間の両方にとって、あらゆる仕事と、すべてにわたる知識の創始者」だった[29]。

古代エジプト人が細心の注意を払って神殿に隠していたのは、トトの教えだったのだ。これは四二冊の本の形をとる指南書で、世代から世代へと受け継がれてきたという[30]。古代エジプトの天空の知識と知恵は、この指南書によるものだと古代エジプト人はいう。紀元前五世紀以降に訪れた当時の評論家たちは、この知識に驚嘆している。

初期の旅行者の一人、ヘロドトスは気がついた。

エジプト人は太陽年を最初に発見し、それを一二に区分した・・・このような区分を採用したのは、星の歩みを観測した結果だという・・・[31]

プラトン（紀元前四世紀）は、エジプト人は「一万年」ものあいだ星の観測を続けていると、報告している[32]。その後、紀元前一世紀にはディオドロス・シクルスがより詳しい報告を残している。

星の配置と位置はエジプト人の間で常に重要な観察の対象であった・・・古代から現在まで、それぞれの星についての記録を保存しているが、それは信じられないほど長い年月にわたるものだ・・・[33]。

なぜ古代エジプト人は、強迫観念に取り憑かれたかのように長期にわたり星の観察をしてきたのだろう？　またなぜ、星の動きを「信じられないほど長い年月」記録し保存してきたのだろうか？多くの学者が真剣に主張したように、単に農業のためであれば、このような記録は必要ない（季節の移り変わりを読み取ることなど、農村で育てば誰でもできる）。したがって、別の目的があったはずだ。

さらに、古代エジプト人はどうやって天文学を始めたのだ？　ナイル低地に住む、陸に閉じ込められた人々が、自分たちで始めた趣味とは思えない。たぶん、もっと彼らの言葉に耳を傾けなければならないのだ。彼らの祖先は星の研究をすることを神から教わったと言っている。さらにピラミッド・テキストに見られる多くの海洋の記述についても、もっと関心を向ける必要がありそうだ。[34]また、古代の宗教画からも新たな推論が引き出せるかもしれない。絵の中では、神々が美しい、高性能の流線型の船に乗って旅をしている。この船の構造は、ギザで出土した外洋を航海できる高度に発達した外洋船や、アビドスの砂漠に停泊している謎の艦隊とよく似ている。

土地に閉じ込められた人々は、基本的に天文学者にはならないが、航海する人々はなる。古代エジプトの海洋的図柄や、船の設計や、星の観察に熱中する態度は、歴史が始まる前の悠久の昔に、海に親しんでいた謎の航海民族からエジプト人の祖先に受け継がれた遺産の一部ではないだろうか？　このような、太古の忘れ去られた航海民族の持っていたような文明でなければ、氷河期が終わる頃の世界を描いた詳細な世界地図という形で、指紋を残すことはできなかったのではないか？「一万年ものあいだ」航路を星の観察によって決めるような文明でなければ、歳差運動の現象を観

58▲ サッカラのジォセル王のピラミッド群。考古学者は人類最古の石造建造物だとみなしている。この「階段」ピラミッドは60メートルの高さがあり、紀元前2650年頃の第3王朝のものとされている。

59▼ サッカラにある第5王朝のウナス王のピラミッドの象形文字で飾られた墓室。謎のピラミッド・テキストの主要保存場所。天井のほとんどは星の装飾で覆われている。

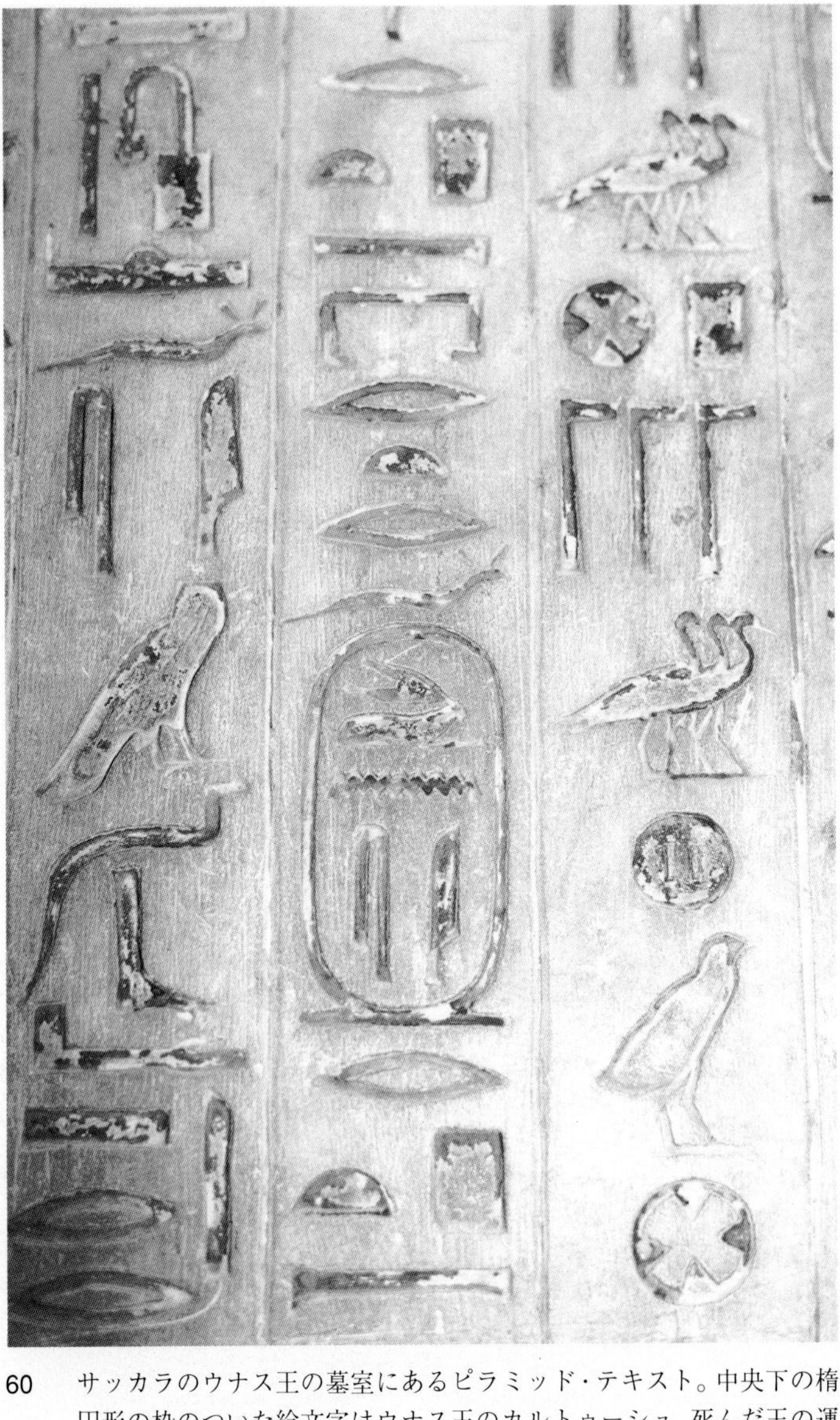

60　サッカラのウナス王の墓室にあるピラミッド・テキスト。中央下の楕円形の枠のついた絵文字はウナス王のカルトゥーシュ。死んだ王の運命が語られている。王の魂は再生しオリオン座の星になるという。科学技術らしきものについて言及した奇妙な箇所が随所に見られる。

61▲ アビドスのセティ一世の葬祭殿にある王名表。左側の二人はファラオ、セティ一世（紀元前1306年～前1290年）と息子（未来のラムセス二世）。その右にあるのはセティの前までのエジプトを統治した歴代76名のファラオの名前。

62▼ セティの葬祭殿は「永遠の支配者」オシリスに捧げられている。浮き彫りの中央で椅子に座りアーテフ冠をかぶっているのがオシリス。特徴あるあご髭があり、アンデスのビラコチャや中央アメリカのケツァルコアトルを思わせる。

63▲ 地下構造を持つオシレイオンの全体像。アビドスのセティ一世葬祭殿の裏手にある建造物で、砂と沈積土に埋まっていたものが掘り起こされた。エジプト学者はセティ一世が建造したとみなしているが（紀元前1300年前頃）、地質学者はその説に異議を唱えている。オシレイオンの床は15メートルほど葬祭殿よりも低い位置にあり、1万年以上早い時期に建てられたと地質学者は見ている。長い年月の間に周りに土が堆積したのだという。

64▼ オシレイオンの巨石を積み上げた建築様式。著者が前に立っているのは大きさを示すため。セティ一世時代の建造物に似たものは存在しない。だが、質素で飾り気のないギザの河岸神殿や葬祭殿とはよく似ている。ギザの河岸神殿や葬祭殿も考古学者が考える以上に古い建造物である証拠が出ている。

65　オシレイオンに入る主要な入り口。写真9と比較のこと。また次ページの河岸神殿の写真とも比較のこと。

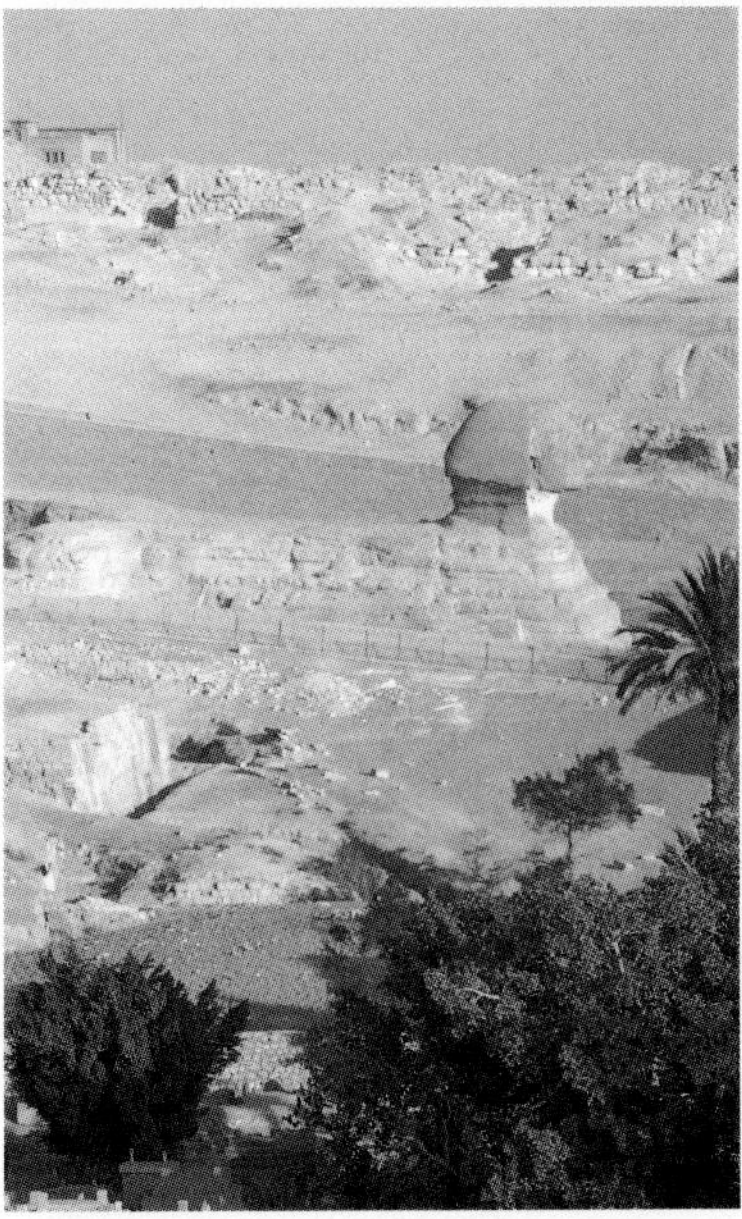

70▲ 河岸神殿の外側の巨石でできた壁。現代のディーゼル機関車ほどの重さの石が、水でひどく浸食されている。

71▼ スフィンクスの胴体が彫られた地盤の、後方の溝にも降水による浸食を示す縦の割れ目や扇型模様が残っている。スフィンクスの尻の部分にも同じ浸食模様があるが、一部は近代になって修復されている。

■前ページの図版

66（上左）、67（上右）ギザのカフラー王の河岸神殿と呼ばれる建造物の内部。花崗岩の化粧板の後側上方に、雨によってかなりの程度浸食された巨大な石灰岩が見える。石灰岩は花崗岩よりも遥か昔に設置されたのだろうか。

68（下左）河岸神殿のジグソーパズルの壁は、ペルーの石壁とよく似ているのは偶然だろうか。上巻の写真5と6と比較のこと。

69（下右）南から見たスフィンクス。胴体に水による浸食の跡がはっきりと刻まれている。地質学者によると、この浸食は雨によるものだという。この地帯に大量に雨が降ったのは紀元前1万1000年頃だ。

72▲ 夜明けの第2ピラミッド。頂上が夜明けの太陽光線によって照らされている。

73▼ 冬至の日没の太陽がギザの第3ピラミッドに沈むところ。最近の考古天文学の調査により、この3つの大きなピラミッドとスフィンクスは紀元前1万500年頃の天体図を地上に表現したものであることが判明した。

察し、神話で明らかにされているほど正確に計算することなどできないのではないだろうか? またこれはまだ仮説に過ぎないが、このような文明でなければ、地球を正確に計測し、大ピラミッドに見られるような縮尺を実現することはできなかったのではないだろうか?

太古の署名

ギザに到着したのは真夜中だった。シアグ・ホテルにチェックインしたが、ここから見るピラミッドは壮観だ。バルコニーに座るとオリオン座の三つ星が、南の空をゆっくりと移動していた。

考古天文学者ロバート・ボーヴァルが最近指摘したのは、この三つの星の配置が、ギザの三つのピラミッドの配置にも使われていることだった。このことだけでも大変な発見だ。古代エジプト人の観測天文学や測量や施工の技術が、これまで学者が言っていたよりも、もっと高いことになるからだ。だがもっと驚くべき発見は——この件に関してボーヴァルと明朝、ギザで会うことになっている——地上の配置パターンは(一五〇〇万トンの見事な石の塊を使って作られたパターンだが)、紀元前一万四五〇〇年前の天空のパターンに正確に一致していることだ。

もしもボーヴァルが正しければ、ピラミッドは星の位置の移動を利用して、紀元前一万一〇〇〇年頃に造られたことを記した謎の署名だということになる。

第49章　力の源泉

四万三二〇〇分の一の縮尺で造られた大ピラミッドは、地球の北半球の模型であり投影図となっている。これが偶然でありえないのは、縮尺の比率が、惑星としての地球の特徴を示す歳差運動の重要な数字になっているからだ。したがって、われわれは、ピラミッドを建てる計画において明らかに意図された何かがあったという事実に直面しているのである。この作品を理解できるような文明には二つの要素が必要だ。一つは地球の正確な大きさに対する知識を持っていること、もう一つは歳差運動の動きに関する正確な知識を持っていることだ。

ロバート・ボーヴァルの研究のおかげで、大ピラミッド建造計画には、それ以外にも意図的なものが組み込まれていたことが明らかになった（ピラミッドは様々な機能を果たすために造られたことが、ますます明らかになってきた）。この計画は、第二と第三のピラミッドも巻き込む大掛かりなものだが、そこには、明らかに大ピラミッドを地球の小型モデルとした太古の建築家の指紋が残っている。彼らの特徴は歳差運動にこだわっていることだ。たぶんその理由は、数学的に一定であり

予測が可能だからだろう。また、歳差運動を利用して種々の計画を遂行するのは、科学的に発展した文明の人々に正しく理解してもらいたかったからだろう。

現代の文明は、まさに彼らの計画を理解できる程度に成熟しており、ロバート・ボーヴァルが初めて、ピラミッド建造計画の基本要素を明らかにしたのだ。この発見は人々に歓呼の声をもって迎えられたが、時間の経過とともに科学の世界でも間違いなく認知されるようになるだろう。[1] ロバート・ボーヴァルの国籍はベルギーだが、生まれ育ったのはアレクサンドリアだ。背が高く痩せた、髭をきれいに剃った四十代の男で、頭のてっぺんが薄くなりはじめている。容貌で一番目立つのは、頑丈そうな下顎で、これは粘り強い性格を示し、話す言葉にはフランスとエジプトのなまりがあり、その言動は明らかに東洋的な人柄を示している。強い問題意識を持った彼の優れた頭脳は、いつも休みなく新しいデータを集め、分析し、古い問題に新しい光を投げかけようとしている。ボーヴァルは、その過程で思いがけなく、秘義を明らかにする現代の魔術師のような存在に変身することになった。

オリオン座の謎

ボーヴァルのギザの新発見のルーツは一九六〇年代にさかのぼる。当時、エジプト学者で建築家のアレキサンダー・バダウィとアメリカの天文学者バージニア・トリンブルが、大ピラミッドの王の間の南側にある通気孔が、ピラミッド時代（紀元前二六〇〇年―前二四〇〇年）にオリオン座の三つ星に、ピタリと照準を合わせていたことを発見した。[2]

そこでボーヴァルは、バダウィとトリンブルが調べていなかった女王の間の南側の通気孔（外とはつながっていない）を調べてみることにした。その結果、ピラミッド時代にこの通気孔はシリウスに向けられていたことを確認した。この証拠の基《もと》となったのは、ドイツの技術者ルドルフ・ガンテンブリンクが一九九三年三月に、ロボット「ウプワウト」を使って計測した通気孔の角度の正確な数字だった。このロボットは女王の間から六〇メートルほど上の、通気孔の行き止まりに、落とし戸があるという大発見もしている。この小さなロボットはハイテクの傾斜計を装備しており、初めて正確な通気孔の勾配を計測した。女王の間の南通気孔の角度は三九度三〇分だった。(3)

ボーヴァルは言う。

計算をした結果、通気孔は紀元前二四〇〇年頃にシリウスに照準を当てていたことがわかった。これにはまったく疑いの余地がない。次に王の間の通気孔がオリオンの三つ星に照準を当てていたというバダウィとトリンブルの調査結果を、計算しなおして再確認することにした。ガンテンブリンクが通気孔の角度の最新の数字を出してくれたからだ。新しい角度は正確に四五度だった。バダウィとトリンブルがかつて使った数字はフリンダース・ペトリの計測した四四度三〇分で、精度の高い数字ではなかった。新しい数字は、バダウィとトリンブルのデータの精度を上げることができるわけだ。そこで発見したことは、通気孔が三つの星の一番下側の星アルニタクにぴったりと照準を合わせていることだった。この星が南の空に四五度の角度で現われたのは紀元前二四七五年頃だ。(4)

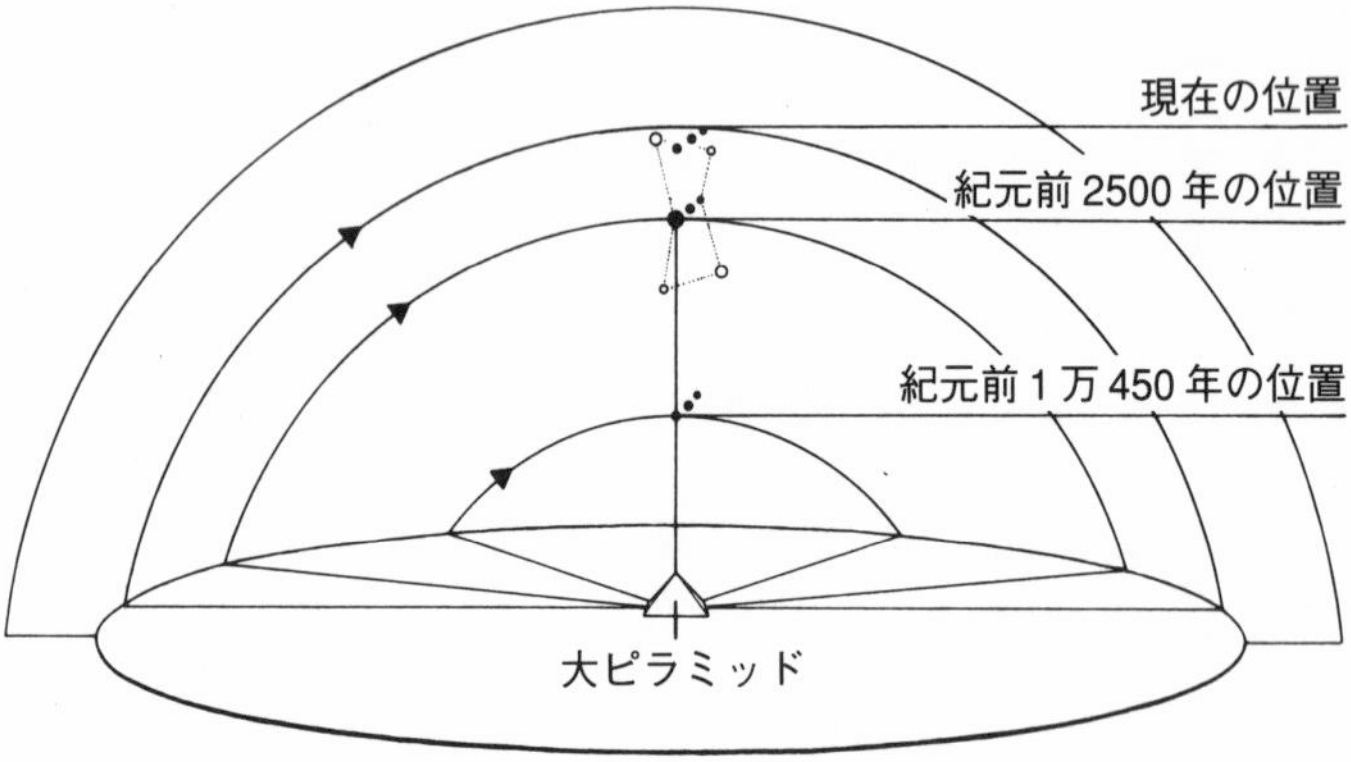

歳差運動とオリオン座の三つ星の位置

この時点までボーヴァルの結論は、正統派のエジプト学者が考えている年代に合っていた。エジプト学者はギザのピラミッドが建設されたのは紀元前二五二〇年としているからだ。(5) ボーヴァルが出した数字は、これまでの考えよりもさらに後になってピラミッドが造られたことを示唆するだけだった。

だが、読者の方はボーヴァルが別のもっと驚くべき発見をしたことを覚えているだろう。これもまたオリオンの三つ星と関係がある。

三つの星は天の川を軸として南西方向の対角線に沿って斜めに並んでいる。一方、ピラミッドはナイル河を軸として南西方向の対角線に沿って斜めに並んでいる。よく晴れた夜にオリオンを注意深く見ると、三つの星の一番上にある一番小さな星（アラ

ブ人はミンタカと呼ぶ）は、対角線の東側にずれていることがわかる。その姿が地上に写しとられており、メンカウラー王の小さなピラミッドは、カフラー王のピラミッド（真ん中の星アルニラムにあたる）と、大ピラミッド（下の星アルニタクにあたる）で構成されている主要対角線から、正確な角度で東にずれている。これらの建造物があるひとつの計画に従って造られていることは、極めて明らかだ。その計画とは各ピラミッドを三つの星と驚くほどの精度で同じ配置に建てることだ。・・・彼らがギザで行なったことはオリオンの三つ星を地上に再現することだ。[6]

だがこれだけではない。世界中で見える星の動きを詳細に再現し、いつの時代でも、どこにいても、そのときに見える空を映し出せる優れたコンピュータ・プログラムがある。[7]ボーヴァルはそのプログラムを使い、ピラミッドと三つ星の相関関係は、基本的にはいつの時代でも存在したが、ある特別な時代だけにピタリとあてはまることを発見したのだ。

紀元前一万四五〇年に、地上におけるピラミッドのパターンが、空の星のパターンを正確に再現していることを発見したが、このように正確に合致するのはこの時期しかない。完璧な一致を見せている。誤差がまったくない。またこれが偶然ということもありえない。なぜなら地上の配置は紀元前一万四五〇年にしか現われなかった二つの非常に変わった天空の現象を示しているからだ。第一に、紀元前一万四五〇年のギザから見た天の川は、ナイル低地

と完全に重なっている。第二に、この時期、天の川の西側にあるオリオンの三つの星が、歳差周期において一番緯度が低い位置にある。大ピラミッドで表される星アルニタクは、南の空の一一度〇八分にある。(8)

読者の方はすでに地球の軸の旋回が起こす現象には精通しているだろう。この現象のため、春分の日の出の背景は黄道帯に横たわる一二の星座の間で次々と変わっていき、その周期は二万六〇〇〇年だ。この現象は、見えるすべての星の動きにも影響を与え、オリオン星座の中でも、わかるように、非常にゆっくりとだが、緯度を大きく変える。大ピラミッドを示す星アルニタクが南の空を通過する一番高い緯度から（ギザから見て南地平線から五八度一一分）、一番低い緯度（一一度〇八分）に達するまでは一万三〇〇〇年かかる。それから再び一万三〇〇〇年かけて、ベルトの星アルニタクはゆっくりと五八度一一分の位置まで戻る。この周期は永遠に続く。一万三〇〇〇年昇り、一万三〇〇〇年下り、一万三〇〇〇年昇り、一万三〇〇〇年下る。(9)

ギザ台地との完璧な一致は、紀元前一万四五〇年に起こる。まるで建築家がその時代にギザ台地に来て、自然物と人工物を使って地上に巨大な地図を描くことを決めたようだ。その建築家はナイル低地の南部を、ありのままの姿で天の川に見立てた。次に三つの星を表す三つのピラミッドを建設した。これも当時見えた通りに配置した。このとき、三つのピラミッドとナイル低地の位置関係は、三つの星と天の川の位置関係と、まったく同じになるように

設計された。これは非常に知的で、野心的な試みであり、ある時代を確実に示すことのできる方法だ。建造物にある特定の年代を刻みつけたとも言える・・・[10]

最初の時

オリオンとピラミッドが相関関係にあったという話には、複雑で神秘的な印象を受けた。大ピラミッドの南の通気孔は、「歳差運動的に」紀元前二四七五年から前二四〇〇年頃のアリニタクとシリウスに照準を当てている。この年代はエジプト学者が主張するピラミッドの建てられた時期と一致する。

一方、三つのピラミッドとナイル低地の位置関係は、紀元前一万四五〇年という、もっと古い時期を雄弁に物語る。この年代ならば、ジョン・ウェストとロバート・ショックが地質学的な問題を投げかけた大発見とも一致する。彼らは紀元前一万一〇〇〇年のエジプトに、高度な文明が存在していたと示唆しているのだ。さらに、ピラミッドの配置は適当に決められたわけでも、偶然に決められたわけでもなく、意識的に選ばれたようだ。なぜなら、その配置は歳差運動の重要な転機である一番低い点に合わされているからだ。この低い点はオリオンが一万三〇〇〇年かけて頂点まで昇りはじめる周期の開始点なのだ。

ボーヴァルはこの天文学的配置が、神話の「最初の時」のオシリスと象徴的につながっていると見ている。「最初の時」には神々がナイル低地に文明をもたらしたとされており、また、古代エジプトの神話はオシリスとオリオン星座を直接結び付けているからだ（イシスはシリウス星と結び付け

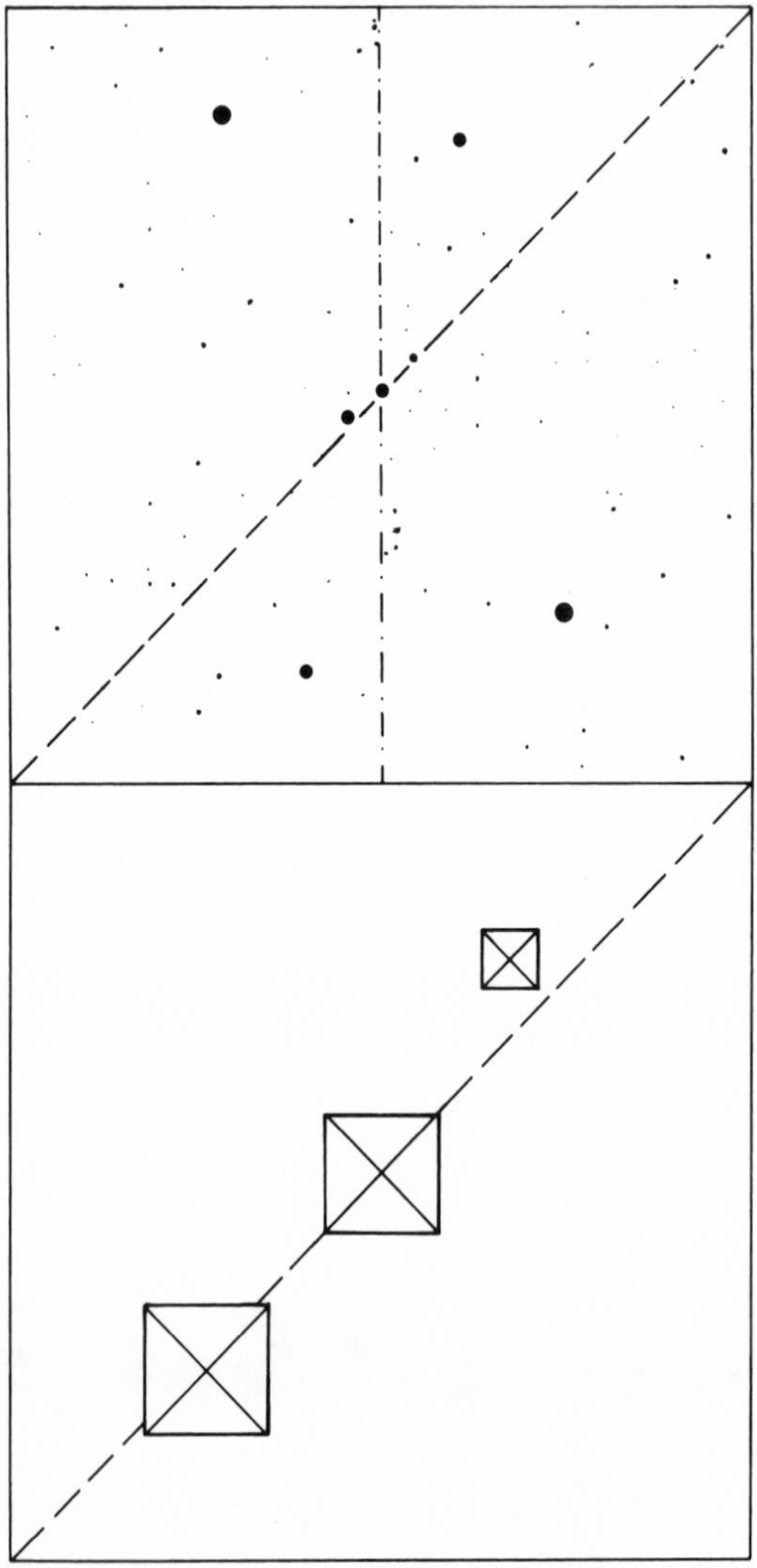

紀元前1万450年における3つのピラミッドとオリオン座の三つ星の
位置と子午線

られている)[11]。

オシリスやイシスの歴史的な原型ともいえる人々が、実際に「最初の時」、つまり一万二五〇〇年ほど前に、この地にやって来たのだろうか[12]? 氷河期の神話の調査を行なった結果、ある種の思想や記憶は何千年という長い期間も人間の心理に残り、世代から世代へと口伝えで伝承されていくことがわかった。したがって奇妙で変わった性格を持つオシリス神話が、紀元前一万四五〇〇年という太古に生まれたものであっても不思議はない。

だが、オシリスを再生の神として祭り上げたのは、王朝時代のエジプト文明だった。またこの王朝文明に先行する文明はほとんど知られていない。また、起元前一万一〇〇〇年の太古までもどると、知られていることは何ひとつない。もしも元々の神話が、八〇〇〇年という年月を越えて伝えられてきたものだとしたら、どのような文明がそれを伝えたのだろうか。さらにこの文明はピラミッドの天文学的配置が示している紀元前一万四五〇〇年と紀元前二四五〇年の年代を残そうとしたのだろうか。

私はこのような質問を、ピラミッドの陰でボーヴァルにしてみたいと思っていた。サンサと私は、夜明けにボーヴァルと会う約束をしていた。場所はカフラー王の葬祭殿であり、三人で一緒に太陽がスフィンクスに昇るのを見ようという趣向であった。

舞台

第二ピラミッドの東面の脇にあるほとんど崩れ落ちてしまっている葬祭殿は、この時間だと幽霊

でも出そうな感じのする灰色の寒々とした場所だ。ルクソールでジョン・ウェストが述べていたように、この葬祭殿は簡素で堂々としていて、飾り気がなく、もっと有名な河岸神殿と同じ部類のものであることに間違いはない。ここにもやはり二〇〇トン以上もある巨大な石が積まれている。[13]またここにも太古の雰囲気が漂い、知性が感じられ、まるで神のような力が働いているかのようだ。現在のように崩壊した状態でも、エジプト学者が葬祭殿と名付けた、この謎の建造物は、力を秘めている感じを受けるが、まるで太古の時代からエネルギーを汲み上げてきているかのようだ。

夜明けの薄闇の中、すぐ背後にある第二ピラミッドの巨大な東面を見上げた。これもジョン・ウェストが言ったことだが、確かに二段階で造られた可能性もあるという感じがした。下の層の石は、地上から九メートルほどまでは葬祭殿と同じように、巨大な石灰石で造られている。だがそれから上は、一一トンから三トン程度の重さの比較的小型の石が積み上げられている(大ピラミッドも同じ)。

そうなると、広さ一二エーカー、高さ九メートルのスフィンクスの西にある「ギザの丘」と呼ばれる巨大な舞台には、ただの四角い土台と、河岸神殿や葬祭殿のような四角い建物だけが立っていた時代があったのだろうか? つまり、第二ピラミッドの土台部分だけが、他のピラミッドよりも先に建造されていた可能性があるのだろうか? それも遙か昔の太古の時代に?

宗派

ロバート・ボーヴァルが到着したときには、まだこれらの疑問が私の頭を駆けめぐっていた。冷たい砂漠の風が台地を吹き抜けていたので、気候についての社交辞令を交わしたが、その後すぐに

質問に入った。「相互の位置関係における八〇〇〇年の隔たりについてはどう思いますか？」

「隔たり？」

「そう・・・通気孔は紀元前二四五〇年に合わされ、星の位置を示す敷地の計画は紀元前一万四五〇年を示しています」

「二つの説得力のある説明が考えられる。真理はそのどちらかだろう」とボーヴァルは言う。「まずピラミッドが、紀元前二四五〇年と紀元前一万四五〇年を指し示す星の時計として建てられた場合だ。この場合は、これらがいつ建てられたかを言うことはできないし、どのくらいの期間かかったかも・・・」

「待って欲しい」と口を挟んだ。「星の時計とはどういう意味ですか？　なぜいつ建てたかわからなくなるのですか？」

「それではまず、ピラミッドを建てた人々が歳差運動について知っていたと仮定しよう。彼らはまた、現代でコンピュータを使用して計算しているように、星の位置が前や後にどのくらい移動するか計算できたとしよう。・・・これができたら、いつの時代に生きていても、紀元前二四五〇年や紀元前一万四五〇年にギザにどのような星空が現われるかを、われわれ同様に知ることができる。そうなると、もしも彼らがピラミッドを紀元前一万四五〇年に建てたとしても、南の通気孔の角度を計算して紀元前二四五〇年のオリオン座のアルニタクやシリウスに照準を合わせることが簡単にできる。同じように、紀元前二四五〇年に生きていた人々が、現代のわれわれと同じ知識と技術を持っていたら、紀元前一万四五〇年のオリオン座の三つ星を反映した地上配置を簡単に作れること

になる。そう思わないかい?」

「その通りです」

「これが一つの説明だが、もう一つ説明する方法がある。この説明の方が個人的には好きだが・・・それはギザ・ネクロポリスの建設には長い年月がかかっているという考えだ。この配置が計画され造られたのは紀元前一万四五〇年前であり、したがって当時の空を反映した。だが建設の仕事が終了し、大ピラミッドの通気孔が造られたのは紀元前二四五〇年だったというわけだ」

「ということは、ピラミッドの基本計画が紀元前一万四五〇年前に行なわれたというのですか?」

「そうだ。それに配置の中心は、今われわれが立っている第二ピラミッドの前だと思う・・・」

私は巨大な建造物の土台の巨大な石のブロックを指さした。「これはまるで二段階で造られたように思えます。それもまったく違う文化によって・・・」

ボーヴァルは肩をすくめた。「推論をしようじゃないか・・・二つの異なった文化ではなかったかもしれない。一つの文化、あるいは宗派・・・オシリス宗派だったかもしれない。オシリスを信仰する極めて息の長い宗派で、紀元前一万四五〇年に存在し、紀元前二四五〇年にも存在したのかもしれない。またこの宗派のやり方が時間の経過とともに変わってきたのかもしれない。たとえば紀元前一万四五〇年には巨大な巨石を使い、紀元前二四五〇年には小さめの巨石を使うようになったのかもしれない・・・ここにはこの考えを支持する多くのことがあると思う。それらが『非常に古い宗派』の存在を暗示している。ただ、多くの証拠がまだ十分に調べられていないのだ・・・」

「たとえば?」

「もちろんその一つは地上の天文学的配置だ。私はこの配置について真剣に取り組んだ一人だ。それに地質学もある。ジョン・ウェストとロバート・ショックのスフィンクスに関する研究だ。ここで使われたのは天文学と地質学だ。両方とも証拠を重視する、厳密で経験主義的な学問だ。これらの学問は、これまでいろいろな問題があっても利用されることがなかった。これらの学問を使い始めてから、ギザ・ネクロポリスの古さに関する新しい発見がなされている。しかし、正直に言って、まだ表面を引っ掻いているだけのようなものだと思う。これからまだまだ地質学的、天文学的発見があるだろう。もう一つ、まだ誰もピラミッド・テキストについて詳細な研究をしていない。これまでの研究は、『人類学的』な観点からだけだった。しかもその観点には前提があり、ヘリオポリスの神官たちを、まだ十分に文明化されていない、永遠の生命を求める祈禱師だと見ている。確かに彼らは永遠の命を求めたが、祈禱師ではなかった。彼らは文明化された、奥義に詳しい人々で、その業績から見ると、独自の学問を持つ科学者だと言える。したがって、ピラミッド・テキストは科学的な、あるいは少なくとも科学を含んだ文献であり、呪文か何かのように考えてはいけないのだ。私はすでにピラミッド・テキストの著者が歳差運動の天文学に通じていたことを確信している。ほかにも鍵があるかもしれない。数学や幾何学、とくに幾何学だ・・・それから記号体系・・・必要なのはピラミッド・テキストを理解するための多角的なアプローチだ・・・それがピラミッド本体を理解することにもなる。天文学者、数学者、地質学者、技術者、建築家、それに哲学者も記号体系に関して役割を果たしている・・この重要な問題に新しい見方、新しい解決法をもたらすことができると思う人々の研究は、奨励されるべきだ」

「なぜこの問題を、それほど重要だと感じるのですか?」

「なぜなら、人類の過去を理解する重大な鍵があるからだ。紀元前一万四五〇年に細心の注意を払い、綿密にこの計画を立て、実施した人々の文明は、高度に進化した技術をもつ文明だったろう・・・」

「だが、その時代には、地球上にそのような高度な文明は存在していなかった・・・」

「そのとおりだ。石器時代だ。人類社会はまだ非常に原始的なレベルにあったはずだ。われわれの祖先は獣皮を身にまとい、洞窟に住み、狩猟生活をしていたことになっている。だから、紀元前一万四五〇〇年のギザに文明化された人々がいたことを思わせる発見には驚かされた。彼らは奥義とも言えるような科学、歳差運動を正しく理解しており、オリオンが進行周期の一番下の位置にあることを計測する技術を持っていた。それが一万三〇〇〇年かけて上に昇る周期の初めであったことも知っていたことになる。そのうえこの台地にその時を示す永遠の建造物を建てたのだ。三つ星に対応した各ピラミッドの配置から見て、特別の時を大地に刻みつけたことを自覚していたに違いない」

奇妙な疑問が頭に浮かんだ。「彼らが刻みつけた年代が紀元前一万四五〇年だと、なぜわかるのでしょう? オリオン三つ星は天の川の西の水平線から一一度程度の位置に、二万六〇〇〇年に一度戻ってくる。なぜ紀元前三万六四五〇年や、あるいはさらにその二万六〇〇〇年前を表わしたのではないと、言えるのでしょう?」

ボーヴァルは明らかに答える準備をしていた。「古代の文献は確かにエジプト文明が四万年ぐらい

も昔からあったことを示唆している」と、ボーヴァルは考え込んだ。「ヘロドトスも奇妙な報告をしている。太陽が沈んでいたところから昇り、昇っていたところに沈む・・・」

「それもまた、歳差運動を象徴しています・・・」

「そうだ。またしても歳差運動だ。奇妙なことにいつもこれが出てくる・・・それはともかく、あなたの言うとおりだ。彼らはもっと前の歳差運動の周期の時を残したのかもしれない・・・」

「でも、そうだと思いますか？」

「思わない。紀元前一万四五〇〇年のほうが可能性が高い気がする。ホモサピエンスの進化の過程から見ても、この年代の方が現実的だ。それでもまだ、紀元前三〇〇〇年頃に王朝文明が突然現われた時まではかなり長い年月があるが、だが長過ぎはしない・・・」

「長い年月？」

「あなたの質問への答えだ。地上の配置と通気孔の配置に八〇〇〇年の間隔が開いている。八〇〇〇年というのは確かに長い年月だが、献身的で強い動機を持った宗派にとってみれば、長すぎるとは言えない。かれらが紀元前一万四五〇〇年にこの場所を建造した人々の高度な知識を保存し、生命を保たせ、伝達したのかもしれない」(14)

機械

有史以前の発明者たちの知識はどのくらい高度なものだったのだろうか？

「自分たちの時代を知っていた」と、ボーヴァルは言う。「また、彼らの使っていた時計は、星の

時計だ。言語は歳差運動の天文学であり、建造物はその言語をよく物語っている。まったく誤解を生む余地がなく科学的だ。また高度な技術を持つ測量士だった・・・建造物を建てる準備をしてピラミッドの配置をした人々だ・・・彼らの設計は精密で、土台の配置も正確だ。彼らが造ったすべてのものは方位がぴったりと合っている」

「彼らは大ピラミッドの位置が北緯三〇度にあることを知っていたのでしょうか？」

ボーヴァルは笑った。「もちろん知っていたさ。彼らは地球の形のことなら何でも知っていた。天文学にも精通していた。太陽系についてもよく知っていたし、天空の機械についてもよく知っていた。彼らの仕事ぶりはすべて、あきれるほど精密で信じられないほど正確だ。だからギザで行なわれたことで、偶然の産物は何もないだろう。少なくとも紀元前一万四五〇〇年から前二四五〇年の間に関してはそう言える。すべては計画され、意図があり、注意深く計算されているという気がする・・・何らか長期的な目的をもって、それを達成しようとしている・・・何らかの目的を感じると言ってもいい。彼らは紀元前二千年代に計画が実を結ぶようにしたのだ・・・」

「つまり完全に出来上がったピラミッドは、歳差運動的にアルニタクとシリウスに合わされていますが、それは計画が実を結ぶ時期に合わせたというのですか？」

「そのとおりだ。さらにピラミッド・テキストも同様だ。私の推測ではピラミッド・テキストもこの謎の一部だ」

「ハードウェアであるピラミッドのソフトウェアというわけですか？」

「大いにその可能性がある。そう思わないか？　ともかくはっきりしているのは、関係があるこ

とだ。ピラミッドを正しく解読するには、ピラミッド・テキストを使わなければならない・・・」

ボーヴァルに聞いてみた。「ピラミッド建造者の本当の目的は何なのでしょう?」

「永遠の墓を建てたのでないことは確かだ」と、ボーヴァルははっきりと言う。「私の見方では、彼らは永遠に生きることについて疑いは持っていなかった。彼らは自分たちの思想を伝えてきているが、その媒体には意識的にあらゆる意味で永遠のものを使っている。彼らは自動的に働く力を生み出すのに成功したが、それは理解できる人にしか与えられない。その力とは、物事を尋ねさせる「質問」だ。彼らは人間性を完璧に理解していたと思う。またゲームの原則も知っていた・・・違うだろうか? 冗談を言ってるわけじゃない。彼らは何をしているのか知っていた。彼らは自分たちが姿を消した後の、遠い未来の人々を、自分たちの考え方に巻き込むことができるのを知っていたのだ。それを行なうには永遠に動く機械を造ればよいことも知っていた。それは質問を生み出す機械だ」

私は困惑の表情を浮かべていたに違いない。

「機械とはピラミッドのことだ!」とボーヴァルは叫ぶように言った。「それにギザ・ネクロポリス全体だ。われわれを見てみろ。何をしている? 質問だ。とんでもない時間に凍えながら立って太陽が昇るのを見に来て、質問をしている。際限なく質問を投げかけているが、これは機械のプログラムに組み込まれた通りの行動をしているにすぎない。本物の魔術師の手に乗っているのだ。本物の魔術師は、シンボルだけで、適切なシンボルに関する問いを発するだけで、人を変えることができる。だが、対象となる人間は質問をするタイプの人でなければならない。質問をする人だった

ら、ピラミッドについて質問を始め、たくさんの返答に出会い、それがさらに次の質問を生む。それで次から次へと質問が出て、最終的に巻き込まれてしまう・・・」

「種を蒔いたというわけだ・・・」

「そうだ、彼らは種を蒔いているのだ。間違いない、彼らは魔術師だ。また思考の持つ力を知っている・・・どうやって思考を成長させるか、人々の心で発展させるかを知っている。そこでもし思考をめぐらし始め、理由付けの過程を通過すると、私のようにオリオンや、紀元前一万四五〇年に行き着く。つまりこれは自動的に進行する過程なのだ。その種を食べたら、あるいはそれが潜在意識に入り込んだら、ひとりでに成長し始める。そうなったら抵抗することもできなくなる・・・」

「ギザの宗派が何であれ、歳差運動、構造、ピラミッド、ピラミッド・テキストと、まるで宗派が現存しているみたいな口調ですが・・・」

「ある意味で現存している」とボーヴァルは言う。「作業員はもうハンドルを回していないが、ギザ・ネクロポリスは今でも質問を生みだす機械だ」。ボーヴァルは一瞬、沈黙し、大ピラミッドの頂上を指で差した。サンサと一緒に真夜中にこの建造物に登ってからすでに九か月が経つ。「あのパワーを見てみろ」とボーヴァルは続けた。「五〇〇〇年も経っているのにひきつけられる。好き嫌いにかかわらず人を巻き込む・・・思考の歯車に入れられてしまう・・・否応なく学ばされてしまう。一つの問いを発したとたん、技術的なことに関する問いを発し、幾何学的配置に関して問いを発し、天文学的なことに関して問いを発することになる。そこで工学や幾何学や天文学について学ぶ必要が出てくる。そうするとやがていかに洗練された建造物かがわかり、建造した人々が、いかに信じ

がたいほど賢く、技術に優れ、知識が豊富だったかに気づく。そうすると、人類に関する問いが生まれ、人間の歴史についての問いが生まれて、最終的には自分たちについての問いが生まれることになる。真実を見つけたいと思うのだ。これが力の源泉なのだ」

第二の署名

ボーヴァルとサンサと私は一九九三年の一二月の寒い朝、ギザの台地に座り、冬至に近いため、冬の太陽がスフィンクスの右肩から昇るのを見ていた。太陽の通り道としてはもっとも南寄りに近く、もうすぐ方向を変えて北に戻りはじめる。

スフィンクスは春分の太陽が昇る方向を正確に見据えており、春夏秋冬を知らせる標識ともなっている。これもギザの大計画の一環だろうか？

いつの時代も、歴史が始まってからも、あるいは始まる前も、スフィンクスは真東を見つめて、春分、秋分の太陽が昇るのを見てきた。だが、第5部に出てきたとおり、古代の人々は春分をもって天文学的年代を示すものとしてきた。サンティラーナとデヒェントは言う。

> 太陽の昇る直前に東に昇る星座は、太陽が安住する「場所」だった・・・星座は太陽を「運ぶもの」とされ、(15)春分が「システム」の起点とされた。この起点が太陽の一年の周期の最初の位置となる・・・

だが、なぜ季節を示す標識が巨大なライオンの形をしているのだろうか？

現在は紀元二〇〇〇年の時代であり、誰かがこのような標識を作りたかったら、魚の形がふさわしい。なぜなら、春分の時の太陽は魚座を背にして昇るからだ。この状態は二〇〇〇年続いている。天文学上の魚座の時代はキリストの頃から始まっている。[16] 初期のキリスト教信者は十字架ではなくて、魚を主要なシンボルとしていたが、これが偶然かどうかは、読者自身の判断に任せよう。[17]

その前の時代は大まかに言うと紀元前一年から前二〇〇〇年になるが、その頃は牡羊座だった。春分のときに太陽を運ぶ栄誉が牡羊座に与えられていた。この時代の宗教的シンボルの中心は牡羊だった。[18] これも偶然かどうかは読者の判断に任せよう。たとえば、次のような話も偶然だろうか？旧約聖書のイスラエルの神エホバはアブラハムの息子イサクの代わりに雄羊を生贄《いけにえ》として捧げさせた[19]（アブラハムとイサクは紀元前二〇〇〇年初め頃に実在したと聖書学者と考古学者は見ている）。[20]また雄羊は旧約聖書（すべての物語が牡羊座の時代に生まれている）では色々な場面にたびたび登場するが、新約聖書にはほとんど出てこないがこれも偶然だろうか？[21] また古代エジプトでも紀元前二〇〇〇年頃に牡羊座の時代に入るやいなや、神アモンの信仰が興隆したのは偶然だろうか？神アモンのシンボルは渦巻く角を持つ雄羊だった。[22] アモン神の主要な聖地は上エジプト、ルクソールのカルナック大神殿だが、紀元前二〇〇〇年頃に建設が開始されている。[23] この神殿を訪ねるとわかるが、主要な偶像は雄羊であり、入り口に長い列を作り神殿を守護している。

牡羊座のすぐ前の星座は牡牛座であり、期間は紀元前四三八〇年から前二二〇〇年だった。[24] この時代、春分時の太陽は牡牛座から昇ったが、ミノア文化の雄牛を崇拝する宗派が興隆した。[25] またこ

の頃、歴史学の観点から言えば、何の前触れもなく、いきなり完成された姿のエジプト王朝文明が花開いている。古代エジプト人は、王朝文明が始まったころから、すでに聖牛アピスとムネビス・ブルを崇拝していたが、これも偶然かどうかは、読者の方に判断していただきたい。聖牛アピスは神オシリスの化身とされ、ムネビス・ブルはヘリオポリスの聖牛で神ラーの化身だと考えられていた。(26)

なぜ、春分を知らせる標識がライオンの形をしているのか？

ギザの台地の斜面を見下ろし、スフィンクスの大きなライオンの身体を眺めた。

エジプト学者たちは第四王朝のファラオ、カフラー王が紀元前二五〇〇年頃にこの石像を地盤から彫って造らせたと信じているが、その頃は牡牛座の時代だった。カフラー王が統治する一七〇〇年ほど前から太陽は牡牛座を背景として昇りはじめ、それはカフラー王の時代の三〇〇年後まで続いている。そうならば、ファラオがギザに春分の標識を彫るとしたら、雄牛にするのが自然であり、ライオンなどは考慮しないだろう。そうなると、ライオンの標識がふさわしいのは獅子座になるが、これは紀元前一万九七〇年から前八八一〇年にあたる。(27)

春分を示す標識をなぜライオンにしたのか？　それは、造った時代が獅子座だったからだ。このとき春分時の太陽は獅子座を背景にして昇ったのだ。それから二万六〇〇〇年経たないと、再び獅子座の時代にはならない。

紀元前一万四五〇〇年にオリオンの三つの星は歳差運動周期の一番低い位置に来て、天の川の西側、南の空の水平線から一一度〇八分の高さにあった。ナイル河の西の土地には、この姿が三つのピラ

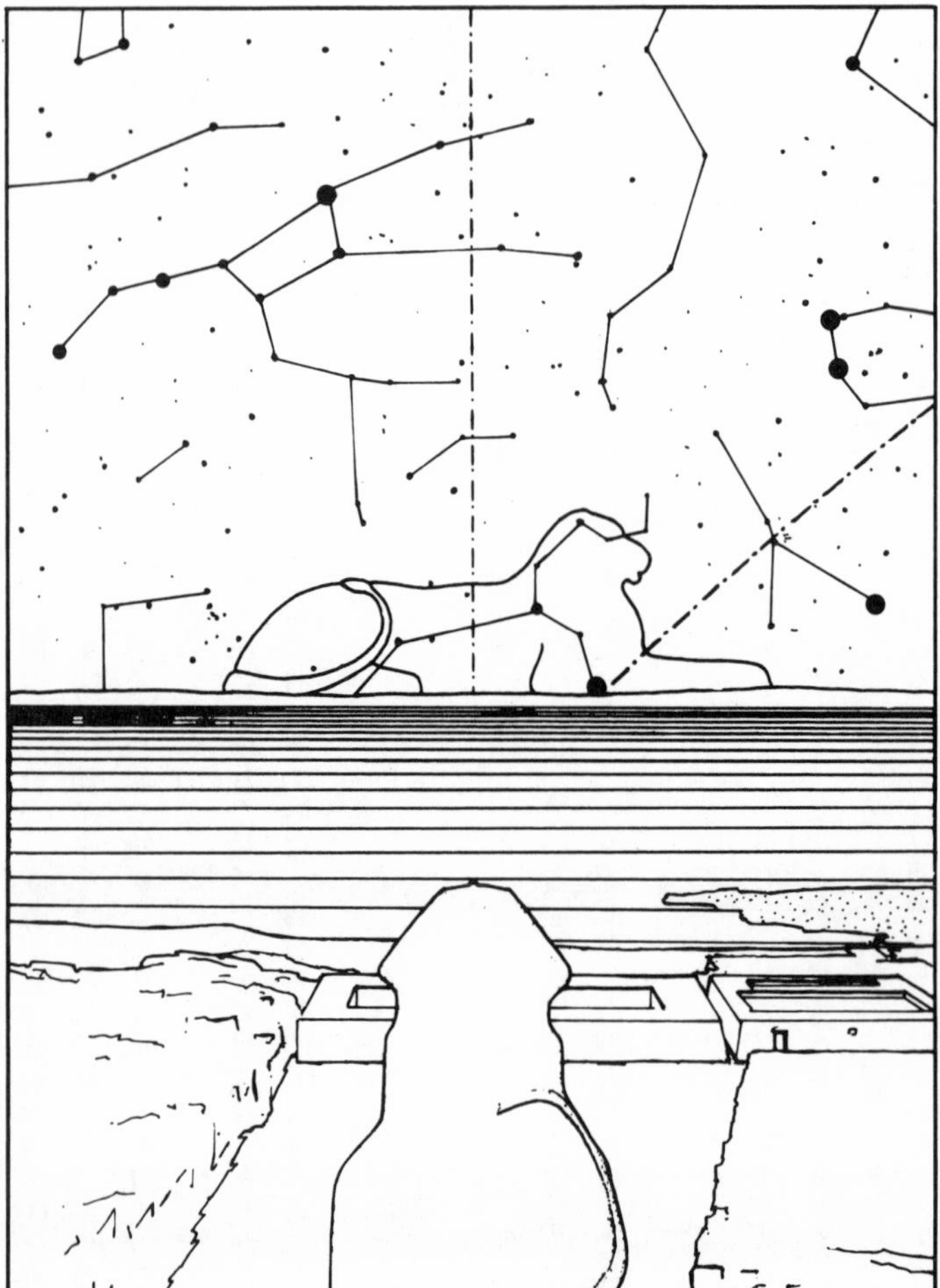

紀元前1万450年の春分の日の夜明けに真東を見た図　スフィンクスと獅子座。

ミッドの形で刻みつけられている。この配置は間違いなく歳差周期の転換期の年代を示すものだ。

また紀元前一万四五〇年頃、春分の日の太陽は、獅子座を背景にして昇った。ギザの地上では、この現象がスフィンクスというライオンの形をした建造物によって記録に残された。これはこれらの建造物の古さを証明する公式書類の二つめの署名のようだ。

つまり紀元前一万一〇〇〇年は「天空の臼」が壊れた後で、春分の星座も乙女座から獅子座に変わり、ギザに造られたスフィンクスが春分の日の出の時に、自分の星座と対面することができた唯一の時期だということになる。

新たな問い

「このように地上と天空の配置が、紀元前一万四五〇年で完全に一致するのは、偶然ではありえない。もう偶然というのは、論議の対象ではなくなっている」と、ボーヴァルは言う。「今や真の問題は、『なぜか?』だ。なぜこんなことをしたのか? なぜ紀元前一万四五〇年に、これほど執拗に目を向けさせようとするのか?」

「もちろん、彼らにとって大切な時だったからなのでは?」とサンサ。

「極めて重大な時だったに違いない。普通こんなことはしない。スフィンクスを造り、合計一五〇〇万トンにもなる三つのピラミッドを造っている。よほど何か重大な理由があったに違いない。したがって、問いは、『なにが理由だったのか?』になる。この質問をさせるために、彼らは紀元前一万四五〇年を強烈に印象付けようとしている。彼らは質問を押しつけている・・・紀元前一万四

五〇年にわれわれの注意を集めようとしている。それがなぜだかを見つけるかどうかは、われわれ次第だ」

三人とも長いこと沈黙していた。いつの間にか太陽はスフィンクスの南東に昇っていた。

第8部　結論　本体はどこに

第50章　「無駄骨を折っている」わけではない

この調査を始めてからまだほんの数か月のころ、調査担当の助手が手紙を送ってきた。手紙は一五枚にわたるもので、なぜ彼がこの仕事を辞めるかについての説明が書かれていた。その頃、私はまだ謎解きのジグソーパズルを完成させていなかったし、確実な証拠よりも直感に頼っていた。いろいろなミステリーや異常さ、時代のずれ、謎に心を奪われており、できるだけ多くのことを知ろうとしていた。その間、助手はすでに知られているいくつかの文明が世界史に登場する、長くゆっくりとした過程を調査していた。

その結果、文明が発達するためには、ある種の経済的、気候的、地形的、地理的条件が満たされる必要があると、彼は言う。

もしも既知のものではなく、独自の文明を築き上げた偉大な人々を探すなら、「無駄骨を折る」必要はありません。むしろ、豊かな土地を背景に持つ都市を探すべきでしょう。探さな

ければならないのは、少なくとも二、三千キロの幅を持つ広大な地域です。そのような土地は、メキシコ湾くらいの大きさか、マダガスカル島の二倍の大きさがなければなりません。大きな山脈と大きな河川の水系があり、気候は、地中海性気候か亜熱帯性気候だったと考えられます。また、この比較的平穏な気候が、一万年は続く必要があったでしょう・・・(この条件が整っていたとしたら)、当時、そこには何十万人もの文明化された人々がいたはずで、それが突然、物質的痕跡をほとんど残さず消え失せてしまったことになります。さらに住んでいた土地自体も消え、生き残った者もわずかだったことになります。その少数の生き残った人々は賢明にも終末が来るのを知っており、生き延びることのできる豊かな土地にいて、大災害を生き延びるのに必要な物資を持っていたことになります。

そんなわけで私には助手がいなくなった。私の推論は、どう考えても不可能だというわけだ。失われた高度な文明など存在しない・・・なぜなら、そのような文明を支えられる陸地は大きすぎて、失われようがないからだ。

地球物理学的にあり得ない

この問題は重大であり、調査中も旅行中も、常に心に引っかかっていた。プラトンの「アトランティス大陸がある」という意見が、学者たちに真剣に扱われなくなった最大の原因もここにあった。「失われた大陸」説について、ある批評家は言う。

世界に人類が出現して以来、大西洋陸橋などは存在しなかった。大西洋には沈んだ陸塊など存在しない。大西洋は、少なくとも百万年は現在の形で存在していた。プラトンが言うような広さを持つアトランティス大陸が大西洋に存在したというのは、地球物理学から見てあり得ない・・・(1)。

このように断定的な論調は、以前からおなじみのものだが、筋は通っている。現代の海洋学者たちは、大西洋の海底を完全に把握しており、そこに失われた大陸は存在しない。だが私が集めている証拠が、明らかに失われた文明の指紋を示すものであるなら、大陸も世界のどこかに消えたはずなのだ。

それはどこか？　しばらくの間、別の太洋の下にあるかもしれないというしごく当然のように生まれる仮説を用いていた。太平洋は非常に広いが、インド洋の方が見込みがあるように思えた。なぜなら中近東の肥沃な三日月地帯に比較的近いからだ。この地帯に世界最古の文明のいくつかが、紀元前三〇〇〇年頃に突然現われている。モルディブ諸島にあるといわれる古代ピラミッドの噂を追って、東アフリカのソマリ海岸に行く計画もあった。古代の失われた楽園の手がかりを見つけるために、セーシェル諸島へ旅をしようとさえ思った。

だが、問題はまたも海洋学者たちだった。大西洋と同様、インド洋の海底も地図化されており、失われた大陸は一つも発見されていない。他のどの海も同様だ。もはや海の下には高度な文明を育

くんだ巨大な陸塊が消えた場所はないようだった。

だが、調査が進むにつれ、かって高度な文明が存在していたという証拠は増え続けた。その文明は海洋文明であり、航海者たちの国家であったに違いない、と私は推測しはじめていた。この仮説を支持するものはいろいろある。たとえば、驚異的な古代の世界地図、エジプトの「ピラミッドの船」、マヤの驚くべきカレンダー・システムに見られる高度な天文学的知識、ケツァルコアトルやビラコチャのような海を行く神の伝説、などだ。

航海者たちの国家は、建築家たちの国家でもあった。ティアワナコの建築家たち、テオティワカンの建築家たち、ピラミッドの建築家たち、スフィンクスの建築家たち、二〇〇トンの石灰岩の岩を軽々と持ち上げ設置することができた建築家たち、巨大な建造物の方位をあきれるほど正確に合わせた建築家たち。この建築家たちが何者なのかはわからないが、彼らはその特徴的な指紋を世界中に残したようだ。その指紋は、多角形の巨石の石組みや、天文学的配置を含んだ遺跡、人間の姿をした神々の神話などの形で残されている。しかし、このような建造物を造ることができる高度な文明・・・豊かで、北極から南極まで世界を探検して地図を作成する技術を持ち、十分に組織化され成熟し、地球の大きさを計算できるほどの文明は、小さな陸地の上では発達し得ない。助手が的確に指摘したように、この文明の本拠地には、大規模な山脈、大河の水系、快適な気候、高度で繁栄した経済が発達するのに必要な環境条件、たとえば、農業に適した土地、鉱物資源、森林などがあったはずだ。

そのような陸塊はどこに在存したのだろうか？　世界の海の底にはないのだ。

それはどこにあり、いつ消えたのか？　もし消えたのなら(そうとしか思えないが)、なぜ、どんな状況で消えたのか？

一体、どうやったら大陸が消えてしまうのか？

常識から考えて、何らかの大災害があったはずだ。それも惑星規模の大災害で、巨大な文明の痕跡を跡形もなく消滅させるほどの規模のものだ。そうだとすると、なぜその大災害の記録が存在しないのか？　あるいは存在しているのか？

調査が進んでいくうちに、私は世界中で世代から世代へ受け継がれてきた、洪水や炎、地震や氷についての偉大な神話を数多く学んだ。第4部で見たように、世界中の神話は地質や気候に影響を及ぼした大事件を描写している。この大事件がもたらした影響は、地域ごとに異なる描写をされたようだ。

人類がこの惑星上に存在した短い歴史の間で、このような描写にふさわしい大災害が一つだけある。紀元前一万五〇〇〇年から前八〇〇〇年に起こった、最後の氷河時代の劇的で破壊的な解氷だ。さらに、テオティワカンの建築遺跡やエジプトのピラミッドと同じように、これらの神話の多くは、暗号化された科学的情報の伝達手段となるように設計されたようだ。これもまた「神々の指紋」を示すものだ。

当時、私は氷河期の終焉に伴う混乱と伝承として伝わる古代文明の消滅の間に強いつながりがあ

る可能性をわかっていなかったが、このことに対して敏感にはなっていた。
まさにその時、「図書館の天使」が介入してくれた。

パズルの足りない一片

共時性（シンクロニシティ）に大きな関心をもっていた作家アーサー・ケストラーは、「図書館の天使」という言葉を造った。調べものをしていると、必要な情報が、まさにちょうど思い通りに手に入るという幸運に出会うことがある・・・その幸運をもたらす未知の力を示す言葉だ。[2]
まさに、ちょうどよい時に、こうした幸運の一つがやって来た。それは一九九三年の夏のことだった。何か月もの過酷な旅行の後で、大陸の規模の陸塊が消えることは、地球物理学から不可能だと思うと自信もなくなり、肉体的にも精神的にも低調な時期だった。そんな時、私の許へカナダのブリティッシュコロンビアのナナイモという町から手紙が来た。手紙は、私の前著『The Sign and the Seal』のことに触れていた。この本の中で、アトランティス大陸や、文明を広める英雄がいて、その英雄は「水から助け出された」という伝説についても触れていた。

一九九三年七月一九日
拝啓ハンコック様
アトランティス大陸の運命に関する一七年におよぶ調査の末、私と妻は『空が落ちた時』

と題する原稿を完成させました。この原稿を見せたいくつかの出版社は、この本のアプローチに関して好意的な反応を示してくれたにもかかわらず、アトランティス大陸について触れただけで、彼らの気持ちは閉ざされてしまい、そのことに私たちはいらだちを覚えています。(3)

『The Sign and the Seal』の中で、「洪水を生き残った者たちが始めた秘密の知恵の伝承…」について、書いていらっしゃいます。私たちの作品では、生き残った者たちが移り住んだかもしれない場所について調査をしています。アトランティス大陸の生き残りたちにとって、高地にある澄んだ湖は、大洪水の後の理想的な拠点となりました。チチカカ湖とタナ湖(エチオピア。『The Sign and the Seal』の大部分はここが舞台)は、この気候条件を満たしています。この地域の安定した環境は、農業を再開する基本条件を備えていました。

『空が落ちた時』の概要を同封させていただきました。もしご興味がおありでしたら、喜んで原稿のコピーを送らせていただきます。

敬具

ランド・フレマス

同封の本の概要に目を通したところ、その最初の数段落に探し求めていたジグソーパズルの足りない一片を発見することになった。それは、これまで研究してきた古代の世界地図と完全に合致するものだった。これらの地図は、氷床の下の南極大陸を正確に描いていた(第1部を参照)。それは、

大洪水と地球的規模の災害が環境に与えた影響と、その話を伝える、世界に広く分布する偉大な神話とも完全につじつまが合った。それは「あっという間に凍り付いた」ように見えるマンモスが、シベリア北部とアラスカで多数発見されたという謎をも説明し、現在は何も育たない北極圏の永久凍土層の中に、二七メートルの高さをもつ果物の木が閉じこめられている謎を説明した。また、北半球の最後の氷河期、紀元前一万五〇〇〇年以降に氷床が急激に溶けだした理由にも解答を与えてくれた。さらに、氷河の解氷にともなって世界中で異常な火山活動が起きた謎も解けた。それは、「どうしたら大陸が消えるのか？」という疑問にも答えていた。また、それはチャールズ・ハプグッドの唱える「地殻移動」説にしっかりと根ざした理論だった。この地質学上の革新的な仮説には、すでになじみがあった。フレマスは概要に次のように書いていた。

南極大陸は、最も理解されていない大陸だ。この巨大な島は、何百万年もの間、氷で閉ざされたままだった・・・とほとんどの人々は考えている。だが新たな発見によれば、南極大陸の一部は、地質学的に見れば最近と言える何千年か前には、氷に覆われていなかった。「地殻移動」説は、南極大陸に分厚い氷床が急にできた謎を説明している。

このカナダの研究者が触れているのは、最後の氷河期の終わり――およそ紀元前一万一〇〇〇年から前一万年――まで、南極大陸は現在の位置よりも三二〇〇キロほど北（快適な温帯の緯度）にあり、地殻が大規模にずれた結果、現在の位置に移ったというハプグッドの理論であった。[4] さらに

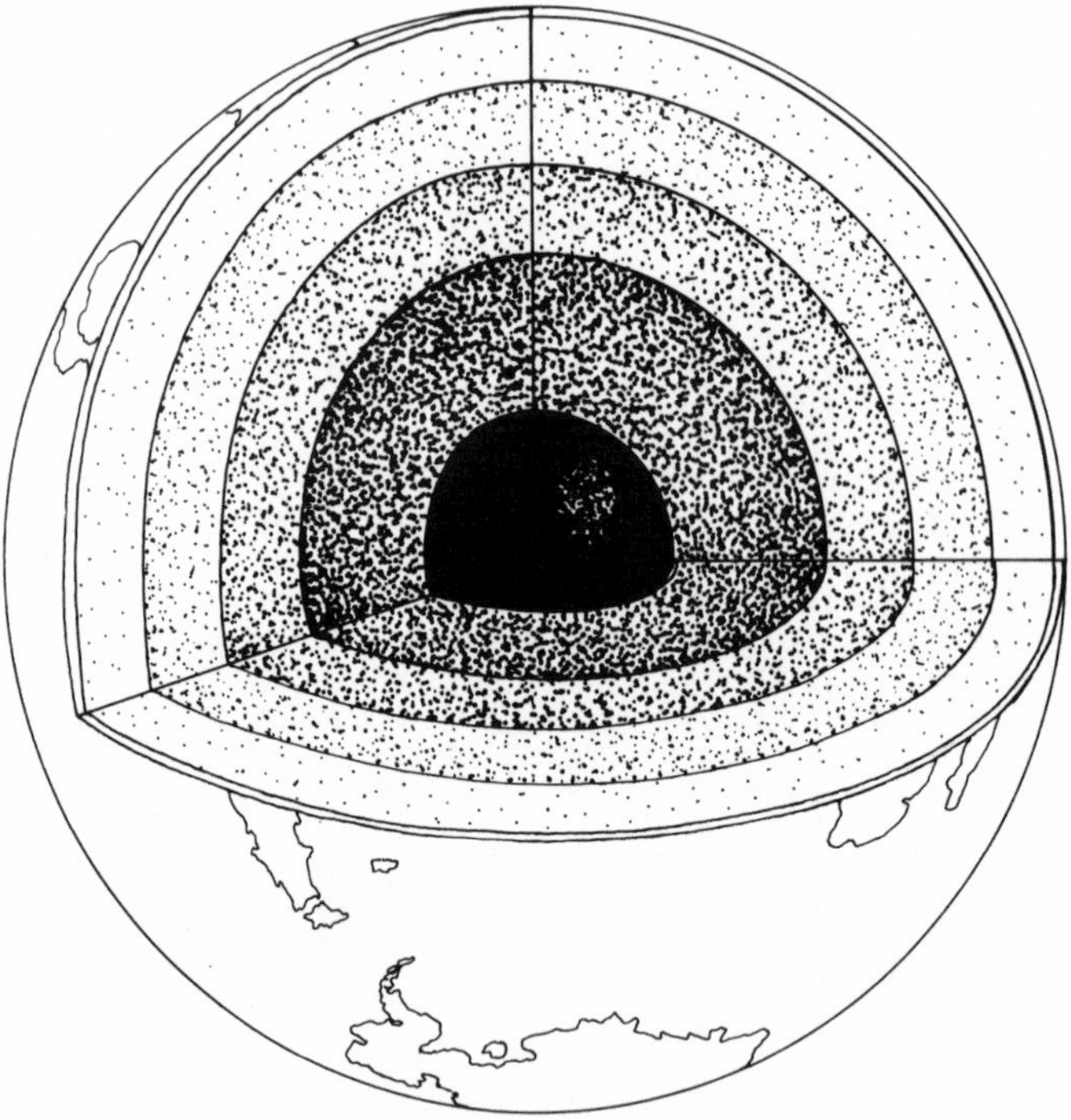

地球の内部構造　地殻移動説によれば、地殻全体が一体となって周期的にずれる可能性がある。50キロメートル程度の厚さしかない地殻は、岩流圏として知られる潤滑剤の役割をする層の上に乗っている。

フレマスは続けた。

地球を取り巻く「死の輪」（アラスカ、シベリア一帯）が、地殻移動のあった証拠として残されている。動物の種が急速かつ大量に絶滅した大陸（特に南北アメリカとシベリア）は、緯度の急激で大幅な変動を経験しているのだ・・・。

地殻移動がもたらす結果は途方もないものだ。地殻は内部で波を立て、世界は激しい地震と洪水に揺すぶられる。大陸がうなりながら位置を変えていく中、空は落ちるかのように見える。はるか海底では、地震により大きな津波が生まれ、海岸に押し寄せ、陸を洗う。ある土地は温暖な気候に移動する一方、他の土地は極地方に押しやられ、冬の悲惨さを被る。氷原が溶けることによって、海面はどんどん上昇していく。生物はすべて、適応するか、移住するか、死ぬしかない・・・。

この恐ろしい地殻移動が、もしも現在の世界で起これば、数千年の文明の進歩は、クモの巣のように引きちぎられて、地球から消えてしまうだろう。高山の近くに住んでいる者は、津波を避けられるかもしれない。しかし、ゆっくりと築き上げてきた文明の成果を、低地に置き去りにしなくてはならないだろう。世界の商船隊や海軍の中にのみ、文明のある種の証拠は残るかもしれない。船や潜水艦の船体は錆つき、やがて消え失せる。しかし、船の中にあった価値ある地図は、生き残った者によって、おそらく何百年、あるいは何千年にわたって保存されるだろう。人類がその地図を用いて、失われた土地を求めて世界の海をもう一度

航海できるようになるまで・・・。

これらの言葉を読んでいるうちに、チャールズ・ハプグッドの説を思い出した。これは、地質学者が地殻と呼ぶ地球の層(薄く硬い地球の外側の殻)が一体となってずれる現象を説明しているものだ。「オレンジの皮が、内部はそのままで、皮だけ一体となってずれるようなものだ」[5]

ここまでは、なじみのある意見だった。だが、カナダの研究者たちは、さらに二つの重大なことを提示していた。

引力の影響

その一つは、引力が(第5部で述べた地球の公転軌道の形の変化と同様)、地殻移動というメカニズムを通して、氷河期の始まりと衰退に対して何らかの役割を果たした可能性だ。

博物学者であり地質学者でもあったルイ・アガシーが、氷河期という概念を一八三七年に学界に提示したとき、多くの人は懐疑的だった。しかし、アガシーを支持する証拠が集まるにつれ、懐疑的だった人々も地球が恐ろしい冬に捕らえられていたことを受け入れざるを得なくなった。だが、すべてを停滞させる氷河期がなぜ起こるかは、依然として謎だった。氷河期の年代を確定する確かな証拠も、一九七六年までは存在しなかった。氷河期は、地球の公転軌道のさまざまな天文学的特徴、および地軸の傾きによって説明された。たしかに天文

学的要素は、氷河期の発生に関わりがある。しかし、これは原因の一部に過ぎない。同様に重要なのが、氷河の地形だ。地殻移動説が、謎を解き明かすのはこの点に関してだ。

アルバート・アインシュタインは、極地の周りに不均衡に分布している氷原の重さが、地殻移動を引き起こす可能性について研究した。アインシュタインは「地球の自転がこの不均衡に置かれた氷塊に作用し、遠心力を生み、それが硬い地殻に伝わる。この常に増加を続ける遠心力は、ある点に達すると、地球の内部構造の上にかぶさっている地殻をずれさせることになり、その結果、極地帯は赤道方向に移動する」と書いている。

アインシュタインがこれを書いた時(一九五三年)、氷河期が天文学的な原因で引き起こされたという考え方は、まだ理解されていなかった。地球の公転軌道の形が真円から一パーセント以上変化すると、太陽の引力の影響が増加し、地球とその上の巨大な氷床を強く引っ張る。氷床のずっしりとした重さは地殻を引きずり、地球の傾き(軌道の形に影響を与えるもう一つの変化する要素)が大きくなっていることも原因となり、地殻をずれさせる・・・。

引力が氷河時代の開始と衰退に関連あるのだろうか?

そうかもしれない。

地殻のずれによって、北極と南極に位置している地殻(現在の南極大陸のように完全に氷で覆われていた)は、突然温暖な緯度に移動し、氷が急速に溶け始める。その反対に、それまで温暖な緯度に位置していた土地は、突然、極地帯に移動し、急激な気候の変化を被り、急速に拡大していく

氷原の下に消失する。

つまり、北ヨーロッパと北アメリカの大部分が厚い氷に覆われていたのは、ゆっくりと作用を及ぼした気候が原因だったのではなく、現在よりも北極に遙かに近い位置にあったからなのだ。同様に、第4部で触れたウィスコンシン氷期とウルム氷期が、紀元前一万五〇〇〇年頃に溶けはじめたのは、やはり気候の変化が原因ではなく、氷原が温暖な緯度に移動したからなのだ・・・。

つまり氷河期は、現在も進行中なのだ・・・北極圏内と南極大陸において・・・。

失われた大陸

フレマスが指摘したもうひとつ重大なことは、いま述べたものから論理的に引き出されるものだ。もし地殻移動のような周期的な現象が起こり、最後のずれが南極大陸と呼ばれる巨大な陸塊を温暖な緯度から南極圏に移動させたのなら、遙か古代の失われた文明の数々の遺物が南極の三キロにおよぶ氷の下に眠っている可能性があるということだ。

突然すべてが見えてきた。何千年もの間、豊かな社会の拠点であった大陸が、どうやって痕跡も残さず消え失せたのかがわかった。フレマスが結論づけたように、「文明の起源の答を見つけるには、氷に閉ざされた南極大陸に注目しなければならない。この忘れ去られた大陸の氷の奥深くに、答えが今も眠っているかもしれない」

助手の辞職の理由が書かれた手紙をファイルから引っぱり出し、そこに挙げられている高度な文明が出現するための前提条件を再び調べてみた。「大きな山脈」が必要だった。「大きな河の水系」が

必要だった。「少なくとも二〜三千キロの領域を占める広大な陸地」が必要だった。さらに文明が発達するための、一万年間の安定した快適な気候も必要だった。

南極大陸は干し草の中の針ではない。巨大な陸塊で、メキシコ湾より遥かに大きく、マダガスカル島の約七倍で、米国の大きさにほぼ等しい。さらに、地震波測定による調査で、南極大陸には大きな山脈があることもわかっている。また、いくつかの古代地図を見ると、緯度と経度を知っていたと見られる太古の地図作成者たちは、氷原の下に消える前の山脈を描いている。同じ古代地図には「大きな河の水系」もあり、山から流れ出た河が、広大な谷や平野を潤し、海に注いでいるのが描かれている。それらの河の存在は、南極のロス海の底で採集された地層資料も証明している。(6)

最後に、地殻移動説は、安定した気候が一万年続くという必要条件とも矛盾していない。地殻の突然のずれがあった最後の氷河期の終わり頃、南極大陸の気候は安定していたと思われ、おそらく一万年よりも遥かに長い期間それが続いていただろう。また、その時代の南極大陸の緯度が、現在よりも約三二〇〇キロ（三〇度）北にあったというこの理論の指摘が正しければ、南極大陸の最北部は、南緯三〇度付近にあり、その土地の人々は地中海性気候、あるいは亜熱帯性気候を享受していたことになる。

地殻は本当にずれたのだろうか？　失われた文明の廃墟が南極大陸の氷の下に眠っているのだろうか？

続く章の中で見ていくが、それはあり得るかもしれない・・・十分にあり得る。

第51章　ハンマーと振り子

地殻移動説については、ランド・フレマスとローズ・フレマスによる『空が落ちた時』（カナダ・ストッダート社、一九九五年）に詳しく解説されている。

すでに述べたが、この地質学の学説は、チャールズ・ハプグッド教授が提唱し、アルバート・アインシュタインによって支持された。この学説が提示しているのは、簡単に言うと、地球の五〇キロの厚さの地殻が、一万三〇〇〇キロ近い厚さの中心核の上を滑り、西半球の大部分が赤道から南極圏に向かってずれたということだ。この動きは、南北の子午線に沿って起こったのではなく、現在の米国の中央平原を軸として旋回して起きたと見られている。その結果、北アメリカの北東部（北極は昔、この地域のハドソン湾に位置していた）は、北極圏から南へ引きずられ、より温暖な緯度に移った。一方、北西部（アラスカとユーコン）は、北シベリアの大部分と一緒に、北に旋回しながらずれて、北極圏に入った。

南半球では、ハプグッドのモデルによると、現在南極大陸と呼ばれる陸塊は、大部分が温帯ある

いはさらに暖かい緯度にあったが、地殻がずれた結果、丸ごと南極圏の中に入った。これは、全体として、約三〇度（ほぼ三二〇〇キロ）のずれで、主に紀元前一万四五〇〇年から前一万二五〇〇年にかけて集中して起こったが、この変動の惑星的規模の巨大な余波は、長い間隔をおきながら、紀元前九五〇〇年頃まで続いたとみられている。

地殻がずれる前、緑がある快適な緯度に南極大陸の大部分が位置していたとき、偉大な文明が南極大陸に育っていたらどうなるか？　もしそうだったとすれば、この文明は地殻のずれの影響によって破壊されていたかもしれない。地殻のずれにより、大津波、ハリケーンのような嵐、激しい雷雨、火山の噴火が起こり、地震が起き、いたる所で断層が口を開け、空が暗くなり、氷原が否応なく拡大する。さらに、一〇〇〇年も経てば、置き去りにされた、都市、建造物、大図書館など、破壊された文明の遺物は、永遠に厚い氷の下に深く埋もれるだろう。

もし地殻移動説が正しければ、世界中に残されているのは、わずかな神々の指紋だけだとしても不思議ではない。これらは、南極大陸にあった文明の少数の生き残りの人々が行なった仕事の痕跡であり、その誤解されてしまった教えや、幾何学的な建造物なのだろう。彼らは大きな船に乗って荒海を越え、遠い土地に住みついた。それはたとえば、ナイル低地（おそらく最初は、青ナイル河の水源であるタナ湖の辺り）やメキシコの溪谷、アンデスのチチカカ湖の近くであり、そして疑う余地なく他のいくつかの場所にもたどり着いたに違いない。

つまり、地球のあちこちに、失われた文明の指紋がかすかに見えているのだ。だが、本体は姿が見えず、南極大陸の三キロの厚さの氷の下に埋まっている。そこはまるで月の裏側のようなもので

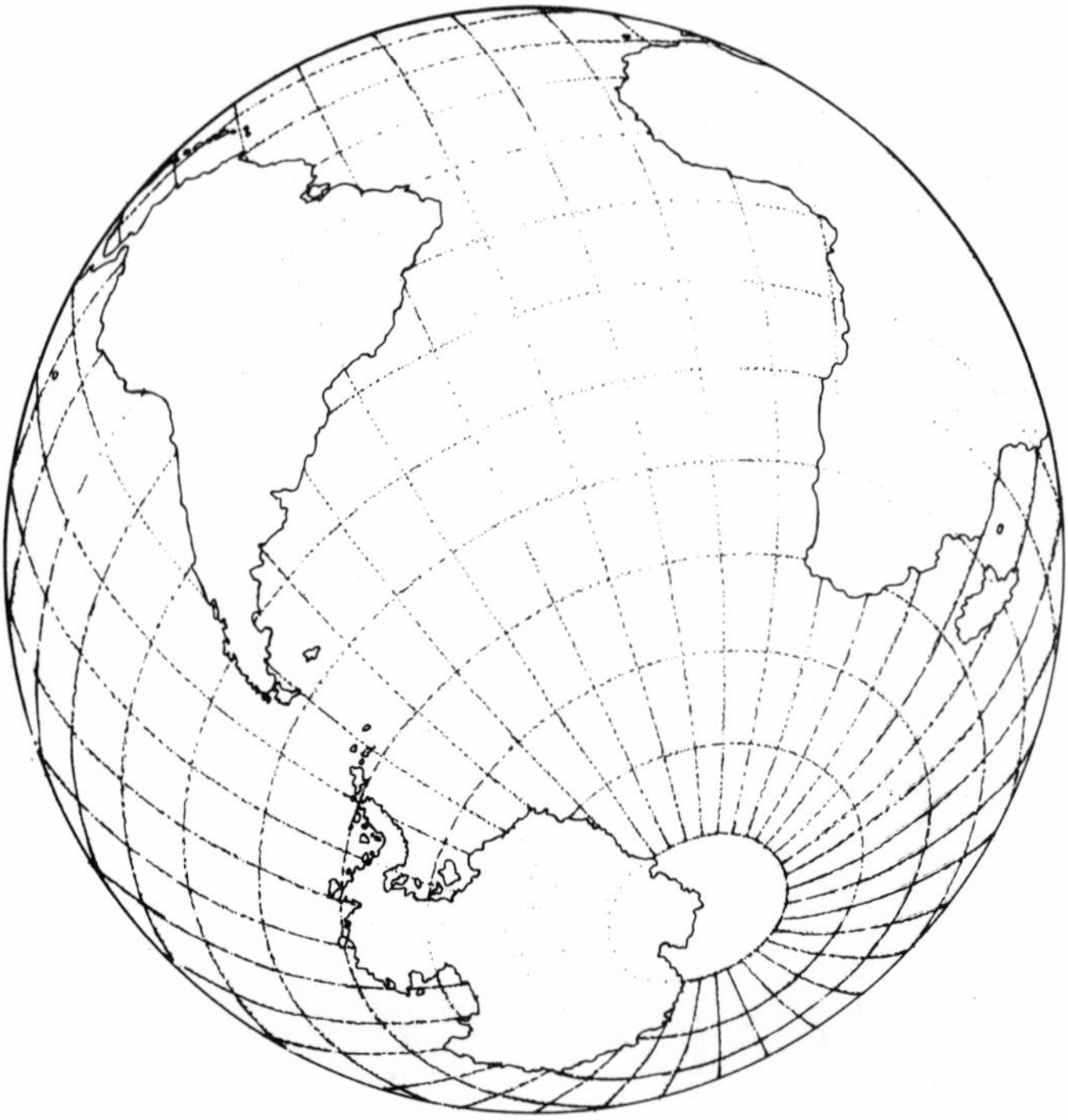

地殻移動説によると、南極大陸の大部分は、紀元前1万5000年以前は、南極圏の外側に位置していた。したがって、人が居住していた可能性があり、その気候と資源は文明が発達するのに必要な条件を満たしていた。だが、地殻が滑るという大変動があり、南極大陸は現在の南極圏の真っただ中に移動した。

あり、考古学者たちもほとんど接近できない。

これは事実か？

作り話か？

あり得ることか？

あり得ないことか？

世界で五番目に大きい大陸（面積は約一四〇〇万平方キロ）である南極大陸が、（a）昔はもっと温暖な緯度に位置していて、（b）この二万年の間に、その地帯から追いやられ南極圏の中に移動した、ということは地球物理学からいってあり得ることだろうか、あり得ないことだろうか？

南極大陸は移動するのだろうか？

極地の死の砂漠

「大陸漂移」および「プレート・テクトニクス」（地球の表層部を構成しているいくつかの岩板の移動によって地殻変動が起こるとする説）は、地質学上の重要な学説を述べるときに用いられるキーワードであり、一九五〇年代から一般大衆の間で徐々に理解されるようになってきた。ここで、その基本的メカニズムに立ち入る必要はないだろう。大陸が地球の表面をある意味で「浮遊し」、移動し、位置を変えるということは誰でも知っている。たとえば地図の上でアフリカの西海岸と南アメリカの東海岸を見れば、この二つの大陸がかつて合わさっていたということは明らかだ。だが、「大陸の漂移」はきわめて長い時間をかけて起きるものだ。大陸が離れたり、近づいたりして移動

する距離は、一般的にいって、約二億年の間に三〇〇〇キロにすぎない。つまり、きわめて遅い[1]。プレート・テクトニクス、およびチャールズ・ハプグッドによる地殻移動説は、決して互いに矛盾するものではない。ハプグッドは、両方が起こりうると考えた。地殻は確かに、地質学者が主張するように、何億年もかけてゆっくりと動く。だが地球は、地殻の急激なずれも経験したという。このずれは大陸間の関係には影響を与えず、大陸全体（あるいは一部）を、地球に二つある固定した極地帯（自転軸周囲の北極と南極を取り巻く、一年中寒く氷に覆われた地域）の中へ、あるいは外へと移動させた。

大陸漂移か？

地殻のずれか？

両方が起きたのか？

何か他の原因か？

正直いってわからない。だが、南極大陸に関してわかっているいくつかの事実は奇妙であり、「突然に起きた大変動（それも地質学的に言えばごく最近起きた）」という概念を持ち出さないと説明が難しい。

これらの事実を検証する前に、次のことを思い出しておこう。それは、いま話題にしている陸塊は、現在、太陽が冬の六か月の間一度も昇らず、夏の六か月の間一度も沈まない（南極から見ると、太陽は地平線に低くとどまり、二四時間の昼をもたらし、空に円形の軌道を描くように見える）場所だということだ。

南極大陸は、世界で一番寒い大陸でもある。極点近くの氷原では、温度がマイナス八九・二度にまで下がったことがある。沿岸地帯はもう少し暖かく(マイナス六〇度程度)、膨大な数の海鳥の群生地が存在するが、原生の哺乳動物はおらず、ほとんど完全な暗闇の長い冬を生きる耐寒性植物の小さな群落があるのみだ。「ブリタニカ百科事典」では、これらの植物を簡潔に列挙している。「地衣類、スギゴケ類、ゼニゴケ類、カビ、酵母菌、その他の菌類、藻類、バクテリア・・・」(2)

つまり、地球の端に大きく広がる壮大な大陸ではあるが、南極大陸は凍りついた、苛酷な、ほとんど生命が存在しない氷の砂漠であり、その状態は人類の五千年の歴史のあいだ続いている。

だが、常にそうだったのか?

証拠1

『ディスカバー・ザ・ワールド・オブ・サイエンス・マガジン』、一九九三年二月号、一七ページ

「二億六千万年ほど前の二畳紀の時代、温帯気候に育つ落葉樹が南極大陸で繁茂していた。これは、南極横断山脈にあるエイカナー山の高度二一〇〇メートルの地点で発見された化石化した一群の木の幹から、古代植物学者が導き出した結論だ。場所は、南緯八四度二二分、南極点から六〇〇キロほど北へ行った所にある。

「『この発見で興味深いのは、南緯八〇度もしくは八五度の地域で見つかった森林は、生きているものにしろ化石にしろ、この森林だけだということだ』と、この木の化石を調べたオハイオ州立大学の古代植物学者イーディス・テイラーは言う。『われわれ古代植物学者が最初に行なうことは、現

代の記録と比較することだ。現在この緯度に森林はまったくない。熱帯地方で温帯で育つ木を見つけることはある。だが、夏は二四時間の光、冬は二四時間の闇の中で育つ木を、暖かい地方で見つけることはできない』」(3)

証拠2

地質学者は、始新世(約六〇〇〇万年前)以前に、南極大陸のどこかに氷河が存在した証拠は一つも見つけていない。(4)また、カンブリア紀(約五億五〇〇〇万年前)までさかのぼれば、暖かい海が南極大陸を完全に、あるいはほぼ完全に囲んでいたという証拠が見つかる。リーフ(礁)を形成するカンブリア紀の絶滅した海生無脊椎動物を多量に含んだ厚い石灰岩が、その証拠だ。「何百万年もかけて、これらの海の形成物が海面上に現われた後、温暖な気候が南極大陸に豊かな植生をもたらした。それを証明するかのように、アーネスト・シャクルトン卿は、南極点から三二〇キロメートル以内の場所に、炭層を発見した。そしてその後、一九三五年のバード南極探検隊の活動期間中に、地質学者は、南緯八六度五八分にあるウィーバー山の斜面で多くの化石を発見した。この場所も南極点からほぼ同じ距離で、海抜約三二〇〇メートルの高さにあった。これらの化石は、葉および茎の跡や、化石化した木などだった。一九五二年に、ワシントンのカーネギー研究所のライマン・H・ドアティ博士は、これらの化石の調査を完了し、その中に二種類のシダの木が存在することを明らかにした。一つは、グロッソプテリス(絶滅したソテツ状シダ類)で、昔、他の南の大陸(アフリカ、南アメリカ、オーストラリア)に広く分布していたものだ。もう一つは、別の種類の巨大

なシダの木である・・・」(5)

証拠3

バード提督は、ウィーバー山の重要性についてコメントを残している。「南極点からわずかに三二〇キロしか離れていない世界の最南端の山で、南極大陸が温暖な、あるいは亜熱帯性と言ってもいいような気候の土地であった時代があったという確証が見つかった」(6)

証拠4

「ソビエト連邦の科学者は、第三紀初期(おそらく暁新世か始新世)の熱帯植物相の形跡を、南極大陸のグラハムランドで発見したと報告している・・・さらに英国の地質学者が、二〇〇〇万年前にアメリカの太平洋岸で繁茂していたのと同じ種類の森林の化石を南極大陸で発見した。このことは、南極大陸の最初の氷河期は、始新世(六〇〇〇万年前)だったとされているが、その後大陸は氷に覆われたままではなく、何回か温暖な気候になったことを示している」(7)

証拠5

「一九九〇年一二月二五日、地質学者のバリー・マッケルビーとデイビッド・ハーウッドは、南極大陸で作業をしていた。そこは、南極点から四〇〇キロ離れた、海抜一八三〇メートルの地点だった。二人は、二~三百万年前の落葉樹の森林の化石を発見した」(8)

証拠6

一九八六年に、化石化した木や植物が発見され、南極大陸の一部が二五〇万年前には氷に覆われていなかったことが明らかになった。その後の発見により、南極大陸の一部は一〇万年前も氷に覆われていなかったことが明らかになった。(9)

証拠7

第1部で見たように、バード南極探検隊がロス海の海底から採集した堆積物の調査によって、「細かく粒がそろった堆積物を下流に運ぶ大きな河」が、紀元前四〇〇〇年にいたるまで、南極大陸のこの地方を流れていたという確証が得られた。イリノイ大学のジャック・ハフ博士の報告によると、「コアN—5の記録によれば、現在から六〇〇〇年前までの海底堆積物は、氷状のものである。六〇〇〇年前から一万五〇〇〇年前までは、堆積物は細かい粒で、例外は一万二〇〇〇年前頃の細礫である。このことは、一万二〇〇〇年前に氷山が流れて来た以外は、この地域に氷が存在しなかったことを示している」(10)

証拠8

第1部で見たオロンテウス・フィナエウスの世界地図は、氷がない状態のロス海を正確に描いている。さらに、南極大陸の沿岸地方にあるいくつかの高い山脈と、そこから流れ出るいくつかの大

きな河を描いている。そこには現在、数キロの厚さの氷河しか見あたらない。[11]

『極地の軌跡』、チャールズ・ハプグッド、一九七〇年、一一一ページ以降

「地質学の調査にあたって、考古学から重要な確証を得るのは珍しいことである。しかしこの場合には、ロス海の氷の後退という問題は、何千年も残ってきた古い地図によって確認できるようだ・・・。この地図は一五三一年に、フランスの地理学者オロンス・フィネ（オロンテウス・フィナエウス）によって発見され、出版され、フィネの世界地図の一部となった・・・。

この地図が正確であることを立証するのは可能であった。数年間の調査で、この古代地図の投影法が調べられた。この地図は洗練された投影法で描かれ、球面三角法が用いられ、南極大陸の五〇以上の地点が正確に描かれている科学的なものであることがわかった。その精度は、一九世紀になるまで地図作成学が達しなかったレベルのものだ。当然、この地図が最初に出版された一五三一年には、南極大陸のことはまったく知られていなかった。この大陸は、近代の一八一八年まで発見されておらず、完全な形で地図に載るようになったのは一九二〇年以降のことだ・・・」[12]

証拠9

第1部で見たビュアッシュの地図は、氷の下の南極大陸の地形を正確に描いている。[13]これは偶然の産物なのか、あるいは、失われた文明の地図作成者たちが大陸の地図を描いた時期まで、南極大陸は氷に覆われていなかったのだろうか。

証拠10

コインを裏返してみよう。もし現在の南極圏にある土地が、昔は温帯あるいは熱帯にあったとすれば、現在、北極圏にある土地はどうだろうか。そこも同じような劇的な気候変化の影響を受けていないだろうか。

●「スピッツベルゲン（スバールバル）島で、三メートルから三・六メートルの高さのヤシの葉の化石が、熱帯の海だけに住む種類の甲殻類の化石とともに見つかった。これは、ある時代に北極海の温度が、現代のベンガル湾やカリブ海の温度と同じくらいであったことを示している。スピッツベルゲンは、ノルウェーの北端と北極点の中間地点であり、北緯八〇度にある。現在、船が、一年のうち約二か月、長くても三か月間だけ、氷の間をぬってたどり着くことができるような場所だ」(14)

●中新世（二〇〇〇万年前から六〇〇〇万年前）に、北極点から八〇〇キロ以内の地点で、一群のラクウショウが繁茂しており、同じ時代にスピッツベルゲンでスイレンが繁茂していたのも、化石を通して知ることができる。「グリンネルランドやグリーンランド、スピッツベルゲンにおける中新世の植物相はどれも、湿度が高く気候が温暖であるという条件を必要とした。スピッツベルゲンのスイレンが育つためには、ほとんど一年中通して流れる水が必要だった。スピッツベルゲンの植物相に関しては、この島が現在、一年の半分も暗闇の中にあることを

考えなければならない。この島は北極圏の中にあり、ラブラドルの遥か北に位置し、ラブラドルからの距離は、バーミューダから北に行ってラブラドルに着くまでの距離と同じだ」(15)

●北極海の島のいくつかは、最後の氷河期の間、氷に覆われることがなかった。たとえば、北極点から一四〇〇キロの位置にあるバフィン島では、ハンノキとカバノキの化石が泥炭の中で見つかり、三万年前頃、現在より遥かに温暖な気候であったことを示している。この状態は一万七〇〇〇年前まで続いた。「ウィスコンシン氷期の間、北極海の中には温暖な気候の地域があって、当時のカナダやアメリカでは存在し得ない植物相や動物相がそこに移ってきていた」(16)

●最後の氷河時代のほとんどの期間、北極海は暖かかったとロシアの科学者は結論している。サクスやベロフ、ラピナといった海洋学者たちは多彩な研究の報告をしているが、それによると、約三万二〇〇〇年前から約一万八〇〇〇年前までの期間、特に暖かな状態が続いたと強調している。(17)

●第4部で見たように、温帯に適応した哺乳類が多数、瞬間的に凍りつき、その体は永久凍土層の中に保存された。その広大な死の地域は、ユーコンからアラスカを通り北シベリアの奥深くにまでいたる。この絶滅はその大部分が、紀元前一万一〇〇〇年から前一万年の間に起こったように思われるが、それに先立つ紀元前一万三五〇〇年ころにも、大規模な絶滅の時期があった。(18)

●これもすでに見てきたことだが(第27章)、最後の氷河期は、紀元前一万五〇〇〇年から前八

〇〇〇年の間、特に紀元前一万四五〇〇年から前一万二五〇〇年の間に終わった。さらにそれに続いて、紀元前一万一〇〇〇年から前一万年には、非常に急激な変動があった。地質学的にみれば短い期間に、三キロの厚さをもち、形成に四万年以上かかった何百万平方キロの氷河が突然に溶けてしまった。「氷河期の徐々に変わる気候が原因でないことは明らかだ・・・退氷は急激に起こっており、何か尋常でない要因が気候に影響を与えたと思われる・・・」(19)

氷の処刑人

何か尋常でない要因が気候に影響を与えた・・・。

北半球の氷河時代を不意に終わらせた原因は、地殻が丸ごと三〇度もずれたことだろうか（氷が最も厚かった地域を、北極から南へ押しやることによって氷河期を終わらせた）？　もしそうなら、この同じ地殻の三〇度のずれが、ほとんど氷に覆われていなかった一四〇〇万平方キロの南半球の大陸を、温暖な緯度から南極へ、移動させたのではないか？

南極大陸の移動の問題については、確かに移動するし、移動してきたことは知られている。なぜなら、樹木が大陸で育っていたからで、どんな樹木も六か月も暗闇となる緯度ではまったく育つことができないからだ。

わからないのは(はっきりとわかることはないかもしれないが)、この移動が地殻のずれの結果か、大陸漂移か、あるいは別の要因によるものかだ。

ここで南極大陸について考えてみよう。

南極大陸が大きいことはすでに見てきた。一四〇〇万平方キロメートルの面積をもち、二九〇〇万立方キロメートルを超える量の氷に覆われており、氷の総重量は一京九千兆トン（一九の後にゼロが一五個）と推定されている。[20] 地殻移動説を支持する人々の懸念は、巨大な氷原が大きさと重さを増している冷酷な事実だ。「氷は毎年一二〇〇立方キロも増加している。毎年オンタリオ湖と同じ容積の水が凍り付いて、南極大陸の氷床に加わるのと同じだ」[21]

恐ろしいのは、歳差運動や黄道傾斜、公転軌道の離心率、自転により発生する遠心力、太陽と月と他の惑星の引力などの影響が同時に及ぼされるとき、南極大陸の常に拡大している氷河の重さは、地殻の大規模なずれを起こす最後の決定的な要因となりうることだ。

（ヒュー・オーチンクロス・ブラウンは一九六七年に、以下のようなことを少々大袈裟に書いている）

増大しつつある南極の氷原は、密かに静かに冷酷な自然の力となった・・・それは偏向する回転から生み出されたエネルギーだ。氷原こそ、忍び寄る危機であり、致命的な脅威であり、文明の処刑人だ。[22]

この「処刑人」は、紀元前一万五〇〇〇年から前八〇〇〇年の間の七〇〇〇年にわたって地殻のずれを引き起こし、北半球の最後の氷河期に終止符を打ったのだろうか？　このずれが、最も急激に、最も破壊的な効果をもたらしたと思われる時期は、紀元前一万四五〇〇年から一万年の間だ。[23]

あるいは、この時期に北半球で起こった突然の劇的な気候変化は、他の大変動の結果だったのだろうか？　その大変動は、何百万立方キロメートルもの氷を溶かし、同時に、解氷に伴った火山活動を世界的に誘発するものでなければならない[24]。

現代の地質学者は、大変動が起きたという考え方、つまり天変地異説に反対しており、「斉一論」の考え方を好んでいる。斉一論とは、「過去の地質現象はすべて、現在進行している作用によって引き起こされたとする考え」で、これですべての地質学的変化を説明できるとしている。一方、天変地異説は、「地殻の変動は一般的に、物理的な力によって突然、引き起こされた」としている[25]。だが、最後の氷河期の終わりに起きた地球の衝撃的な変化のメカニズムが、両方の説の性格をもつことはあり得ないだろうか？

偉大な生物学者であるトーマス・ハクスリー卿は、一九世紀に以下のように述べている。

私には、天変地異説と斉一論との間に、思想的な対立などはないと思える。その反対に、突然の変動は一貫した動きの本質的な一部かもしれないと考える。この見解を比喩で説明しよう。時計の動作は一貫した動きのモデルだ。時計が正確であることは、動きが一貫していることを意味する。しかし、時計がハンマーで時を打つ行為は、本質的には突然の変動だ。ハンマーは、銃身の火薬を爆発させる仕掛けかもしれないし、多量の水をほとばしらせるものかもしれない。適当に細工をすれば、時計が鐘を打つ際に、不規則な間隔で、そのつど違った強さか違った回数を打つようにすることもできる。しかし、これらすべての不規則に見

える変動は、完全に一貫した動きの結果でもある。また、時計の動きを研究する学派として二つのものが生まれるかもしれない。一つはハンマーを研究し、もう一つは振り子を研究する学派だ。[26]

大陸漂移は振り子だったのだろうか?
地殻のずれはハンマーだったのだろうか?

火星と地球

地殻のずれは、他の惑星でも起こったという。『サイエンティフィック・アメリカン』の一九八五年一二月号で、ピーター・H・シュルツは、火星の表面に見られる隕石の落下でできたクレーターに人々の注意を引きつけた。極地方にあるクレーターは特有の「印」をもっている。それは、その地域に積もっているちりと氷の厚い堆積物の真っただ中に、隕石が衝突した跡だ。火星の現在の極圏の外側に、シュルツはそのような特徴をもつ地域を二か所見つけた。「この二つの地域は互いに惑星のちょうど反対側にある。その地域の堆積物は、現在の極で見られる堆積物と同じ特徴をもっているが、その場所は赤道の近くだ・・・」

なぜこうなったのか? シュルツは証拠から判断して、これを引き起こしたメカニズムは、「一枚のプレートになっている惑星の外側の固い部分、つまり地殻の全体的なずれだと思われる」と考えた。「・・・この動きは、急激で、その後長い間起きていない・・・」[27]

もし地殻のずれが火星で起きるなら、地球で起きない理由があるだろうか？　また、地殻のずれが地球で起きたと考えなければ説明できないことがある。それは、現在の極地のどちらにおいても最後の氷河期に氷原が形成されていないことだ（その近辺でさえも形成されていない）[28]。その反対に、氷河の痕跡をもつ土地は、世界の広い範囲にわたって分布している。もしも地殻のずれがなかったとするならば、三つの大陸（アジア、アフリカ、オーストラリア）の熱帯近くまで氷原が達していたことについて説明する、別の方法を考えなければならない[29]。

この問題に対するチャールズ・ハプグッドの見事な解決法は、単純なものであり常識にも反しない。

まともに説明できる唯一の氷河期は、南極大陸で現在起こっている氷河期だ。これについてはきちんと説明できる。氷河が存在するのは、南極大陸が極地にあるためで、他に理由はない。太陽からの熱が変化したためでもなく、銀河の塵によるものでもなく、噴火によるものでもなく、地殻の下の動きによるものでもなく、土地の高さのためでもなく、海流によるものでもない。したがって氷河期を説明する最良の理論は、「問題の地域が極に位置していた」というものだ。そこでインドとアフリカにもかつて氷床があったが、現在はその場所が熱帯だということも解決する。大陸規模のすべての氷床について、同様に説明がつく[30]。

この論理はほぼ完璧だ。南極大陸は、極地に位置した最初で最後の大陸規模の氷床であるとする

か(ありそうもないことだが)、あるいは、地殻移動もしくは同様のメカニズムが作用したことを想定するか、どちらかしかない。

極地の夜明けの記憶

われわれの先祖は、古い伝承の中に、地殻移動の記憶を残しているかもしれない。第4部で、これらの記憶のいくつかを見てきた。大変動の神話は、北半球における最後の氷河期の終わりに起きた天変地異の目撃証言であるように思われる。[31] こうした神話は紀元前一万五〇〇〇年から一万年の間の時代から、受け継がれてきたようだ。これらの中のいくつかは、神々の土地と楽園について語っているが、それらは南に存在していたとされている(例えば、エジプト人のネテル)。また多くの伝承は極地の状態を経験したことを示唆している。

インドの偉大な叙事詩『マハーバーラタ』は、神々の土地であるメルー山について語っている。

「メルーでは、太陽と月は毎日左から右へ回る、すべての星もおなじだ・・・メルー山は光輝き、夜の闇を圧倒するので夜は昼とほとんど区別がつかない・・・昼と夜を合わせると、ここに住む者の一年と同じ長さになる・・・」[32]

同様に、第25章を思い出すと、イランのアヴェスター系アーリア人の故郷であった神話に出てくる楽園エアヤナ・バエジョは、突然氷に閉ざされ、人が住めなくなったようだ。その後、エアヤナ・

バエジョは次のような場所として語られた。「星や月、太陽は、一年に一度だけ昇り、また沈むように見え、一年は一日のようである」[33]

古代インドの文献であるスールヤ・シッダンタの中に、次のような言葉がある。「神々は、太陽が一度昇ると半年間、それを見る」[34]。リグベーダの七番目のマンダラには、多数の「夜明けの」詩歌が含まれている。これらの詩歌の一つ（Ⅶ、76）には、夜明けはいつまでも地平線を染め続けたとあり、同じ詩歌の第三独唱部では、夜明けのきざしが最初に現われてから日が昇るまでに、数日間かかったと伝えている[35]。別の一節には、「夜明けの最初の光から実際に日が昇るまでの間に、何日もの月日が流れた」とある[36]。

これらは極地の様子の目撃証言ではないのだろうか？

インドの伝承において、ベーダは神の啓示の言葉であり、神々の時代から受け継がれてきた、とされているのも関連がありそうだ[37]。同じように関連がありそうなのは、すべての伝承が、口承されてきた過程を述べる中で、世界に襲いかかったプララヤ（大災害）について触れており、大災害が起きるたびに、書かれた聖典はすべて破壊された、と主張していることだ。だが破壊の後は、常に何人かのリシ（賢者）が生き残った。

新しい時代の始まりに、前の時代の祖先からの聖なる遺産として、受け継がれてきた知識は賢者が再び地に広めた・・・したがって、それぞれのマンバンタラ（時代）には独自のベーダが存在するが、表現が異なるだけで、太古のベーダと意味においては違いがない[38]。

混乱と暗闇の時代

学校で地理を学びはじめたばかりの子供でも理解していることだが、正確な北（北極）は、磁気的な北（コンパスの針が指す方向）とは同じではない。磁北極は現在北カナダに位置しており、北極から約一一度離れている[39]。考古磁気学の研究の進歩によって、地球の磁気の極性は、過去八〇〇〇万年の間に一七〇回以上反転したことがわかっている・・・[40]。

この磁界の反転は、どのような原因で起きるのか？

地質学者のS・K・ランコーンは、ケンブリッジ大学で教えていた時期に、『サイエンティフィック・アメリカン』に論文を発表し、以下のように述べている。

> 地球の磁界は地球の自転と何らかの形で結びついている。このことは、地球の自転そのものについての驚くべき発見につながる・・・。〔避けがたい結論は〕地球の自転軸もまた変化したということだ。別の言い方をすると、この惑星は、地理上の極の位置を変えながら回転してきたのだ[41]。

ランコーンが想定しているのは、極が完全に一八〇度反転して、文字どおりひっくり返った状態のようだ。一方、地殻が地理的な極の上を移動した場合でも、同様の考古磁気の測定結果が得られただろう。どちらにしても、こうした変動は文明と全生命にとって、想像ができないほど恐ろしい

結果を生むことだろう。
もちろん、ランコーンは間違っているかもしれない。磁界の反転は、他の大変動なしでも起こり得るかもしれない。
だが、ランコーンが正しいということもあり得る。
『ネイチャー』と『ニュー・サイエンティスト』に発表された報告によると、最後の地磁気の反転があったのは、一万二四〇〇年前だという。これも紀元前一万一〇〇〇年から前一万年の一〇〇〇年の間になる。[42]
これはもちろん、アンデスの古代ティアワナコの文明が破壊されたと思われる時期だ。ギザ台地にある巨大な天文学的建造物の配置や設計もこの一〇〇〇年間を示しており、スフィンクスに見られる浸食のパターンも同様だ。また、エジプトにおける「早すぎた農業実験」が突然失敗したのもこの時期だった。同様に、大型の哺乳類の種が大量に絶滅したのもこの時期だ。さらに海面の突然の上昇、ハリケーンのような嵐、雷雨、火山活動による混乱、などがこの時期に起こっている。
科学者の予測では、次に地球の磁極の反転が起こるのは二〇三〇年頃だという。[43]
これは地球規模の災害の予告だろうか？　一万二五〇〇年間振り子が時を刻んだ後、ハンマーが再び振り下ろされようとしているのだろうか？

証拠11

パリ大学の理学部の教授イブ・ロカールによると、「現代の地震計は精度が高く、地球のあらゆる

場所で起きる振動の「雑音」を検知し、地震波が発生していないときでさえ反応する。人工的な振動（たとえば、四キロ先の電車、あるいは一〇キロ離れた大都市から発生するもの）を認識することもあるし、大気の動き（風が地面に与える圧力の変化）を認識することもある。時には、遠く離れた大きな嵐の影響も記録する。しかし現在、それらのどの原因にもよらない、地球の中で火花が散るような音が波打って続いている・・・」(44)

証拠12

「北極は、一九〇〇年から一九六〇年にかけて、西経四五度の子午線に沿ってグリーンランドの方向に三メートル移動した・・・毎年五センチずつ移動したことになる。しかし一九〇〇年から一九六八年の期間で見ると、北極は約六メートルも移動している。したがって北極は一九六〇年から一九六八年にかけて、三メートルも移動したことになり、これは毎年三〇センチ以上移動したことになる・・・。もしこれらの観測が正確だったとすると（関わった科学者たちは有名であり、まず間違いないが）、地殻は現在も動いているのかもしれず、しかもその動きを速めていることになる・・・」(45)

証拠13

『ＵＳＡ　ＴＯＤＡＹ』、一九九四年一一月二三日水曜日、９Ｄページ。
「南極大陸との対話、生徒と南極の科学者との交信」

「南極からの衛星生放送が一月一〇日に行なわれる予定で、その放送にはシカゴの高校の卒業生エリザベス・フェルトン（一七歳）が出演する。フェルトンは米国内務省地質調査部のデータを用い、地球の地理上の南極の位置を示す銅製の標識の位置を修正する予定になっている。これは、氷床が毎年移動するために生じるずれを補正するためである」(46)

動いているのは氷床だけだろうか？　あるいは地球の地殻全体が動いているのだろうか？　また、一九九五年一月一〇日に行なわれたのは、単に「特別の双方向対話教育プロジェクト」だったのだろうか？　あるいは、エリザベス・フェルトンは知らずして、今も続いている地殻の動きが加速されているのを記録していたのだろうか？

学者は、そんなふうには考えていない。だが、最終章で見るように、古代の予言と伝統的な信仰は、驚くべき一致を見せており、ともに次の世紀は前例のない混乱と暗闇の時代になると告げている。邪悪な行為が密かに行なわれ、五番目の太陽（マヤ）と四番目の世界（ホピ族）が終わりを迎えるという・・・。

証拠14

一九九五年一月一七日火曜日、日本、神戸

「突然襲った地震は残酷なものだった。人々が深く眠っていたその一瞬の後、床のみならず建物全体がゼリーのようになった。だがこれは、ゆっくりと波打つ液体の動きではない。ガタガタ振動し、はらわたがよじれ、戦慄を覚え、思わず震え上がるような揺れだ・・・」

「ベッドの中にいた。そこは世界で最も安全な場所だと思っていた。ベッドは床の上にある。床はしっかりした基盤だとずっと思ってきた。そこへ何の警告もなく、世界は吐き気を覚えるようなジェット・コースターに変わり、そこから逃げ出したくなった」

「もしかすると、最も恐怖をかき立てるのは音かもしれない。それは、雷鳴の低く唸る音とは違う。耳をつんざくように轟く音で、あらゆる所から聞こえてきて、世界の終わりを告げるように響く」（『ガーディアン』紙、ロンドン、一九九五年一月一八日、デニス・ケスラーによる阪神大震災の体験リポート。震動は二〇秒続き、マグニチュード七・二を記録し、五〇〇〇人以上の死者を出した）

第52章　夜の盗人のように密かに

世界には、謎めいた建造物、謎めいた考え、謎めいた知的財産が存在する。人類は、これらの謎の持つ意味を考えようとせず、重大な危険に自らを追いこんでしまったのかもしれない。

われわれ人間は、動物界で唯一、祖先の経験から学ぶ能力を持った存在だ。たとえば広島と長崎の後、すでに二世代が生まれて大人に育ち、核兵器がもたらす恐るべき破壊について皆が知っている。子供たちもまた、直接に体験していなくても、核兵器の危険性を知っており、さらに子供たちに伝えていくだろう。こうして、原子爆弾がもたらすものについての知識は、人類の永遠に残る歴史的遺産の一部となった。この遺産を生かそうとするかしないかは、われわれ次第だ。しかもその知識は身近に存在する。文字による記録や記録映画、寓意を含んだ絵画などが、戦争記念館などの中に保存されているからだ。

過去からのすべての証言が、広島や長崎の記録と同じように大切に扱われてきたわけではない。その反対で、聖書のように、歴史と呼ばれる知識の総体は、人間の手により編集された文化的所産

であり、そこでは多くのことが除外されている。特に、約五〇〇〇年前の文字の発明以前の人類の経験については、完全に削除されてきたし、神話という言葉は、妄想と同意語とされてきた。

だが、妄想でないとしたらどうなるか？

恐ろしい大災害が今日地球を襲って、われわれの文明を抹消し、ほとんどの人々を消し去ったとしよう。この大災害によって、プラトンの言葉を借りて言えば、「過去に何が起こったのかも知らず、子供のように再びすべてを始め」なければならなくなるとしよう。[1] そのような状況になったとして、その一万年から一万二〇〇〇年後には(書かれた記録や記録映画はすべて失なわれたとして)、西暦一九四五年の八月に日本の広島と長崎で起こった出来事に関して、子孫はどのような証言を記憶しているだろうか？

子孫たちがこの爆発について、神話的な言葉でどう語るかを想像することもできる・・・「ひどいまぶしさ」や「計り知れない熱」[2] が襲ったと言うだろう。また、次のような「神話的な」説明を、彼らが創作したと知ってもそれほど驚かないだろう。

ブラフマストラの命を受けた何発ものミサイルの炎は、互いに入り乱れ、火の矢に囲まれ、地球と天とその間の空間を覆い尽くした。炎は強まって、世界の終わりの太陽のようになった・・・。ブラフマストラに焦がされ、そのミサイルの恐ろしい炎を見た者は、それを、世界を焼き尽くすプラライヤ［大災害］の炎のように感じた。[3]

次に、広島に原子爆弾を落とした「エノラ・ゲイ」はどうだろうか？　西暦二〇世紀に、地球の空を群れをなして飛んだこの奇妙な飛行機や、似たような飛行機の編隊について、われわれの子孫はどのように記憶しているだろうか？　「天空の車」や「天の戦車」、「空を飛ぶ巨大な機械」、そして「空中都市」(4)とすら呼んで伝承し、記憶することは当然ありえるのではないだろうか？　もしそうならば、子孫たちはたぶん神話らしい言葉で驚きを語っただろう。たとえば、次ように・・・。

●「ああウパリカラ・バスよ。空を飛ぶ巨大な機械がお前の所にやって来るだろう。そして、すべての死すべき者の中で、この乗り物に座ったお前だけが、神のごとく見えるであろう」(5)

●「神々の中で建築家であるビスバカルマが、神々のために空飛ぶ乗り物を造った」(6)

●「クル族の子孫、あの邪悪な人物が、サウブハプラと呼ばれるどこへでもゆける自動操縦の空を飛ぶ乗り物に乗って来て、武器で私を貫いた」(7)

●「彼はお気に入りのインドラの神殿に入り、神々のための空飛ぶ乗り物が何千も留まっているのを見た」(8)

●「神々が空飛ぶ乗り物に乗って、クリパカルヤとアルジュナの戦いを見に来た。天の支配者であるインドラまでもが、三三の神を乗せることができる特別の空飛ぶ乗り物でやって来た」(9)

これらはすべてバガバタ・プラーナとマハーバーラタから引用したもので、この二つは、インド

亜大陸の古代の知恵の書のほんの一部である。そしてこのようなイメージは、他の多くの古代伝承の中にも繰り返しでてくる。一つ例を挙げると（第42章で見たように）、ピラミッド・テキストは、時代を間違えたような「空を飛ぶ」イメージで満ちている。

王は炎で、風の先頭に立って空の果て、地球の果てまで飛んでいく・・・王は空を旅し、地球を横切り・・・空に昇る手段が王にもたらされた・・・[10]

古代の文献の中で、空を飛ぶことが常に述べられているのは、忘れられた遠い昔の技術時代の歴史的証言ではないだろうか？

答えを探さなければ、知ることはできない。これまでのところ、現代のわれわれは答えを探そうとしていない。なぜなら、合理的で科学的な文化は、神話や伝承を「非歴史的」と見なすからだ。そうしたものの中には、間違いなく歴史的な重要性を持たないものも多く含まれているだろう。しかし、この本の調査の終わりにあたって言えるのは、その中には本当の歴史を語っているものが多く含まれているということだ・・・。

人類の未来の世代のために

これから提示するのは一つのシナリオだ。

たとえば、われわれの文明は、巨大な大災害によってまもなく滅びることを、確かな証拠に基づ

いてつきとめたとしよう。この大災害は、三〇度におよぶ地殻のずれかもしれないし、宇宙的なスピードで向かってくる、ニッケルと鉄でできた一〇キロ幅の小惑星との正面衝突かもしれない。

もちろん初めは、大きなパニックと絶望があるだろう。しかし、前もって十分な警告があれば、人類の一部は確実に生き残れるような処置が講じられるだろうし、高度な科学的知識の中で、とくに重要なものを、未来の世代のために残そうとするだろう。

奇妙なことに、一世紀のユダヤ人の歴史家であるヨセフスは、大昔に繁栄した社会を築いた知的な住民たちがまさに同じことを考えたと述べている。この住民たちは洪水の前、「何の災難に遭うこともなく幸せに」暮らしていたという[11]。

彼らは、天体とその秩序に関する例の一種独特な知識を創り出した者でもあった。しかも、その知識は失われていないのかもしれない。世界は一度炎の力によって破壊されたが、また大量の水で破壊されるというアダムの予言をうけて、彼らは二本の柱を建てた。一本は煉瓦で、もう一本は石でできていた。彼らは自分たちの発見を両方の柱に刻んだ。そうすれば、たとえ煉瓦の柱が洪水によって破壊されても、石の柱は残ってこれらの発見を後の人類に示すことができるかもしれない。またもう一本の煉瓦の柱が建てられたことを人々に伝えることができるかもしれない・・・[12]。

同様に、オックスフォード大学の天文学者であるジョン・グリーブズが一七世紀にエジプトを訪

れたときに、古代から伝わる土地の伝承を集めた。その物語によれば、ギザの三大ピラミッドを建設したのは大昔の神話上の王であるという。

ピラミッドを建設したのは、王がある夢を見たからであった。それは、全地がひっくり返り、地上に住む者はうつ伏せになり、星は落ち、大音響とともに互いに衝突したというものであった・・・やがて王は目覚め、心配のあまりエジプトの全地方から長を務める神官を召集した・・・王は夢で見たことすべてを神官たちに語った。神官たちは、星の高度を測り、未来を占い、大洪水を予言した。王は尋ねた。大洪水はわが国に押し寄せるだろうか？

神官たちは、押し寄せてわが国を破壊するだろうと答えた。大洪水までは、ある年数が残されており、王はその間にピラミッドを建てるように命じた・・・そして王はこれらのピラミッドに、賢者が告げたすべてのことや、すべての深遠な科学、占星術や数学、幾何学、医学を刻んだ。これらのすべては、その文字と言語を知る者によって解読されるだろう・・・。[13]

文字通り読むなら、これら二つの神話の伝えるメッセージは火を見るより明らかだ。世界中に散らばっているいくつかの謎の建造物は、天変地異によって破壊された大昔の高度な文明の知識を、保存し伝達するために建てられた、ということだ。

こういったことがあり得るだろうか？　また、有史以前から伝わってきた他の奇妙な伝承からは何が見い出せるのだろうか？

たとえば、『ポポル・ヴフ』から何が見い出せるか？　『ポポル・ヴフ』はベールに覆われたような言葉を用いて、人類の過去の大きな秘密について語っている。この時代は、忘れ去られた黄金の時代で、人々にできないことはなかった。科学の進歩と啓蒙に満ちた魔法の時であり、知性に恵まれた「最初の人間たち」が、「地球の丸い表面を測定した」だけでなく、「空のアーチの四つの点を調べた」。

人間たちの急速な進歩に、神々が嫉妬したことを読者は思い出すだろう。急に力をつけた人間たちは、「世界にあるすべてのものを見ることに成功し、知ることに成功した」(14)のだ。人間たちはすぐに神の報いを受けることとなった。「天空の主は人間たちの目にかすみを吹き付けた・・・。こうして、最初の人間たちが持っていたすべての知恵や知識、自分たちの起源と初めの頃の記憶は破壊された」(15)

何が起こったかについての秘密は、決して完全には忘れ去られなかった。なぜなら、遠い昔の最初の時代の記録は、スペイン人がやって来るまで、聖なる書物『ポポル・ヴフ』の中に残されていたからだ。征服にともない貴重な文化遺産が破壊される中で、この文献は、最も奥義に通じた賢者たちを除いて知る者がいなくなり、「キリスト教の法の下に」(16)書かれた文献にとって代わられた。「いにしえの時代、王から王へと伝えられていた『ポポル・ヴフ』は、もはや見ることができない・・・。原書は遠い昔に書かれ、確かに存在していた。しかし今では、それが研究者や思想家の目に触れることはない・・・」(17)

世界の反対側にあるインド亜大陸の神話や伝承の中にも、隠された秘密を示す記述が存在する。

『プラーナ』の中に見られる世界的な洪水の物語では、大洪水が起こる少し前に、魚の神ヴィシヌは保護した人間に警告し、「聖典を安全な場所に隠し」、大昔の種族の知識を破壊から守るようにと告げた。[18] 同様にメソポタミア版のノア、ウトナピシュティムは、神エアによって、「書かれたものをすべて持ち出し、シッパラにある太陽の都市に埋めるように」[19] 指示された。洪水が引いた後、生き残った者たちは、神の命によって太陽の都市の遺跡に行き、「書かれたものを探し」たが、その中には未来の世代のための知識が書いてあった。[20]

奇妙なことに、エジプトの太陽の都市イヌ（ギリシア人はヘリオポリスと呼んだ）は、王朝時代から、神々の時代から伝えられてきた高度な知識の中心であると見なされてきた。ピラミッド・テキストがまとめられたのはヘリオポリスであったし、ギザの共同墓地の遺跡を管理していたのはヘリオポリスの神官（あるいはむしろ宗教集団とでもいうべきもの）だった。

「キルロイ参上！」以上のことを

シナリオに戻ろう。

❶われわれは、二〇世紀後半の脱工業化文明が、宇宙に原因のある、あるいは地上で起こる避けられない災害によって破壊されることを知っている。

❷われわれの科学が優れているため、破壊が徹底的なものになるだろうという予測もついている。

❸技術的資源を大量に投入し、最良の知性を用いて、少なくとも人類の一部は大災害を生き延び、科学や医学、天文学や地理学、建築学や数学の知識が残るようにする。

❹もちろん、どちらの目標も達成できる可能性は非常に小さいことはわかっている。しかし、絶滅するという予測に追いこまれたわれわれは、超人的に働き、箱船または城または強固な建造物を造ろうとする。そして、人類の英知を集めて、五〇〇〇年の間に蓄積してきた知識の核心部分を伝達する方法を考え出そうとする。

　最悪に備えることから始める。生き残ったとしても、人類は大災害によって再び石器時代に逆戻りするだろうと仮定する。現在の文明と同じくらい高度な文明が、廃墟から不死鳥のようによみがえるには、一万年から一万二〇〇〇年かかることを知るわれわれにとって、最も優先度の高いことの一つは、未来の文明にメッセージを伝える方法を見つけることだ。少なくとも未来の文明に伝えたいのは、「キルロイ参上！」（第二次大戦のころ米兵が各地に残した落書きの文句）ではないだろうか。未来の人類がどんな言葉を話し、どんな社会や倫理や宗教、観念、形而上学、哲学を持っていようと、メッセージが伝わるようにしたいと思うだろう。

　しかしできれば「キルロイ参上」ではなく、それ以上のことを伝えたいと思うだろう。たとえば、遙か未来の子孫に向かって告げたいと思うのは、われわれが「いつ」生きていたか、ということだ。

　どのようにそれを行なうだろうか？　たとえば、西暦二〇一二年という年号を、今から一万二〇〇〇年後の文明に説明するには、彼らが解読し理解できるような普遍的な言語で説明

しなければならない。西暦のことも、他のどの暦法のことも知らないであろう相手に、どう説明するのか?

はっきりとした解決法の一つは、地球の歳差運動がもつ予測可能性を利用することだ。歳差運動は、決まった場所にいる観測者から見た星空全体を、ゆっくりと周期的に変化させ、また黄道の一二星座に対して春分点などを、やはりゆっくりと周期的に変化させる。この動きは予測可能であることから、次のことがいえる。もし「春分点が魚座にある時代に生きていた」と宣言する方法を見つけることができれば、われわれの時代を特定する手段を手に入れたことになる。二万五九二〇年という歳差運動の大きな周期中のある特定の二一六〇年間に、われわれの時代を特定できるわけだ。

この計画のもつ唯一の欠点は、現在の文明と同等な文明が現われるのに、大災害から一万二〇〇〇年あるいは二万年ではなく、もっと長い期間を経て、ことによると三万年もかかる場合だ。その場合、「われわれは、春分点が魚座にある時代に生きていた」と宣言する建造物もしくはカレンダー的な仕掛けも、もはや確実な手段ではなくなる。その建造物が、たとえば射手座の時代が始まったばかりの高度な文化によって解読された場合、「あなたたちの時代の四三二〇年前に生きていた」という意味か、あるいは歳差運動を一周期分さかのぼった「あなたたちの時代の三万〇二四〇年前に生きていた」という意味にとられる可能性がある。射手座の時代の考古学者は、知恵をしぼってメッセージ(「われわれは、春分点が魚座にある時代に生きていた」)を解読する必要があるだけでなく、どの魚座の時代にわれわれが生きてい

たかを、他の手がかりから特定する必要が出てくる。最近のものか、一つ前の歳差運動の周期にあったものか、ことによるとその前の周期ということも考えられる。

そのような大ざっぱな見当をつけるには、地質学がもちろん役に立つだろう・・・。

文明を広める者

もし、「魚座の時代に生きていた」ことを示す方法を見つけることができ、ある日立つ星（たとえばオリオン座の三つ星）の地平線からの高度を特定することができるなら、自分たちの時代を未来の世代に、より高い精度をもって伝えることができる。あるいは、ギザのピラミッドの建造者たちが試みたようだが、現代の天空における星のパターンを正確に反映した配置を、地上に造ってもよいわけだ。

他の選択肢や選択肢の組み合わせがいくつかあるだろう。どれを採るかは、条件によって変わってくる。利用可能な技術の水準、警告がもつ内容、どの年代の事実を伝達したいと思うか、などの条件である。

たとえば、大災害が襲う前に十分な準備をする時間がないとしよう。聖書にあるペテロの第二の手紙第三章に出てくる「主の日」のような天災が、「夜の盗人のように密かに」忍びよってくるとしよう[21]。その後の人類はどのようなことに直面するだろうか？

大災害が小惑星の衝突によって引き起こされるにしても、地殻のずれ、または他の宇宙的または地質的原因で発生するにしても、次のことを仮定しよう。

❶世界中におよぶ大規模な破壊。
❷比較的少数の人々しか生き残らない。また、その大多数は急速に未開の状態に逆行する。
❸生き残った人々の中に、未来へのビジョンをもつ、よく組織化された少数の人々が存在する。その中には、熟練した建築家や科学者、技術者、地図作成者、数学者、医者などがいる。彼らは、失われた文化を取り戻すことに身を捧げ、未来に知識を伝える方法を探す。やがて理解できる者たちが現われるだろうから・・・。

この仮説上の集団を「文明を広める者」と呼ぶことにしよう。彼らは団結した。初めは生きるため、後には考えを教え、分かち合うためだ。布教や一体感の共有についての高い意識を発展させ、宗教的な様式や信仰の体系をつくるかもしれない。この集団は、容易に識別できる力強いシンボルを利用し、共通の目的に対する意識を高めるだろう。たとえば、目立つあごひげをはやすかもしれないし、頭を剃るかもしれない。十字や蛇、犬のようなイメージを用いるかもしれない。こうしたイメージが構成員を結束させるだろう。また、文明を広める布教の旅に出て、知識のランプを灯しに世界中を回るかもしれない。

大災害の後の状況が非常に悪ければ、文明を広める者の多くは失敗するか、あるいは限られた成功しか収められないだろう。しかし、ある少数の集団が十分な技術と熱意をもち、永続するしっかりとした足がかりを築くのに成功したとしよう。それは多分、比較的被害の軽かった地域に築かれ

るだろう。そこへ、何か他の予期せぬ災害が起こるとしよう。多分、前の大災害の余波だろう。余波は一度に終わらないかもしれない。そして、足がかりがほとんど完全に消滅してしまう。

次に何が起こるのか？　厳しい難局から一度は逃れたこの知識集団は、この新たな難局にどう対処するだろうか？

奥義を伝達する

状況によっては、固い決意をもった男女が核となって引き継ぐことで、この宗派の奥義を保存することもあり得る。また、適切な動機付けと教化の技術があり、半原始の土地の住民の中から新たな構成員を加えれば、このような宗派は、ほとんど永久的に存続できるだろう。しかしそれには、構成員が(救世主を待ち望むユダヤ人のように)、何千年も何万年も、自分たちの正体を現わす時が来たという確信を得るまで、時節を待たなければならない。

もし、彼らにそれができ、彼らの聖なる目的が知識を保存し、進化した文明にそれを伝達することであった場合、エジプトの知の神トトを語るのに用いられたと同様な言葉で、構成員たちも描写されることだろう。トトは次のように語られている。

トトは、天空の謎を理解することに成功し、この謎の秘密を幾冊もの聖なる本に書いて明らかにした。トトは、これらの本を地上に隠した。これらの本が将来の世代によって探され、十分ふさわしい者によってのみ発見されることを意図していた・・・。(22)

この謎めいた「トトの本」とは、どんなものだったのだろうか？　これらの本に含まれていたと言われる情報は、本の形態で伝達されたと仮定する必要があるのだろうか？

たとえば、サンティラーナとデヒェントは、世界的な神話に埋め込まれている歳差運動の高度な科学的言語を解読したとき、「十分にふさわしい者」の座を獲得した、と考えてみる価値はないだろうか？　そして二人が神話を解読した時点で、トトの「本」の一つに遭遇したのであり、ページに記されていた古代の科学を読みとったとは言えないだろうか？

同様に、ティアワナコでのポスナンスキーの発見やハプグッドの地図はどうか？　ギザのスフィンクスの地質学的古さに関する、新たな知識はどうか？　河岸神殿と葬祭殿の建造に用いられた巨石が提示する問題はどうか？　ピラミッドの天文学的配置や寸法や隠された部屋など、現在暴かれようとしている秘密はどうか？

もしこれらもまた、幾冊ものトトの本なのだとしたら、「十分にふさわしい者」の数は増えつつあり、さらに驚くべき新事実がまもなく現われることが考えられる。

シナリオに手短に戻ろう。これで最後になる。

❶西暦二一世紀の初頭、魚座の時代から水瓶座の時代へ移る頃、われわれの文明は破壊される。
❷打ちのめされた生き残りの人々の中で、数百もしくは数千の人々が団結し、科学的知識の成果を保存し、遥か遠くのいつかはわからない未来に伝達しようとする。

❸これら文明を広める者たちは、小さな集団に分かれ、地球のあちこちに散らばる。
❹その大部分は失敗し死ぬ。しかし、ある地域では成功する者たちがおり、永続する文明の痕跡を残す。
❺数千年後、たぶん何回かやり直しがあると思うが、元の知識集団の一派が、十分に進化した文明の誕生に影響を及ぼす・・・。

もちろん、この最後のシナリオに合うのはやはりエジプトだ。ここで仮説をいくつか提示したいと思う。これは、もちろんこれから検証していかなければならない。まず科学的知恵を持つ宗派があったと考える。その構成員は失われた偉大な航海文明の生き残りたちで、早ければ紀元前一万四〇〇〇年頃には、ナイル低地に住んでいた。この宗派は、ヘリオポリス、ギザ、アビドスなどを根拠地としており、初期の農業革命を指導した。だが、最初の成功は、紀元前一万一〇〇〇年頃に起こった大洪水と、その他の災害で壊滅した。この知的宗派は敗北を認め、氷河期の混乱が終わるまで撤退することにした。このときは、その後の暗黒の時代に知識を残しておける確信はなかっただろう。

このような状況では——この仮説によれば——巨大で野心的な建築プロジェクトを行なうことが、この宗派の持つ科学情報を保存し伝達する一つの方法だった。これならば、構成員が生き残れなくても未来に知識が残る。つまり、建造物が十分に大きく、耐久性が優れており、宗派のメッセージが付与されていたら、このメッセージは将来、いつか解読されるかもしれない。だが、このと

きすでに宗派は存在していないだろう。

これは、なぜギザのピラミッドが造られたか、という疑問に答える仮説である。

❶大スフィンクスは前の章で論じたように、確かに獅子座の時代の春分点を表す標識だ。これが示している年代は、われわれの暦法でいうと、紀元前一万〇九七〇年から前八八一〇年にかけてである。

❷三つの主要なピラミッドはナイル低地と関係付けられて配置されており、オリオン座の三つの星と天の川の配置関係を地上に正確に再現したもので、紀元前一万四五〇年に造られた。

これは、紀元前一万一〇〇〇年という時代を「特定する」効果的な手段である。なぜなら歳差運動の現象を利用しており、歳差運動は「われわれの惑星の唯一の正確な時計」[23]だからだ。しかし、混乱を起こす事実がある。大ピラミッドには通気孔が組み込まれているが、それらは紀元前二四五〇年頃のオリオンの三つ星とシリウスに照準が合わされている。[24]この二つの年代の間に失われた年月が存在するという異常性を解決するために、この宗派が紀元前一万〇四五〇年にギザの基本計画を立て、その後長い間存続した同じ宗派が通気孔を造ったという仮説を立てよう。もちろん、八〇〇〇年にわたる失われた年月の終わり頃、洗練された文明であるエジプト王朝を突然「完全に組織化された形で」出現させたのはこの同じ宗派だということになる。

推測する必要のあるものとして残っているのは、ピラミッドの建築者たちの「動機」だ。彼らは、

北半球における最後の氷河期の終わりに、世界地図を作った謎の地図作成者たちと同じ人々であると推測できる。もしそうなら、なぜ高度な文明を持ち技術的にも熟練したこれらの建築家および航海者が、謎めいた南の大陸で徐々に進行した氷河作用を地図化することに取り憑かれたのだろうか？　彼らが南極大陸を地図化した期間は、紀元前一万四〇〇〇年（フィリップ・ビュアッシュが参照した原地図が描かれた年代をハプグッドが算定したもの）から、紀元前五〇〇〇年の終わり頃までということになる。

彼らは、故郷がゆっくりと消滅していく過程を、永久に残る地図として残していたのだろうか？また、未来へメッセージを伝達するのに様々な異なった媒体（神話や地図、建造物、暦法、数学的調和）を用いる彼らの激しい情熱は、大災害や地球の変動に結び付いているのだろうか？

緊急の使命

意識され、体系化された歴史を持つところが、人間と動物の違いの一つだ。たとえばネズミや羊や牛やキジなどと違い、人類は過去を持っており、それはわれわれから独立した存在だ。したがって、前に述べたように、人々は祖先の経験から学ぶことができる。

ひねくれているのか、心得違いをしているのか、あるいは単に愚かなのか、われわれは、経験が「歴史的記録」の形で伝えられない限りは、それを認めることを拒否する。また、現在から約五〇〇〇年前の時点で「歴史」と「歴史以前」を勝手に分けるのは、傲慢からだろうか、あるいは無知からだろうか？　「歴史」の記録は有力な証拠だが、「歴史以前」の記録は原始的な妄想だとするの

は正しいことだろうか?

調査がここまでくると、私が直感的に感じるのは、神話という形で届いている不穏な響きを持つ祖先の声に、長い間耳をふさいできたことで、自らを危険にさらしているかもしれないということだ。これは合理的な考えというより直感的なものだが、しかし非現実的ではない。調査をしていくうちに、古代の天才たちの論理的な思考や高度な科学、深い心理的な洞察、そして宇宙の構造に関する広範な知識に対して、敬意を抱くようになった。また、これまで見てきた神話を創造したのは彼らであり、彼らは失われた文明の生き残りであり、地図作成者やピラミッドの建造者、航海者、天文学者、地球の測定者であるのは間違いない。これまで大陸や海を巡って追い求めてきたのは、彼らの指紋なのだ。

長い間忘れ去られ、今でもおぼろげにしかその姿がわかっていない、最後の氷河期のニュートンやシェークスピアやアインシュタインに対して、私は敬意を抱くようになり、彼らが伝えようとしていることを無視するのは愚かだと思うようになった。彼らが伝えたいのは次のことのようだ……周期的に繰り返され、人類をほぼ完全に破滅させる大災害は、この惑星で生きる以上必然であり、このような大災害は以前にも何回も起こっており、また必ず起こる。

マヤの驚くべきカレンダー・システムは、このメッセージを伝達する媒体ではないのか? 大昔から南北アメリカ大陸に伝わる、四つの「太陽」(あるいはかつて存在した三つの「世界」)の伝承は、同様の悪い知らせを伝達する手段ではないのか? 同じように、歳差運動の偉大な神話は、単に以前の大変動のみならず、やがて来る大変動についても語っており(宇宙の臼という比喩を通して)、

地球規模の災害と「天空の混乱」を結び付けているが、これらの神話の機能は何か？　また、どのような熱烈な動機に駆り立てられて、ピラミッド建築者たちは、謎めいた大建造物をあのような細心の注意を払ってギザ台地に建てたのだろうか？

彼らのメッセージは「キルロイ参上！」だ。

また、自分たちがいつ存在していたかを伝える巧妙な方法も見つけていた。

これらに関しては疑う余地がない。

彼らがここまでして、科学的で高度な文明を持っていたという確実な証拠を残したことにも感銘を受ける。さらに、きわめて重大な使命を果たしているのだというその切迫感にも強い感銘を受ける。この切迫感は彼らが偉業を残す動機となっている。

再び直感に従って述べる。証拠に基づくものではない。

推測では、彼らの目的は未来に警告を伝えることだった。この警告は地球的な大変動に関するもので、最後の氷河期の終わりに人類を打ちのめした大変動の再来を予告している。このとき、「ノアは地上が傾くのを見て、破壊の時が近いのを知り、悲痛な声で叫んだ。『地上に何が起こったのか教えてくれ。地上は非常に苦しみ、激しく震えている・・・』」[25]。これはユダヤのエノク書からの引用だが、同様な苦しみと震えが、現在の世界の終わりを語る中央アメリカのすべての伝承の中で予言されてきた。読者も思い出すだろう。「古老たちは言う。大地が動き、われわれはすべて死に絶える」[26]

読者は、古代マヤ族のカレンダーが世界の終わりとして算出した日付も忘れていないだろう。

その日は四アアウ三カンキン（二〇一二年一二月二三日にあたる）で、その日は太陽神、第九の神によって治められているだろう。月齢は八日で、月期は六つ連続する中の三番目であろう・・・[27]。

キリスト教においても、終末の日が迫っているとしている。ペンシルバニアの「ものみの塔」聖書協会によると、「この世界は消滅する。洪水の前の世界が消滅したのと同じくらい確実に。最後の日々には多くのことが起こると予言されているが、そのすべては起こりつつある。このことは、世界の終わりが近いことを意味している・・・」[28]

同様にキリスト教信者であり霊能者であるエドガー・ケイシーは、一九三四年に予言を行なった。紀元二〇〇〇年頃に、「極が移動する。北極と南極で大変動があり、熱帯では火山が噴火する・・・ヨーロッパ北部は一瞬の間に変化する。地球はアメリカ西部で分裂する。日本の大部分が海に沈むことになる」[29]

奇妙なことに、これらのキリスト教の予言に現われている紀元二〇〇〇年という時代は、オリオン座の三つ星が上昇する長い周期の最後の時（最高点）とも一致している。それはちょうど、紀元前一万一〇〇〇年という時代が、この周期の最初の時（最低点）と一致したのと同様である。

そしてもう一つ奇妙なことがある。第28章で見たように、

五つの惑星の連合は、引力の影響を強く及ぼすと思われるが、それは、二〇〇〇年の五月五日に起こる。このとき、海王星、天王星、金星、水星、火星が、地球から見て太陽の反対側に整列し、まるで宇宙の綱引きのような配置になる・・・[30]

引力の目に見えない影響は、地球の歳差運動によるぐらつきや、自転によるねじれの効果、南極大陸の氷原の急速に増大する体積および重量、といった要因と重なった時、全面的な地殻のずれを誘発することがあり得るのではないだろうか？

どうなるかは、起こるまでわからないかもしれない。また、古代エジプトの記録係であった神官マネトーが、苛酷で破壊的な宇宙の力が働いていると述べているのは、文字通りのことを言っているのに違いない。

鉄は磁石に引きつけられやすいが、しばしば反対方向にはじかれる。それと同じように、世界の健全で正常な動きは、ある時にはこの苛酷な力を引きつけ、なだめ、鎮めるが、この力が回復した時は、世界は転覆し、無力な状態に追いやられる・・・[31]

つまり、古代人は象徴や寓意を用いて、正確にいつ、なぜ、世界を破壊するハンマーが再び振り下ろされるかを、様々な方法を通して告げようとしたのではないだろうか？　したがって、一万二五〇〇年間振り子が時を刻んだ後でもあり、記憶にない暗く恐ろしい時代（有史以前と呼ばれる時

代)から伝わってきた兆候やメッセージの研究に、もっと精力を傾けるのが賢明ではないだろうか?
ギザ台地で行なわれている遺跡調査のペースを速めることも望ましい。学説を脅かすものを断固として拒否するエジプト学者たちだけでなく、多分野にわたる研究者のチームを加えることが望ましい。そうすればより新しい科学の成果が導入され、謎に満ちた遺跡が投げかける難問にも対応することができるだろう。たとえば第6章で触れた、塩素36によって岩の露出時間を推定する年代測定法は、ピラミッドとスフィンクスの古さに関する問題を解決する将来性のある手段のように思える。[32]同様に、その気にさえなれば、大ピラミッドの女王の間の南通気孔を六〇メートルほど上った所にある小さな扉の向こうに達する方法があるかもしれない。さらに、スフィンクスの足元の基盤の奥深くにある大きな空洞に何があるかを真剣に調査すべきだろう。この空洞は、一九九三年の地震波測定による調査で発見されたものだ。[33]
最後になるが、ギザから遠く離れた南極大陸の氷床の下の地形の綿密な調査に着手すれば、多くの成果が得られると思う。この大陸に、失われた文明の完全な遺跡が隠されている可能性が最も高い。もしこの文明を破壊したものが何であったかを確定できれば、同様な大異変によってもたらされる運命から人類を救う方法を探るのに役立つことだろう。
これらの提案をするにあたって、私はもちろん嘲笑する者がたくさんいることもわかっている。「何事も、その創造の初めよりなされてきたように続いていく」[34]という斉一論的見方を主張する者も多いだろう。しかし、そのような「終末の日をあざける者ども」[35]は、どんな理由があるにせよ、すでに忘れ去られた祖先の証言に耳を傾けない者たちだ。すでに見てきたように、彼らの証言は忌

まわしい大災害が、ときとして人類にふりかかってきたことを伝えている。災害は突然、予告もなく、容赦なく、夜の盗人のように密かにやってきた。大災害は未来のある時点で再び必ず起こる。十分な備えがなければ、人類は再び原始時代から始めなければならなくなる・・・親の遺した遺産を知らない孤児のように。

最後の日々を歩む

一九九四年五月、ホピ族のインディアン保護特別保留地

アリゾナ州の高原一帯を、来る日も来る日も、荒涼とした風が吹き抜けている。その高原を車で走り、シュンゴポビという小さな村に向かっていた。この五年間に見てきたこと、やってきたことを振り返っていた。旅、調査、間違ったスタート、行き当たった袋小路、幸運、すべてが重なった瞬間、すべてがばらばらになりそうに思えた瞬間。

ホピ族の地にたどり着くまで長い旅をしてきた。州都フェニックスからこの厳しい荒れ地へ、あっという間に運んでくれる四八〇キロの高速道路の旅よりも遙かに長い。また、この地で収穫を得て戻る保証もなかった。

それでもこの旅をしたのは、予言の科学がいまだにホピ族の中で生きていると信じられているからだ。ホピ族はプエブロ・インディアンであり、メキシコのアステカ族の遠縁であり、その数は自然減と困窮のため一万人にまで減っている。[36] 子孫がユカタン半島一帯にいる古代のマヤ族が、世界の終わりは二〇〇〇年頃にやって来ると確信していたように、[37] ホピ族も、人類は最後の日々を歩ん

でおり、ダモクレスの剣がわれわれの上に吊り下がっていると信じている。[38] 第24章で見たように、ホピ族の神話は次のように語っている。

「最初の世界は人類の過ちのため、天と地下からの火ですべてが燃やされ破壊された。第二の世界では地球の軸がひっくり返り、すべてが氷で覆われた。第三の世界は大洪水で終わった。現在は第四番目の世界だ。この時代の運命は、人類が創造主の計画に沿う行動をとるかどうかで決まる・・・」[39]

アリゾナに来たのは、人類が創造主の計画に沿った行動をしているかどうかを知るためだ・・・。

世界の終わり

荒涼とした風が高原を吹き抜け、私たちのいるトレーラーハウスの壁を揺らし、ガタガタと音をたてた。横にいるのはサンサだ。どこに行くのも一緒で、危険と冒険、喜びと悲しみをともにしてきた。向かい側に座っているのは友人のエド・ポニストで、エドはミシガン州のランシングで看護士をしている。数年前エドは保留地で働いていたことがあり、エドのおかげで、いま私たちはここにいるのだ。右にいるのはポール・シフキという老人だ。彼は、ホピのスパイダー一族の古老で、九六歳であり、一族の伝承のすぐれた語り部である。その横には孫娘のメルザ・シフキがいる。メルザは端正な容貌の中年の女性で、通訳をかってでてくれた。

「ホピ族は、世界の終わりが来ると信じていると聞きましたが、本当ですか?」と聞いてみた。小柄なポール・シフキは、しわが目立つ褐色の肌をしており、ジーンズとキャンブリック（薄手の平織りの綿織物）のシャツを着ていた。会話を交わす間、一度も私を見ず、一心に前方を見つめ、まるで遠い雲の中になじみの顔を探しているかのようだった。

メルザは質問をポールに伝え、少したってから返答を通訳した。「『なぜ知りたいのだ?』と尋ねています」

多くの理由があると説明した。最も重要なのは、事態が切迫していると感じているからだった。「調査をした結果、遠い遠い昔、高度な文明が存在していたと確信するようになりましたが、その文明は大災害で破壊されています。私たちの文明も同じような大災害で破壊されるのではないかと恐れています・・・」

ホピ語で長いやりとりがあり、訳がでてきた。「彼が言うには・・・子供のころ、一九〇〇年代に、爆発した星があったが、その星は長いこと空にあった・・・彼は祖父の所に行って、このしるしの意味を説明してくれるように頼んだ。すると祖父は答えた『こんなふうにわれわれの世界も終わるのだ・・・炎に飲み込まれて・・・もし人々がやり方を変えなければ、世界を守る精霊はわれわれに苛立つようになり、世界を炎で罰し、あの星が最期を迎えたのと同じように世界は終わるだろう』。そのように祖父は彼に語ったそうです。・・・地球はあの爆発した星と同じように爆発するだろう、と・・・」

「世界は炎に包まれて終わるわけですね・・・それでは、この九〇年間世界を見てきて、人類の

ふるまいは良くなったのか悪くなったのか、どう考えていますか？」

「良くなってはいないと言っています。悪くなっていると」

「そうすると、終わりが迫っているのですか？」

「彼が言うには・・・しるしはすでに目に見えている・・・今は風だけが吹き、互いに武器を突きつけることばかりだ・・・と言っています。そのことを見ても、いかに道を外れ、お互いに対して何を感じているかわかる。すでに価値観がなくなっている、まったくない。人々は好き勝手に生きている、道徳も法もない。これらが、時が来たしるしなのだ・・・」

メルザは通訳の途中で一息つくと、意見をつけ加えた。「このひどい風。すべてを乾燥させてしまう。何の湿り気ももたらさない。私たちの見方では、こういう気候は人々の生き方がもたらした結果なのです・・・私たちだけでなく、あなた方も含めて」

彼女の目には涙があふれていた。「トウモロコシ畑を持っていますが、乾ききっています。空を見上げて、雨が降るように祈ります。でも雨は一滴も降らないし、雲さえありません・・・こんなときは、自分たちが何者なのかさえわからなくなります」

長い沈黙があった。風はトレーラーを揺すり、強く絶え間なく岩の台地《メサ》を吹き抜けていくなか、われわれは夕闇に包まれはじめた。

私は静かに言った。「おじいさんに尋ねてください。ホピ族とその他の人類のために、いま何かできるでしょうか？」

彼の答を聞いて、メルザは言った。「祖父が知っている唯一のことは、ホピ族が伝承を捨てない限

り、自分たちだけでなく他の者たちも救えるかもしれないということです。過去に信じていたものを保ち続けなければならない。記憶を守らなければならない。このことが、最も重要なことなのです・・・祖父はあなた方に伝えたいことがあり、理解してもらいたいと言っています。それは、この世界を創ったのは知的な存在、精霊で・・・創造力に富む、知性のある精霊で、すべてを計画して創っている・・・と祖父は言っています。偶然で存在するものはなにひとつない。なにひとつ偶然に起きることはない・・・良いことであろうと悪いことであろうと・・・すべての出来事には理由がある・・・」

臼が回転している

世界中の多くの異なった文化をもつ人々が、大変動が迫っているという抗しがたい直感を共有していても、われわれにはそれを無視する権利もある。また、神話と建造物を通して伝わってきた祖先の声が、遠い昔の偉大な文明が消滅したことを語っている場合でも（そしてそれらが現代文明もまた危機にさらされていると語っていても）、望むなら、耳をふさぐことができる。

大洪水の前の世界もそうだったと聖書は述べている。「大洪水の前の日々、人々は食べたり、飲んだり、妻を奪ったり、夫を奪ったりして過ごし、それはノアが箱船に入る時まで続いた。人々は洪水が来てすべてをさらって行くまで、なにも疑わなかった」[40]

同じように、次の地球規模の破滅が、突然にわれわれの身に降りかかることが予言されている。「だれも予想もしない時に、稲妻が東に落ち、遥か西まで光を放つように突然やって来る・・・太

陽は暗くなり、月は明るさを失い、星々は空から落ち、天空の力は震える・・・そのとき、畑の二人の男のうち、一人は連れて行かれ、一人は残される。ひき臼を回している二人の女のうち、一人は連れて行かれ、一人は残される・・・」[41]

前に起こったことは、再び起こりうる。前に行なわれたことは、再び行なわれる。太陽の下、すべてが何度も繰り返されてきたことに過ぎないのだろう・・・

訳者あとがき

ここ数年、一万年以上前に、高度な文明が地球上に存在したことを示唆する科学的・論理的な証拠が次々に出てきている。

❶スフィンクスは、地質学的調査の結果、一万年から一万五〇〇〇年前に建造されたことが明らかになった。スフィンクスの隣にある巨石で造られた河岸神殿も同じ。（一九九三年）

❷エジプトのギザのピラミッド群は一万二〇〇〇年前の天体図となっている。（一九九四年）

❸エジプトのアビドス近郊の砂漠からは一二隻の海洋船が発見された。これらの船が埋められたのは紀元前四〇〇〇年の昔。だが、エジプト人たちは今も昔も航海民族ではない。（一九九一年）

❹大ピラミッドの女王の間の南通気孔の先に部屋があることが、小さなロボットによって発見された。（一九九三年）

❺二世紀から一六世紀に編纂された世界地図の多くに南極大陸が描かれていた。だが、南極大陸が発見されたのは一九世紀。このことは五〇年前には知られていたが、ようやく最近、学問的に注目されるようになった。

本書は、このような、世界史を書き替える可能性を秘めた一連の新事実の最新レポートである。今から一万年以上前という遥か昔に高度な文明があったとすると、それはどのような文明だったのか、またどうして消えてしまったのか？　元『エコノミスト誌』の特派員ハンコック氏は、アンデスやメキシコ、エジプトの遺跡を調べ、神話を検討し、こうした疑問に対し解答を出している。

さて、太古に高度な科学技術を持つ文明が本当にあったのだろうか？　これまでの学説では否定されてきた。太古に高度な文明が存在したことを示唆する証拠はいろいろあるが、決定的なものがなかったからだ。だが、そういう見解もうすでに時代遅れになってきたようだ。特にスフィンクスの建造年代が一万年以上も前だという事実には、動かしがたい根拠がある。

私は個人的にはUFOも信じないし、ムー大陸の存在なども非科学的であるとして否定してきた。もともと荒唐無稽な話は嫌いで、確固たる証拠を要求する性格なのだ。だが、本書には強い説得力があった。太古に高度な文明があったことも、それが跡形もなく消えてしまったことも、科学的・論理的に説明されており、十分に納得できるのだ。

太古の高度な文明に関しては二一世紀に大掛かりな発掘調査が行なわれ、その全容が科学的・論理的に明らかにされていくのではないだろうか？　『神々の指紋』は世界史を塗り替えるきっかけ

となった本として記憶されるだろう。書物の中には、「読まなければならない」という類の本がある。本書はそういう書物の一つだと思う。

この本の存在を知ったのは、一九九五年六月のことだった。米国のジャーナリスト、パトリック・ペクストン氏から「英国で面白い本がナンバーワン・ベストセラーになってるよ」と連絡があり、そこでさっそく本を入手して読んでみた。

第一部を読んだだけで、興奮を覚えた。一六世紀に編纂された世界地図に南極大陸が描かれていたという話は初耳だった。さらにアインシュタイン博士による「地殻移動説」の解説にも衝撃を受けた。

そんなときにお会いしたのが翔泳社編集部の新田氏だった。「一晩、本を貸してください」という。そして翌朝電話がかかってきた。「すごい本ですね。やりましょう！」　そんなわけで急遽、翻訳に取りかかった。

優れた本を世に送り出すという仕事は一人ではできない。まずエージェントの協力を仰ぎ、編集者、営業・広告スタッフ、表紙デザイナー、本文レイアウト、校正スタッフ、コンピュータ操作スタッフが一丸となって働く。さらに書店の人々の良書出版意欲も大きく関係してくる。翻訳の仕事というのは、これらの全体過程のほんの一部でしかない。

だが翻訳すらも独りではできなかった。まずパートナーの波多野一恵氏には読者の立場から全文を吟味して、読みやすくなるよう指摘していただいた。フリー翻訳家の渋谷淳氏には第5部と第8部の下訳をしていただき、さらに人名・地名・書名の調査を担当していただいた。パトリック・ペ

クストン氏には、英文のわからない個所を解説していただいた。

著者のハンコック氏にもファックスで疑問点を訊くことができた。またインタビューにも応じてくださった。翔泳社編集部の藤田氏は訳者の拙文に最後まで朱を入れて、読みやすくするために全力を尽くしてくださった。

再校正のゲラを読みながら、良書を世に送りだす仕事には、多くの人々の思い入れと、汗の結晶を必要とすることを、ひしひしと感じている。

一九九六年一月

大地　舜

に大気にさらされてからどのくらい時間が経過したか推定することができる．スフィンクスとピラミッドの場合，岩が切り出されて最初に大気にふれた年代が分かるだろう・・・」

1994年にボーエンは，イギリスにある有名なストーンヘンジの「ブルーストーン」で予備テストを行った．ストーンヘンジは，これまで紀元前2250年のものと信じられていたが，テストの結果，この巨石は，最後の氷河期（おそらく紀元前1万2,000年というもっと早い時期）に切り出された可能性があることが判明した．　*The Times*, London, 5 December を参照．

33 *Mystery of the Sphinx*, NBC-TV, 1993.

34 『新約聖書　ペテロの第二の手紙』3:4.

35 『新約聖書　ペテロの第二の手紙』3:3.

36 *Community Profile: Hopi Indian Reservation*, Arizona Department of Commerce.

37 *Breaking the Maya Code*, p.275.

38 *Book of the Hopi*.

39 *World Mythology*, p.26.

40 『新約聖書　マタイによる福音書』24:38-39.

41 『新約聖書　マタイによる福音書』24:27-41.

3 同書, p.60.

4 Dileep Kumar Kanjilal, *Vimana in Ancient India*, Sanskrit Pustak Bhandar, Calcutta, 1985, p.16.

5 同書, p.17.

6 同書, p.18.

7 同書.

8 同書.

9 同書, p.19.

10 *The Ancient Egyptian Pyramid Texts*, p.70, Utt. 261.

11 *The Complete Works Of Josephus*, Kregel Publications, Grand Rapids, Michigan, 1991, p.27.

12 同書.

13 John Greaves, *Pyramidographia*. *Serpent in the Sky*, p.230に引用されている.

14 *Popol Vuh*, p.168.

15 同書, p.169.

16 同書, p.79.

17 同書, p.79-90.

18 *The Bhagavata Purana*. *Atlantis: The Antediluvian World*, p.88に引用されている.

19 Berossus Fragments. *The Sirius Mystery*, p.249に引用されている.

20 同上.

21 『新約聖書　ペテロの第二の手紙』3:10.

22 *The Egyptian Hermes*, p.33.

23 Robert Bauval の個人的通信による.

24 第7部を参照.

25 1 *Enoch*, LXV, in *The Apockryphal Old Testament* (ed. H.F.D. Sparks), Clarendon Press, Oxford, 1989, p.247.

26 *Pre-Hispanic Gods of Mexico*, p.24.

27 *Breaking the Maya Code*, p.275.

28 *Will The World Survive?*, Watch Tower Bible and Tract Society, 1992.

29 Circulating File, *Earth Changes*. Edgar Cayce Readings, Edgar Cayce Foundation, Virginia Beach, 1994, p.36からの抜粋.

30 第5部を参照.

31 *Manetho*, pp.191-3.

32 塩素36によって岩の露出時間を推定する年代測定法は, ウェールズ大学の地球科学部のデービッド・ボーエン教授によって開発された. 1994年12月1日付けのロンドンの日刊紙 *The Times* で, 教授は見解を述べている.

「スフィンクスとピラミッドの年代をめぐる論争を解決する1つの方法は, 塩素36による測定法を適用することかもしれない. この手法によって, 岩が最初